Cinéma de l'imaginaire québécois

DU MÊME AUTEUR

Du Canada au Québec, généalogie d'une histoire, Montréal, l'Hexagone, 1987.

HEINZ WEINMANN

Cinéma de l'imaginaire québécois

De *La petite Aurore* à *Jésus de Montréal*

l'HEXAGONE

Éditions de l'HEXAGONE
900, rue Ontario est
Montréal, Québec H2L 1P4
Téléphone: (514) 525-2811

Maquette de couverture: Claude Lafrance
Illustration de couverture : *Jésus de Montréal,* Max Films
Photo de l'auteur : Louise Lemieux
Photocomposition: Jean-Claude Lespérance

Distribution: Diffusion Dimedia inc.
539, boulevard Lebeau
Saint-Laurent, Québec H4N 1S2
Téléphone: (514) 336-3941; télex: 05-827543

Distique
17, rue Hoche, 92240 Malakoff, France
Téléphone: 46.55.42.14

Dépôt légal: deuxième trimestre 1990
Bibliothèque nationale du Québec
Bibliothèque nationale du Canada

À Jean Marcel,
auteur du Joual de Troie

AVANT-PROPOS

Ce livre inattendu, intempestif, est venu par la bande. Il s'est imposé au cours d'un été. Apparemment, rien ne m'y a préparé, puisque le cinéma n'est pas ma « spécialité ».

Or au fond, ce n'est pas un livre sur le cinéma, mais sur le Québec, sur l'imaginaire québécois tel qu'il se reflète dans son cinéma. Dans ce sens, tout m'a préparé à ce livre.

En effet, il s'agit de continuer l'enquête généalogique collective commencée avec *Du Canada au Québec* (l'Hexagone, 1987), avec d'autres moyens, à travers un autre médium. Justement, notre enquête s'est terminée abruptement, en 1970, sur la crise d'octobre qui signifie pour nous la « fondation » du Québec. Or le Québec est en gestation depuis le début des années cinquante. En gestation d'abord dans son imaginaire avant de se cristalliser, de s'articuler plus nettement à travers des revendications sociales et politiques (mouvement syndical, souveraineté du Québec). On a fait grand cas ici des chansonniers et des poètes (de ceux de l'Hexagone notamment) comme hérauts de ce Québec naissant. C'était négliger un autre média tout aussi important pour l'émergence d'un nouveau Québec : le cinéma. Ce qui est vrai pour le cinéma américain, l'est aussi pour celui du Québec : *Naissance d'une nation* (D.W. Griffith). Il est des nations qui naissent ou re-naissent avec le cinéma.

Étant un média « populaire », un mass média, le cinéma, comme la chanson, rejoint un très vaste public coupant à travers les différentes couches sociales. Mais plus encore que la chanson et même que la littérature, le cinéma à la fois reflète et suscite l'imaginaire collectif d'un peuple. Si la littérature, par l'acte solitaire de la lecture et par le processus imaginaire individuel qu'il provoque a un effet « désolidarisant » en transformant des liseurs en autant de monades détachées des autres, le cinéma, bien au contraire, par sa projection collective, assemble ces monades-individus. Bien sûr, l'obscurité ne permet pas le « contact » personnel du public, mais il favorise une « solidarisation » de son imaginaire. Car, en effet, le public de cinéma, contrairement aux liseurs privés de littérature, voit les *mêmes* images.

Certes, dépendant du sujet du film, ces images ne créent pas nécessairement des accords « consensuels » dans les publics de cinéma non homogènes. Justement, le public de cinéma est hétérogène, composé de spectateurs appartenant à quasiment toutes les strates d'une société. Or, certaines de ces images cinématographiques font vibrer à l'unisson les « cordes sensibles » d'un public. D'aucuns prétendent qu'il y a trente-six de ces « cordes sensibles » qui font vibrer l'« âme » du Québécois. N'étant pas comptable ni publicitaire, je ne les ai pas comptées. Ce que je sais, c'est qu'il y a des cordes qui résonnent collectivement davantage que d'autres. Celle qui provoque ici, depuis quelque temps, le maximum d'amplitude oscillatoire, le plus de résonance collective, c'est ce qu'on a appelé la *Québécité*.

Le « Québec », la « québécité », la « québécitude », depuis les années soixante-dix, ont affirmé leur « spécificité », entraînant certains sociologues-anthropologues zélés jusqu'à classer le « Québécois » comme une espèce à part : *homo quebecensis* pour les anciens du cours classique. Le Québécois, un embranchement nouveau dans l'arbre généalogique de l'*homo americanus*, si ce n'est pas du *pithécanthrope erectus* : « Québécois debout ! », traduction québécoise libre…

Plutôt que de proférer des slogans et de coller des étiquettes *ready-made* sur un « phénomène » en pleine mouvance, nous avons essayé de com-prendre le Québec en genèse, en gestation, fantasmatique d'abord, à travers son imaginaire, à travers son cinéma — l'image même du fantasme —, avant qu'il ne se concrétise politiquement et socialement. Nous avons voulu saisir sur le vif cette transmutation, relativement rapide, au cours de laquelle le Canada français se mue en Québec.

Chez la plupart des nations naissantes (quel pléonasme !), cette gestation de l'imaginaire national se fait par rejet du voisin qui, jouxtant la frontière, devient l'Autre qu'on affronte, à travers lequel on se définit négativement. Or cet Autre, l'Anglais, se trouvant *dans* le pays qu'on veut dé-finir, le Québécois naissant se définit intraspécifiquement, en faisant de lui-même, de son premier avatar, le Canadien français, son Autre, son *alter ego*. C'est ce même devenu Autre qui est alors l'objet d'un des rejets, d'un des refus d'une violence, d'une radicalité, rarement observé dans l'histoire des nations, appelé par Paul-Émile Borduas, à juste titre *Refus global.*

Le Québec, le pays qui « nationalise », institutionnalise pour ainsi dire l'oubli, l'oubli de *son* passé canadien-français. Justement, notre *Du Canada au Québec* a voulu réagir contre ce mouvement de rejet, d'« abjection » de tout ce qui précède le Québec, rejet du Canada français qui a tout de même existé pendant plus de 350 ans, alors que le Québec n'existe, au maximum, que depuis trente à quarante ans. Il fallait mettre le Québec dans une perspective historique.

Ce livre est donc une suite à *Du Canada au Québec* où figuraient déjà, dans une première version, les analyses, certes sommaires, de *La petite Aurore* et de *Tit-Coq,* supprimées pour des raisons d'économie éditoriale. Comment aurait-il pu en être autrement, puisque ces films traitent à fond un des sujets abordés du livre : la manière dont le Canada français/Québec se représente à travers ses relations parentales, appelées depuis Freud « roman familial ».

Le lecteur notera que ce « thème », quasi obsessionnellement au centre des premiers grands films québécois *(La petite Aurore, Tit-Coq),* s'estompe progressivement pour donner lieu à des œuvres de plus en plus complexes. Le cinéma québécois atteint selon nous un maximum de complexité jamais atteint avec *Jésus de Montréal.* C'est pourquoi ce film de Denys Arcand a exigé l'analyse la plus fouillée.

Évidemment, on pourrait discuter sur le choix du corpus des films. Un des critères de ce choix a été, en effet, l'écho « populaire » que les films ont provoqué dans le public québécois puisque ce public s'y « reconnaît ». C'est pourquoi il ne sera pas question ici des films de Jacques Leduc, malgré la grande qualité esthétique de ces derniers.

Il s'agit donc d'un livre qui s'adresse d'abord aux Québécois, qui ne vise pas les « spécialistes » de cinéma. Celui qui l'écrit est un « iconoclaste », amateur d'images, bref un cinéphile.

L'étincelle initiale de cet essai est partie d'un article sollicité par Denis Bellemare, professeur de cinéma à l'Université du Québec à Chicoutimi : « La logique implacable de l'imaginaire collectif », publié dans la *Revue belge du cinéma,* automne 1989, consacrée entièrement aux « Imaginaires québécois ».

Voilà, tout est dit ! « Lumières » ! Que la projection commence !

Wellfleet, Cape Cod, été 1989

PREMIÈRE PARTIE

*Le cinéma québécois d'avant
Jésus-Christ... de Montréal
(1951-1989)*

Cinéma et « roman familial » :
de l'individu au collectif

Voilà donc le spectateur isolé, mais au cœur d'un environnement humain, d'une grande gélatine d'âme commune, d'une participation individuelle. Être à la fois isolé et en groupe : deux conditions contradictoires et complémentaires favorables à la suggestion.

Edgar MORIN
Le cinéma ou l'homme imaginaire

Le cinéma, plus que tout autre média, reflète l'imaginaire de l'homme, *est* cet imaginaire humain projeté sur un écran. Edgar Morin, dans un livre devenu classique, *Le cinéma ou l'homme imaginaire, essai d'anthropologie*[1] a montré ce rapport quasi symbiotique entre l'imaginaire d'*anthropos*, ses rêves, ses fantasmes et cette « *machine de projection-identification*[2] » qu'est le cinéma. « Le cinéma est exactement cette symbiose : un système qui tend à intégrer le spectateur dans le flux du film. Un système qui tend à intégrer le flux du film dans le flux psychique du spectateur[3]. »

En effet, le *cinéma,* son nom même l'indique, est *kinesthésie, movie,* en anglais, images en mouvement. *Kinesthésie* qui entraîne dans son mouvement tourbillonnaire la « fantaisie » (*Phantasie* en allemand signifie *imagination*) et les *fantasmes*[4] du spectateur. La kinesthésie du cinéma appelle la *coenesthésie,* participation affective du spectateur. « Ce flux d'images, de sentiments, d'émotions constitue un courant de conscience ersatz qui s'adapte et adapte à lui le dynamisme coenesthésique, affectif et mental, du spectateur[5]. »

Le cinéma donc, grâce au déferlement de ces images kinesthésiques et coenesthésiques dans une salle noire qui isole l'individu *et* le fait participer en communion avec les imaginations des autres, avec les « projections » de leurs fantasmes, rapproche, jusqu'à les fusionner, l'imaginaire individuel et l'imaginaire collectif.

Certes, ces fusions dans la salle de cinéma des imaginaires individuel et collectif sont éphémères, fugitives. Elles dépendent, en effet, de l'intensité coenesthésique du flot d'images (et de sons) qui entraînent les spectateurs dans leur sillage. Cette intensité vient-elle à diminuer, la symbiose fantasmatique entre les individus-spectateurs fusionnés en groupe et les images-projections auxquelles ils s'identifient se désagrège rapidement. Le spectateur qui « décroche » est happé alors par la salle noire qui lui restitue son individualité et sa solitude.

On comprend dès lors que le cinéma, à cheval, dès sa genèse, sur l'imaginaire individuel et collectif, devenu mass média, donc accessible à *toutes* les couches d'une société, est particulièrement apte à cristalliser, à focaliser les fantasmes, l'imaginaire des collectivités plus vastes, plus englobantes : ceux des groupes plus ou moins homogènes appelés *nations* forgées par une histoire, une culture, un destin communs.

Or les nations, comme l'a également montré Edgar Morin dans ses études sociologiques[6], sont constituées, à l'origine, par un fantasme, un « complexe » psycho-affectif qui soude ensemble l'imaginaire des membres d'une collectivité nationale. « Le sentiment national est un "complexe", une réalité psycho-affective formée par la coagulation, l'agglutination, voire la synthèse en une totalité organique d'éléments isolables par l'analyse. La composante psycho-affective fondamentale peut être nommée composante matripatriotique. Cette composante peut être définie comme extension sur la nation des sentiments infantiles portés à la famille. La nation est, en effet, bisexuée : elle est maternelle-féminine en tant que *mère* patrie que ses fils doivent chérir et protéger. Elle est paternelle-virile en tant qu'autorité toujours justifiée, impérative, qui appelle aux armes et aux devoirs[7]. »

Chez les nations souveraines, ce complexe « matripatriotique », il va sans dire, est projeté sur des institutions politiques, des événements historiques nés au sein même de la nation, faisant vibrer à l'unisson l'imaginaire collectif à l'*image* même de celui des individus, pétris, eux aussi, la psychanalyse nous l'a révélé, par un « complexe matripatriotique », le complexe d'Œdipe.

Par contre, dans les pays colonisés non encore souverains, cette instance « matripatriotique » ne se trouve pas au cœur de cette collectivité, mais *ailleurs,* au sein d'une mère patrie souvent très éloignée, autant spatialement qu'affectivement. De ce fait, le rapport entre la colonie et la métropole sera celui d'une dépendance psycho-affective, économique, politique, calquée sur celle de la relation symbiotique qu'a l'enfant avec ses parents. La plupart des nations, lors de la décolonisation, ont coupé ce lien symbiotique avec la mère patrie, considérée dorénavant comme entrave plutôt que cordon ombilical nourricier.

Or le Québec n'a jamais coupé réellement, c'est-à-dire radicalement, ses liens psycho-affectifs avec les différentes instances dont il dépendait politiquement au cours de son histoire (France, Angleterre, Église, le Fédéral). Il n'a fait que les transférer successivement d'une instance à l'autre. Encore en 1980, lors du référendum sur la souveraineté-association, le Québec a rejeté majoritairement l'idée d'une souveraineté toute relative, diluée par une association économique à la Confédération canadienne. Plutôt que de trancher carrément ses liens avec le Canada, il a préféré les distendre.

Justement, nous avons montré[8] que l'imaginaire collectif canadien-français, depuis la Conquête de 1760 et surtout depuis son abandon définitif par sa mère patrie, la France, à la suite du traité de Paris (1763), s'exprime à travers le « roman familial », tel que d'abord diagnostiqué par Freud (1909) et puis élaboré par Marthe Robert dans *Roman des origines et origines du roman*[9]. Le Canada français, grâce à ce recours au « roman familial », dénie son abandon par la mère française en s'imaginant qu'il est un enfant trouvé ou adopté par les parents français de basse extraction et que ses « vrais parents », de souche royale, le remettront enfin à son rang d'enfant royal.

Les bénéfices du « roman familial » pour le Canada français sont évidents : d'une part, il permet de combler, imaginairement, la brèche politique et psychologique de la défaite de 1760, de l'autre, il met l'enfant canadien en mesure de se venger de la mère patrie française abjecte qui l'a abandonné. En effet, en adoptant comme « vrais » parents le roi et la reine d'Angleterre, le Canadien français, du même coup, rabaisse, dégrade les parents français, surtout la mère, qui, de reine qu'elle était, « descend aussitôt au rang de la servante, de la femme perdue, voire tout bonnement de la prostituée[10] ». Dans l'imagination collective canadienne-française, c'est la Pompadour qui tient ce rôle de « femme perdue », déchue. À cause de ses frasques amoureuses, elle a fait chuter, fait perdre la colonie. « Perte », « chute » qui, dans l'après coup de l'histoire, s'avère être un gain, un « relèvement ». Car *grâce à* cette Conquête anglaise, qualifiée bientôt de « conquête providentielle », auront été épargnées au Canada français les horreurs de la Révolution française.

Certes, depuis 1820, l'image des « bons parents » anglais ne cesse de se dégrader, puisqu'ils résistent obstinément aux demandes d'une représentation plus démocratique des Canadiens français, jusqu'à la prise d'armes, à la Révolte des Patriotes de 1837-38, que l'Anglais réprime avec une rare brutalité : 1000 arrestations, 442 procès en cour martiale, 58 condamnations à l'exil, 12 exécutions capitales publiques. Du coup, les parents anglais suivent les Français dans la voie du rejet et de l'*estrangement*. Ils sont devenus aussi des étrangers, de simples parents adoptifs. Les « vrais » parents se trouvent *ailleurs*.

Après les deux déceptions affectives avec ses parents terrestres, le Canadien français se choisit, à la suite des Révoltes de 1837-38, ses derniers parents au ciel. Parents idéaux qu'aucune réalité politique ne saura plus entamer. Dieu est le père, la Vierge Marie la mère. L'Immaculée Conception de cette dernière est la garantie absolue dont a besoin le Canadien, français pour se convaincre que cette mère, contrairement à ses deux premières, ne deviendra plus infidèle, « femme perdue », prostituée.

Le « roman céleste » dure, tant que dure la foi des Canadiens français dans la « réalité » de ses parents célestes. Or, à partir des années cinquante de ce siècle, des signes de son lent effritement se manifestent. Crise de foi qui prépare la crise d'identité que le Canada français connaîtra lors de cette métamorphose de tout son être en changeant de nom, c'est-à-dire en changeant d'identité. Le Canada français se mue en *Québec* durant ce qu'il est convenu d'appeler la « Révolution tranquille ». Révolution pas si tranquille, puisqu'elle s'achève paroxystiquement dans une crise, la « crise d'Octobre » de 1970. Le Québec est né dans la violence, la confusion, dans le « travail » de cette crise.

Mais le « Québec » est en gestation depuis le début des années cinquante, le *Refus global* (1948) étant pour ainsi dire sa première manifestation négative. Les trois premiers films analysés — *La petite Aurore, Tit-Coq, Mon oncle Antoine* — tombent dans cette période critique de mutations intenses, de *passages difficiles,* pendant laquelle le Canada français se mue en Québec. Trois films, justement, qui rejettent non « globalement », mais partiellement et progressivement,

l'héritage légué par le Canada français : on préfère déjà l'« étapisme »
à la radicalité du geste révolutionnaire du refus.

Héritage d'une famille « tricotée serrée », refuge contre une réalité politique et sociale de plus en plus évanescente, d'une religion
catholique puissamment institutionnalisée, qui consacre cette famille
en « Sainte Famille », grâce à son pendant céleste. C'est d'abord cette
famille, véritable complexe politico-religieux, qui devient la cible des
attaques de ces trois films. Plus précisément, tous les trois, s'en prennent au modèle familial canonisé pour ainsi dire par le « roman familial » canadien-français : la famille d'adoption mythifiée, idéalisée pour
fermer la brèche laissée ouverte par l'abandon des parents biologiques
français.

Or, chacune des trois œuvres cinématographiques choisit *sa* voie
propre de rejet de cette famille d'adoption. *La petite Aurore, l'enfant
martyre* de Jean-Yves Bigras (1951-52) opte pour la caricature, la
charge mélodramatique. En effet, la tyrannie, le machiavélisme et le
sadisme de la belle-mère — véritable despote orientale — sont tellement exorbitants, énormes, monstrueux qu'ils se dénoncent, se dis-
créditent d'eux-mêmes à cause de leurs excès. Excès sadiques rendus
encore plus exorbitants, plus caricaturaux par la férocité avec laquelle
ils s'abattent sur une enfant gentille, faible, innocente. C'est évidemment cette disproportion entre le despotisme arbitraire de cette
belle-mère et l'innocence sans défense d'Aurore qui mobilisera toutes
les sympathies des spectateurs québécois pour cette « pauvre enfant »
à laquelle ils s'identifient, comme ils se sont identifiés avec l'enfant
abandonné, saint Jean-Baptiste, lors des parades.

C'est *Tit-Coq* qui choisit la solution la plus radicale, le refus le
plus global parmi les trois films : il fait carrément table rase des
hypothèques familiales qui ont grevé l'imaginaire du Canada français
en affirmant son état d'orphelin et sa bâtardise. Il devient ainsi le
premier héros québécois authentiquement, affectivement et effectivement « autonome », « indépendant ».

Mais si *La petite Aurore* et *Tit-Coq* s'attaquent à l'idole du
« roman familial », ils laissent intacts son modèle céleste, la « Sainte
Famille », mais surtout, ils ménagent l'institution, garante céleste du
modèle familial : l'Église catholique. En effet, le spectateur ne manque pas d'être frappé par la figure éminemment positive du « bon
curé » dans *La petite Aurore* et *Tit-Coq*. C'est lui qui arrache finalement, hélas ! trop tard, la petite Aurore aux griffes de cette mère
archidémoniaque. De même, le *padre* de *Tit-Coq* s'avère un formi-

dable médiateur, au-dessus de la mêlée des conflits familiaux en jeu, presque un (psy)analyste qui met Tit-Coq en rapport avec ses désirs profonds.

C'est seulement *Mon oncle Antoine* (1971), tout à la fin de cette période de gestation du Québec, l'an « Un » même de sa « naissance », qui ose prendre à partie *directement* la « Sainte Famille » et l'Église, sa garante institutionnelle terrestre. Affaiblie par la « Révolution tranquille », sa vindicte n'est plus à craindre en 1971.

En faisant ensuite un saut de dix ans, en passant aux *Bons débarras* (1980), nous nous rendons compte que les *rôles* de l'enfant et des parents, en l'occurrence de la mère, — s'agissant de la « nouvelle » famille québécoise, la famille dite monoparentale — sont complètement renversés. C'est la fille Manon qui mène la barque, c'est elle la « boss » de la maison. La mère, le frère et, bien sûr, « tonton » Maurice avec lequel la mère est « accotée », n'ont qu'à se soumettre à ses diktats assortis de chantages affectifs. Quel chemin parcouru depuis *La petite Aurore* ! Le Québec refuse de se laisser réduire en victime silencieuse qui subit patiemment, martyr complaisant, les volontés tyranniques de l'autorité de l'Autre. Le Québec parle de plus en plus. Il se veut autonome, souverain, pas seulement en famille, mais aussi en politique. Est-ce un hasard si *Les bons débarras* sortent l'année même du référendum pour la souveraineté-association ?

Or une majorité de la population du Québec — non 60%, comme on le lit souvent même chez ceux qui soi-disant « s'en souviennent », mais 58,2% —, a voté NON au référendum. Échec aussitôt interprété comme une défaite, comme *la* Défaite. On aurait pu aussi bien y voir seulement *un* obstacle sur un parcours qui comprendrait d'autres étapes dans l'avenir. Fin — tout au moins provisoire — du parcours ! Nous commençons aujourd'hui juste à entrevoir l'ampleur et l'intensité de l'impact psychologique qu'a eu l'échec de ce référendum sur la psyché québécoise.

Le premier et le plus évident des symptômes du « syndrome postréférendaire » a été le silence de ceux qui parlaient d'habitude, les « parlants patentés », les intellectuels. Paradoxalement, mais tout aussi logiquement, c'est un sociologue, « maudit Français », Marc Henry Soulet (*Le silence des intellectuels : radioscopie de l'intellectuel québécois,* Montréal, Éd. Saint-Martin, 1987) — qui le premier a parlé pour diagnostiquer ce silence des intellectuels québécois. À *l'âge de la parole,* qu'on croyait longtemps un acquis définitif d'un Québec adulte, fait donc suite un « âge du silence ». Âge de l'enfant.

Car l'enfant, dérivé d'*infans,* comme l'ont bien vu les Romains, est littéralement « celui qui ne parle pas ». C'est dire que le Québec, à partir de 1980, régresse, en tant que collectivité, vers une mentalité infantile qui avait été la sienne avant la Révolution tranquille. Pour un peu, il retomberait dans le mutisme caractériel du « zombie colonial » qu'il a été avant la Défaite de 1760 !

Signe évident de cette régression, les héros des films de cette époque, nous le verrons, sont hantés de nouveau par les spectres du « roman familial ». Preuve que ce dernier n'a pas été rejeté définitivement, une fois pour toutes. On dirait que rien n'est acquis dans ce pays de façon définitive. Signe de la fragilité des convictions attachées à ces « acquis ».

Tout reste donc provisoire, sujet à révision, à l'occasion souvent d'événements « extérieurs » imprévus. On connaît l'argument usé jusqu'à la corde qui ne tient plus depuis le référendum : c'est *parce que* le Québec n'a pas encore acquis sa souveraineté que tout reste provisoire ici. La vérité est plutôt : le Québec n'a pas encore acquis sa souveraineté, comme la plupart des nations qui ont traversé la période de la décolonisation, *parce que* resté majoritairement, foncièrement indécis, indécidable, ayant peur justement de la *de-cision* qui coupe, tranche définitivement des liens avec l'instance parentale.

Est-il besoin de rappeler que le parti même qui avait inscrit dans son programme la souveraineté comme premier article de foi de son credo politique, après la Défaite du référendum, est revenu sur ce qui semblait comme un « acquis définitif » de ce parti ? L'argument « alibi » du chef qui, par ses « diktats tyranniques » — comme cette marâtre phallique d'Aurore —, aurait intimidé les velléités émancipatives de son enfant, a fait long feu. Plutôt, les membres du parti se sont comportés en enfants-*infans*, ils se sont tus devant l'autorité parentale. Même la voix des « grands ténors » s'est éteinte : celle des Camille Laurin, celle de celui qui, aujourd'hui, parle de nouveau au nom de la souveraineté « pure et dure », Jacques Parizeau. Ils ont préféré quitter le parti plutôt que d'essayer d'imposer leurs convictions. *Con-vaincre* : vaincre l'Autre par la puissance de ses arguments, la foi inébranlable dans ses convictions. Nous avons essayé d'aller aux sources de cette indécision quasi constitutive du Québécois dans notre généalogie du Québec *et* du Canada français.

On peut penser que cette perte de foi périodique du Québécois dans ses grands projets collectifs n'est pas tout à fait étrangère à la perte de *la* Foi pendant cette période de la genèse du Québec — entre

1950 et 1970. La disparition pure et simple de la conscience publique d'une religion qui a fait vivre, qui a transmis cette foi dans ce pays pendant plus de 350 ans, est un phénomène inouï sur lequel on ne s'est pas encore suffisamment interrogé. En effet, après avoir été associée, pendant plus de cent ans, avec le Pouvoir et s'être manifestée publiquement, de façon somptuaire, lors de bénédictions, de pèlerinages, de parades, la religion catholique a été refoulée dans la sphère privée, est devenue une « affaire de famille ».

Or, depuis quelque temps, on a assisté à ce qui a été appelé un « retour du religieux ». Ce « retour du refoulé » religieux est un phénomène global qui dépasse le seul Québec. Il s'est manifesté plus particulièrement dans la production cinématographique. Rappelons, pour mémoire, quelques-uns des titres qui ont fait date : *La dernière tentation du Christ, Je vous salue Marie, Thérèse, Sous le soleil de Satan,* etc. Au Québec, *Le frère André* de Jean-Claude Labrecque (1987) et évidemment *Jésus de Montréal* (1989), la « bombe théologique » que Denys Arcand a fait exploser lors du Festival de Cannes de 1989. Ce chef-d'œuvre cinématographique, le plus complexe que le cinéma québécois ait produit, plus qu'un film projeté dans une salle de cinéma, est en passe de devenir un phénomène de société au Québec : un million de spectateurs l'avaient vu dès la onzième semaine, alors que nous sommes au début de décembre 1989 à la 41e semaine d'exploitation. Une assistance-record pour une population globale de six millions d'habitants. Si « tout le Québec » ne l'a pas visionné, il en a eu de multiples échos de bouche à oreille (la meilleure publicité au Québec !).

Il s'agit d'un film où le local est intimement lié au global. C'est pourquoi il n'a pas « pris » en France, contrairement à l'avant-dernier film de Denys Arcand, *Le déclin de l'empire américain.* En effet, Montréal y est un des actants principaux. Montréal s'y ressource pour ainsi dire à ses propres sources. Il revient à ses premières fondations chrétiennes, Ville-Marie. Montréal fut alors un foyer charitable, ville-hôpital (non « centre hospitalier » déshumanisé) qui offrait l'hospitalité à l'Autre, même à l'ennemi amérindien, à l'Iroquois. Montréal fut alors animé par des « espèces de fous » de Dieu, comme Daniel et Mireille dans le Montréal d'aujourd'hui de Denys Arcand. Rappelons que Denys Arcand avait jadis consacré un court métrage à ce premier Montréal fondateur (*Les Montréalistes,* 1965).

D'ailleurs l'itinéraire artistique de Denys Arcand est représentatif, presque symbolique, comme trajet de la génération de la Révolution tranquille. Tout au début de sa carrière, en 1964 — il a alors 24 ans —, dans *Champlain* (1964), Denys Arcand s'est interrogé sur l'implantation religieuse qui allait de pair avec la fondation du pouvoir civil en Nouvelle France. Depuis, comme toute sa génération, il a été requis par les questions socio-politiques (*On est au coton*, en 1970, *La maudite galette,* en 1971, *Duplessis,* en 1977 et *Le confort et l'indifférence,* en 1981, autopsie à chaud du référendum de 1980).

Trente ans se sont écoulés. Denys Arcand tire enfin dans *Le déclin de l'empire américain* (1986) le bilan catastrophique d'un Québec hédoniste qui, après avoir perdu aussi la foi dans la politique, ne croit plus qu'à la satisfaction immédiate de ses désirs, de sa *libido*. Comment arrêter le « déclin » de ce Québec dépourvu de générosité, qui laisse dépérir dans l'indifférence ses congénères canadiens-français hors Québec, bouffi d'égoïsme où chacun s'encoconne frileusement dans sa monade libidinale ? Denys Arcand a été interpellé par la voix altruiste de celui qui a tout donné, qui s'est complètement donné, qui a dit : « Celui qui gagnera sa vie la perdra », Jésus-Christ.

Or, il n'est nullement question pour Denys Arcand de revenir à la foi institutionnalisée d'hier, prise en charge, surprotégée de façon sourcilleuse, par l'Église catholique. La conclusion de son film ne laisse guère de doute où doit se ressourcer cette foi nouvelle : dans l'imitation de la Passion du Christ, mais hors de l'institution de l'Église. En effet, les deux cantatrices, finissantes du Conservatoire, qui entonnaient le *Stabat Mater* de Pergolèse du haut du jubé de l'oratoire Saint-Joseph, le chantent, à la fin, au fond d'un couloir de métro accompagnées d'un *ghetto-blaster* comme de « vulgaires » musiciens ambulants. Elles ont compris le message profond de Jésus : ce n'est qu'en s'humiliant — elles « tombent de haut », en effet, du jubé d'une église jusqu'aux bas-fonds du métro —, qu'on devient vraiment chrétien, qu'on imite véritablement Jésus qui s'est « humilié » jusqu'à mourir sur une croix.

Or cette imitation de Jésus, selon Denys Arcand, ne saura plus se faire dans le cadre de l'institution de l'Église puisque cette dernière, depuis 2000 ans, s'est assoupie dans « le confort et l'indifférence », comme ce curé Leclerc qui la représente en quelque sorte. *Jésus de Montréal* montre de façon dramatique le « schisme » rampant qui s'est ouvert entre les paroles, la vie de Jésus et l'institution, l'Église, appelée à les « incarner ». D'autre part, il interpelle le Québec de 1989 sur ses disponibilités d'accueil et d'hospitalité de l'Autre, de l'immigrant.

Le Québec qui, depuis plus de trente ans, s'ausculte, se tâte narcissiquement le pouls, est-il, en 1989, enfin assez adulte pour s'intéresser à autre que lui-même ? De toute façon, il n'aura pas le choix, puisque sa survie démographique sur ce continent dépend de la manière dont il saura s'ouvrir à cet Autre, dont il saura l'accueillir. Leur réciprocité symbiotique s'impose aujourd'hui avec évidence. Si l'immigrant, jusqu'à maintenant seul, dépendait vitalement du Québec, ce dernier a aujourd'hui aussi vitalement besoin de lui. L'un insuffle la vie à l'Autre, l'un porte l'autre, comme l'aveugle et le paralytique. Leur symbiose est donc une question de vie et de mort pour l'un et pour l'Autre.

Mais trêve de généralités ! Commençons maintenant nos « projections » afin qu'apparaissent sur nos écrans intérieurs les images en noir et blanc, de la pathétique Aurore, première enfant-héroïne du cinéma québécois !

La petite Aurore : la « pharmacie » mortelle d'un Québec naissant

Pendant que ce bon Père encourageait ainsi ces bonnes gents, un misérable renégat, qui demeuroit captif avec les Iroquois, que le Père Brébœuf avait autrefois instruit et baptisé, l'entendant parler du Paradis et du St Baptesme fut irité et luy dist, Echon, c'est le nom du père Brébœuf en Huron, Tu dis que le Baptesme et les souffrances de cette vie meine droit au Paradis : Le barbare ayant dit cela, prist un chaudron plein d'eau toute bouillante, et le renverse sur son corps par trois diverses fois en derision du St baptesme (...) Après cela ils luy firent souffrir plusieurs autres tourments : Le 1er fut de faire rougir des haches toutes rouges de feu et les appliquer sur les reins et soubs les aisselles. Ils font un collier de ces haches toutes rouges de feu et le mettent au col de ce bon Père (...) Après cela ils luy mirent une ceinture d'écorce toute pleine de poix et a raisine et y mirent le feu qui grilla tout son corps, pendant tous ces tourments, le Père de Brébœuf souffroit comme un rocher insensible aux feux et aux flammes, qui estounoient tous les bourreaux qui le tourmentoient.

Les Relations des Jésuites, 1649

Car je puis dire avec vérité, que ces nouvelles plaines d'horreur, apportées d'un païs Barbare, ne m'ont pas moins rejouy que les douces faveurs dont nous bénit le ciel de France.

Les Relations des Jésuites, 1637

Comme *Tit-Coq, La petite Aurore, l'enfant martyre* passe d'un média à un autre, d'une représentation théâtrale à une projection filmique. Grâce à ce changement de média, la *kinesthésie* du film entraîne beaucoup plus puissamment que n'a su le faire le théâtre, la *coenesthésie* de l'imaginaire du spectateur. Pourtant, la pièce a joui d'une popularité sans précédent au Québec. Elle détient le record absolu de durée et du nombre de représentations. Jouée depuis sa première représentation en 1920 sans discontinuer pendant trente ans jusqu'à la sortie du film en 1952, cette pièce compte environ 4 000 représentations[1]. En fait, pratiquement *tout* le Québec l'a vue. C'est dire son emprise sur l'imaginaire québécois.

Chose étonnante, le public, loin d'être blasé par trente ans de représentations théâtrales, accourt au film comme s'il voyait le drame de la « petite Aurore » pour la première fois[2]. Effectivement, il le voit pour la première fois : avec les yeux de la caméra. Devant l'intensité de ce regard cinématographique qui pousse la vie de martyre d'Aurore jusqu'à des paroxysmes hallucinants, la pièce s'efface, disparaît complètement devant l'effet plus « spectaculaire » du nouveau média.

D'emblée, c'est le sujet — commun à la pièce et au film — qui fascine le public canadien-français se muant sous peu en « québécois ». C'est en effet *son* sujet, condensé fantasmatique de son « roman familial », projection imaginaire de l'histoire vécue, subie par le Canadien français.

La *petite* Aurore, comme le Canadien français dans son « roman familial », est une enfant. C'est évidemment son mythe national, saint Jean-Baptiste qui mettait annuellement en scène, lors des parades du 24 juin, cet enfant démuni, abandonné par ses parents, comme jadis le Canada par la France, puis par l'Angleterre.

Il s'agit là du traumatisme initial — abandon de l'enfant par les parents[3] — que le « roman familial » justement cherche à atténuer, à nier, en affirmant que les parents qui nous ont déçus, nous ont abandonnés réellement ou affectivement, sont simplement nos parents d'adoption, non nos parents biologiques, parents de basse extraction, par-dessus le marché. Chose étonnante, dans *La petite Aurore,* contrairement aux « lois » du « roman familial », c'est la belle-mère Marie-Louise qui, prenant la place de la bonne mère, Delphine, fait figure de marâtre, de mauvaise mère. Ce qui surprend, en effet, c'est la « péjoration » radicale que subit la belle-mère, ce sont les excès par lesquels se manifeste la méchanceté de cette marâtre : tortionnaire sadique, elle empoisonne d'abord la « bonne mère » afin de prendre sa place, pour ensuite martyriser jusqu'à sa mort la fillette frêle, gentille, obéissante, bref innocente.

Aurore est victime, bouc émissaire, au plein sens du mot. Car la victime est toujours innocente. Comme le Canada français au cours de son histoire : sage comme une image, il a été cet enfant modèle qui n'a jamais maugréé contre sa mère française, n'a jamais eu la velléité d'une révolte contre elle. Cette victime, ce bouc émissaire, les Grecs l'appelaient *pharmakon*.

Mais là s'arrêtent les parallèles d'Aurore avec la psyché canadienne-française. Elle laisse apparaître une première brèche dans l'imaginaire canadien-français, signe d'une rupture qui annonce un imaginaire *autre*, d'un Autre, celui du Québec. *Aurore,* son nom même le suggère : il s'agit de l'aube, de la naissance aurorale d'un nouveau « jour », d'une nouvelle ère, celle du Québec. Aurore happée encore par les forces de la Nuit, de la « grande Noirceur ».

En fait, Aurore est la première héroïne, encore négative certes, de ce Québec naissant, puisqu'elle meurt écrasée sous le poids énorme de ce qu'elle *voudrait* rejeter, « refuser globalement », mais que sa faiblesse d'enfant n'arrive pas à liquider : le « roman familial » canadien-français consacré par le « poids » des années. « Péché mortel » contre le « roman familial », Aurore refuse obstinément de reconnaître sa « nouvelle » mère comme *sa* mère. C'est précisément ce refus systématique d'Aurore d'accepter cette belle-mère dans son nouveau rôle de mère qui lui attire ses foudres. L'acharnement sadique de cette belle-mère est à l'image du refus intransigeant d'Aurore de la *reconnaître* (dans tous les sens du terme) pour ce qu'elle n'est pas : une *vraie* mère.

Certes, Marie-Louise a déjà donné la mesure de sa cruauté machiavélique par le sang-froid avec lequel elle a empoisonné la mère d'Aurore. Elle lui a fait boire généreusement un « remède » qui, à forte dose, devient poison. Origine même du *pharmakon* grec, déjà rencontré : *à la fois* « remède », « pharmacie », potion magique *et* venin, poison[4]. Le docteur pourtant avait bien insisté pour ne pas dépasser la posologie de ce « remède rouge » : « une cuillerée par jour, pas plus ». « Remède rouge » est en effet écrit sur l'étiquette de cette potion mystérieuse. Sa couleur semble plus politique que médicinale : au début des années cinquante et à plus forte raison — pendant les années vingt où sort la pièce —, le « Rouge », dans un environnement complètement « Bleu », devenait vite un poison mortel si le « patient » dépassait la quantité minimale quasi homéopathique prescrite par les

« docteurs » de l'époque. Bref, ce qui dans dix ans, avec l'avènement du « Parti rouge », sera un remède, une purge pour le Québec, en 1952 — et à plus forte raison pour la pièce jouée avant — reste poison mortel. Le sens « positif » *et* « négatif » du *pharmakon* — remède et poison —, est ainsi départagé par le grand partage des eaux qu'est au Québec la Révolution tranquille. Mais n'anticipons pas !

Donc, la « pauvre » Delphine, femme frêle, soumise aux volontés du mari et de la Mère Église succombe au « remède de cheval » que lui administre par gorgées cette femme « rouge », Marie-Louise, qui semble bien en avance sur son temps. En effet, simple femme d'agriculteur, elle n'a pas besoin du « dressage » féministe pour savoir que ce qui manque aux femmes, c'est le pouvoir et que ce pouvoir se prend... par la force. Cette belle-mère prend le pouvoir dans son milieu familial, comme un tyran machiavélique, un despote en politique. Elle écrase les faibles (enfants) et flatte, trompe par ses mensonges et ses hypocrisies les forts (adultes).

Ce qui aurait pu facilement devenir un modèle avant-coureur de la femme émancipée future du Québec n'est en fait que l'épouvantail, le spectre qui n'a cessé de hanter l'imaginaire mâle du fond des temps : la mère phallique. Le pouvoir de *cette* femme est pervers, puisque le Pouvoir de *la* Femme est pervers. Dans ce sens, Marie-Louise est elle-même la face négative, le « poison » du *pharmakon* « femme » du Québec des années cinquante, alors que Delphine, sa face « positive », est son « remède ». La métaphore à la base de ce film « pharmacologique » s'éclaire ainsi : la femme, comme ce « remède rouge », se prend à « petites doses » : sa discrétion, sa quasi-absence — ou présence en « doses homéopathiques » —, garantit la santé du corps social. Sa présence massive, excessive, au contraire — à l'image de l'excès avec lequel Marie-Louise administre le remède devenu toxique —, est un poison mortel qui tue en premier lieu la femme « discrète », soumise. Marie-Louise est donc tout d'abord l'excès « pharmacologique », le repoussoir abject grâce auxquels la société patriarcale québécoise cherche à se « purger » imaginairement du danger réel imminent de la prise de pouvoir de cette « femme phallique ».

Cette femme, poison mortel pour la « bonne mère » et pour le « bon enfant », l'est naturellement aussi pour le « bon père », qui, infiltré de son venin devient, comme elle, un bourreau d'enfant. Ce qui est grave, ce père, jusqu'à la fin, reste complètement aveugle aux stratagèmes machiavéliques de sa nouvelle femme. En effet, il ne voit que ses côtés positifs, sa face « remède », « potion magique », puisque

Marie-Louise lui cache bien sa face « poison ». Dès le début chez le forgeron, il la dit « bien dévouée et pas laide avec ça » !

Lors d'une apparente idylle domestique, mais où l'orage qui gronde dehors annonce déjà le drame imminent de l'empoisonnement de Delphine, Théodore sonde Marie-Louise sur ses intentions de remariage : « As-tu jamais pensé à te remarier ? » Son « jamais » sec et définitif incite Théodore à lui faire des compliments d'habitant de l'époque : « Tu es une *bonne* femme de maison, courageuse [...] pas laide [...] tu es bien *bonne* d'avoir soin de ma maison. » L'hypocrite ne semble pas comprendre l'allusion, la quasi-demande en mariage. Elle répond : « Les bonshommes ne courent pas les rues. » Réponse subtile, puisque avec la rareté généralisée des « bonshommes » dans les rues, le prix des « bonshommes » à la maison augmente en flèche. À bon entendeur, salut ! Mais Théodore a-t-il bien entendu ?

Ce qu'il « entend », comprend de cette femme — jusqu'à en être complètement obnubilé —, c'est sa grande « bonté », sa grande générosité. « Bonté » qui va presque platoniquement de pair avec « beauté ». Certes, une « beauté » euphémisée en « non-laideur ». Mais les habitants n'aiment pas les compliments francs, directs, suspects d'insincérité. Bref, dans les campagnes québécoises, comme ailleurs, l'amour rend aveugle. Car Théodore aime Marie-Louise, autrement il ne la « cristalliserait » (Stendhal) pas comme il le fait.

C'est pourquoi, obnubilé par son idylle domestique avec Marie-Louise, la tragédie familiale, qui a lieu sous son toit, lui échappe complètement. Il n'y voit que du feu. Seule Aurore, lumière naissante, toujours aux aguets, voit tout, comprend tout : l'« overdose » de ce « remède rouge » que Marie-Louise administre par cuillerée et ce cachet remède qui pourrait guérir lors d'une crise cardiaque, tandis qu'il reste « caché » dans le buffet lorsque Delphine est frappée effectivement d'une crise. Décidément, Aurore a compris le côté délétère, létal du *pharmakon* Marie-Louise et elle le lui fait savoir : « Vous avez fait mourir ma maman. »

Aussi, après la mort de sa mère, Aurore est-elle envoyée chez sa tante Malvina où elle reste deux ans, le temps de faire son deuil, d'« oublier » sa mère. Tante Malvina, par sa bonté, sa prévenance rappelle évidemment la douceur de la mère disparue. Or, c'est le « bon curé » qui, lors d'un rendez-vous au cimetière, demande instamment à Théodore de prendre sa fille chez lui. « Dans tout cela il faut considérer l'intérêt d'Aurore. » Elle est « très intelligente », elle a besoin d'une bonne éducation. Qui mieux qu'un « foyer » chrétien com-

plet — avec une mère et un père — peut la lui donner ? Interrogé sur son remariage, Théodore n'a que des éloges pour sa nouvelle femme : « J'ai une femme qui est une vraie bénédiction. » Et le curé de renchérir : « C'est une de mes meilleures paroissiennes. » Le curé est donc aussi aveugle, obnubilé par la « grande noirceur » dans laquelle Marie-Louise jette le monde ambiant.

La tante Malvina prépare Aurore au retour à la nouvelle « réalité » : à côté de son père, il y a maintenant une nouvelle mère qu'elle doit bien se résigner à appeler « maman ». « Il faudra quand même que tu l'appelles *maman*. » Aurore obstinée, intraitable, lui répond : « Je n'ai pas de maman. Ma maman est morte. Je ne vais jamais l'appeler *maman*. »

Aurore est incapable de s'adapter à la nouvelle réalité familiale, puisqu'elle reste attachée à l'ancienne : elle n'a pas encore fait et ne fera jamais le deuil de « sa maman ». « Ma maman » est liée avec de telles attaches symbiotiques, affectives à sa « vieille » maman, qu'Aurore ne saura jamais le transférer à sa « nouvelle mère » sans trahir la mémoire de la première, d'autant moins qu'elle connaît les circonstances de sa mort.

C'est précisément là où se noue le drame avec cette nouvelle mère. Drame de liens, de *double liens (double bind)*. L'une qui noue, l'autre qui dénoue. Qui est plus « fort » : le nœud, le fer ou le couteau ; la volonté irréductible de la victime, de la martyre qui veut témoigner de la « vérité » ou les coups, le feu du bourreau ?

Pourtant, le retour d'Aurore à la maison se fait sous les meilleurs auspices. La nouvelle mère sourit en accueillant son enfant d'adoption : « Je suis bien contente. » À la table, après le bénédicité, elle sert, bien sûr, d'abord « son » Maurice — l'enfant de son premier mariage —, pour demander ensuite à Aurore : « En veux-tu beaucoup ? » — « Oui, Madame. » — « En as-tu suffisamment ? » — « Oui, Madame. »

C'est ce « Madame » répété de la petite Aurore qui révèle brutalement à cette nouvelle mère qu'elle reste une parfaite étrangère dans cette maison, aux yeux d'Aurore tout au moins. Mais plus agaçant pour Marie-Louise, Aurore ressemble tellement à sa mère, qu'on dirait sa réincarnation rajeunie. C'est le père cette fois qui versera l'huile sur le feu en faisant remarquer lourdement cette ressemblance à sa nouvelle femme qui ne l'a que trop remarquée. Le soir — Aurore joue avec le bébé que Marie-Louise a « donné » à Théodore — Théodore étale fièrement son contentement : « As-tu remarqué comme elle ressemble à sa mère ? » Pas de doute pour Marie-Louise, c'est la

présence d'Aurore qui fait revenir ainsi le spectre de Delphine. « Tu ne m'en parlais pas avant. Depuis qu'elle [Aurore] est revenue, on dirait que tu ne penses qu'à Delphine. »

Aurore, le « revenant » de sa mère, fait sentir à la nouvelle mère qu'elle n'est qu'une remplaçante, qu'un succédané qui n'égalera jamais la *vraie* mère. Elle a beau protester, en vain : « J'ai pourtant fait tout mon possible pour bien la remplacer. » Les paroles d'apaisement de Théodore : « Tu es toute seule dans mon idée » sont aussitôt désamorcées par une comparaison qui renchérit encore sur la beauté de sa fille : « Aurore est partie pour être encore plus jolie qu'elle [Delphine]. » Réponse du tac au tac de Marie-Louise : « Même, ça pourrait devenir gênant. » Voulant insinuer sa promiscuité possible avec « son » Maurice... Enfin, Marie-Louise exprime à Théodore son incompréhension devant l'entêtement d'Aurore à ne cesser de l'appeler « Madame » : « Je ne comprends pas pourquoi elle persiste toujours à m'appeler *Madame*. » Ce « Madame » qui avait cristallisé le premier malaise.

Bref, ayant espéré que l'éloignement spatial et temporel d'Aurore lui fera « oublier » sa mère, Marie-Louise est surprise de trouver cette morte partout dans cette maison depuis le retour d'Aurore. Pis, comme si cette ressemblance d'Aurore avec sa mère et les souvenirs de la morte qu'elle ramenait ne suffisaient pas, Aurore vouait un culte nocturne secret à l'effigie de sa mère morte. Aurore, la fille de la lumière naissante, a son côté nocturne, lunaire qu'elle voudrait cacher. Or, une nuit, la belle-mère découvre Aurore au lit avec la photo de sa mère. Elle s'aperçoit alors combien cette mère morte est encore vivante dans l'esprit de sa fille. Marie-Louise entreprend une dernière tentative de s'insinuer, tel le poison, dans les grâces d'Aurore, en insinuant, posthumement, son dévouement pour Delphine : « C'est moi qui ai pris soin d'elle [Delphine]. » « Je vous ai vu. » Pas de grâce ni d'oubli pour l'assassin de sa mère. « Tu mens ! » Regard intense d'Aurore qui regarde sans sourciller celle qu'elle a vu assassiner sa mère. « T'as rien vu. Si jamais tu racontes des mensonges à quelqu'un, tu as pas fini, ma petite. »

Cette nuit commence la grande Nuit, la « grande Noirceur », le mensonge qui projettent leurs ténèbres jusque dans le jour, empêchant la lumière aurorale, la vérité de poindre. Nuit de bouleversements, de renversements, confusions de l'ordre naturel des choses (nuit et jour), de l'ordre moral (vérité et mensonge). Cette nuit, il se passe dans une ferme québécoise ce qui arrive dans *tous* les régimes totalitaires, tyranniques : la « vérité », même si elle est mensonge flagrant, est imposée par la menace de la force brutale du dictateur, qui *dicte* irrévocablement *sa* vérité. Aurore vivra dorénavant sous un régime de terreur et de répression qui veut avoir raison... raison d'elle. Régimes de répression politiques et religieux. Les spectateurs de 1952 n'avaient pas besoin de chercher loin où se trouvait le régime qui faisait régner la « grande Noirceur » !

Signe de reconnaissance de tous les régimes totalitaires, la dictateure québécoise manipule l'opinion publique grâce à une propagande, une *agit-prop*, une désinformation à toute épreuve. Ne nous laissons pas tromper par le cadre habitant « quétaine » de ce film ! Transposé dans ce milieu familial, on y trouve toute la panoplie d'intimidations des régimes de terreur, jusqu'à la torture ! George Orwell : *1984. La petite Aurore* : 1952.

En effet, cette femme va répétant à son mari, à ses voisins : « C'est une menteuse, je peux pas venir à bout. Je suis même obligée de la battre. C'est un vrai petit diable. » Le père, aveugle, complètement intoxiqué par le *pharmakon* de Marie-Louise, devient son meilleur propagandiste. Ne dit-il pas à qui veut l'entendre : « Elle ne marche que sous les coups ? »

Ainsi donc grâce à cette propagande continue, vérité et mensonge s'inversent : la victime innocente devient le « monstre », le « bourreau » de ses parents qui la battent en « légitime défense », alors que les parents bourreaux d'enfant se muent en « victimes ». Propagandiste chevronnée, Marie-Louise excelle dans l'antiphrase, ressort de l'hypocrisie, sa grande spécialité : dire le contraire de ce qu'on pense. Sa phrase consacrée : « Je veux pas me plaindre d'elle. » Elle ne fait que se plaindre d'elle par insinuations, mensonges, dénonciations, diffamations, ou bien lorsqu'elle dit hypocritement à Théodore : « Elle est si jeune, il faut pas la fatiguer. » Cette antiphrase se traduit en clair : il faut, bien au contraire la fatiguer, jusqu'à la faire « crever ». Comme dans les régimes totalitaires, la propagande est la façade mensongère qui permet au régime en toute quiétude de faire son travail de « transformation », de « mutation » des individus récalcitrants qui refusent de reconnaître les « vérités » du régime comme *la* Vérité.

Cette « vérité » du régime canadien, c'est que cette marâtre n'a pas tué la bonne mère d'Aurore. Sa propagande n'ayant prise sur Aurore, restée critique, elle s'acharnera sur elle pour la réduire au silence, à l'état d'inarticulation. Par son terrorisme, sa violence, ses tortures, cette femme totalitaire veut donc coûte que coûte empêcher l'émancipation de son enfant d'adoption. Empêcher que l'*infans* « qui ne parle pas » passe à « l'âge de la parole », l'âge de l'adulte qui s'affirme souverainement en énonçant par sa parole ses volontés, son être-là *(Dasein)*.

Bien plus, à l'instar des régimes totalitaires, il s'agit de priver la personne humaine non seulement de la parole humaine, mais de la faire déchoir de ses « droits » de personne humaine, « droits humains » hélas ! jamais acquis définitivement. Avilissement, dégradation de l'humain en sous-humain, en animal, en vermine. « Voie de service » obligée de tous les racismes. Or si le racisme, habituellement, prend pour cible un Autre, dont on s'acharne à souligner la différence, dans *La petite Aurore,* c'est le même, de la même « race », qui devient l'objet d'une des pires discriminations racistes, dignes des régimes totalitaires, apartheid. Dans *Du Canada au Québec* nous avons appelé ce phénomène l'« abjection de soi ».

La petite Aurore peut sans aucun doute prétendre à être un des films, sinon *le* film où le racisme anti-enfant est passé à des combles jamais égalés. On pourrait presque le considérer comme un « modèle » du fonctionnement du racisme, de *tout* racisme, puisque s'y déploie candidement, sans masque, toute sa panoplie barbare qui vise à rabaisser, à réduire, à ex-terminer l'objet de sa haine. Barbarie à visage humain, barbarie à visage découvert.

Le premier geste raciste, c'est l'humiliation, l'avilissement, la souillure de l'objet de haine, qui devient ainsi ab-jecte. Marie-Louise commence par faire « travailler » Aurore. Rappelons que le *travail* est, à l'origine, un instrument de torture (latin *trepalium*), également le joug où l'on assujettit les bœufs. Les nazis allemands l'ont compris, ils sont revenus à ce sens « torturant », barbare du « travail ». Ne lisait-on pas à l'entrée d'Auschwitz : *Arbeit macht frei* (le travail rend libre) ? De même, lorsqu'Aurore se présente le matin : « Je viens pour travailler, Madame », la belle-mère lui fait comprendre aussi la généalogie barbare du « travail ». « Mademoiselle veut bien travailler, mais Mademoiselle ne veut pas se salir ? Mademoiselle n'a pas encore travaillé. » En effet, Aurore n'a pas encore « travaillé » avec sa « bonne mère ». Ce sens archaïque du « travail », cette belle-mère *kapo* l'inscrira au fer rouge sur la chair meurtrie de la fille.

Mais d'abord, la belle-mère — signe extérieur de la victimisation — fait changer de robe à Aurore. Elle va lui chercher dans le placard ce qu'elle appelle une « vraie robe », la plus vieille, la plus sale. Pour ensuite lui faire faire les plus sales besognes : se baisser,

s'« humilier » pour laver le plancher. Salir Aurore pour la réduire à la saleté même du plancher. Marie-Louise ne fait-elle pas tomber le sceau sur ses pieds, l'éclaboussant de son eau sale ? Avertissement du bourreau : « Tu n'as pas fini, ma petite ! » En effet, le bourreau souhaite toujours la « tête » de sa victime, la « solution finale » *(Endlösung)*.

Après l'avoir avilie par son habillement, Marie-Louise s'acharne à avilir aussi son aspect physique, son corps. Les cheveux sont la cible privilégiée du bourreau d'enfant. Évidemment, puisqu'ils ressemblent à ceux de sa mère. Comme le lui fait encore remarquer Catherine, (Jeannette Bertrand) qui forme avec Abraham (Jean Lajeunesse) le pendant de la « bonne mère » adoptive, puisqu'elle accueille avec joie les quatre enfants d'Abraham dans son nouveau mariage : « Qu'elle a donc de beaux cheveux. On dirait les cheveux de Delphine. » Il s'agit maintenant d'éradiquer cette ressemblance, de faire une Aurore *différente*. Il faut *créer* la Différence de toutes pièces. Loi d'airain de tout racisme, Marie-Louise la provoque, cette différence, en faisant passer Aurore à une nouvelle station de son « chemin de la croix » : la couronne d'épines. En effet, en signe de dérision, la belle-mère « couronne » Aurore avec des branches de chardons qui vont lui rester collés dans les cheveux. Abraham qui, de loin, a été le témoin oculaire de la scène, fait ce commentaire à Catherine : « Elle la secouait comme une tignasse. Elle parlait de Delphine. » Évidemment, prochaine station sur le chemin de la « différenciation » d'avec Delphine : il faut couper les cheveux. La petite a beau invoquer la pitié de sa belle-mère : « Pitié, Madame, non, non, Madame ! », cette dernière, de glace, reste intraitable. Et les cheveux sont brûlés dans la cuisinière — petit « four crématoire » familial. Ce père, « indoctriné » par sa femme, suit ces avilissements de sa fille avec fatalisme sans la moindre protestation. Une fois sa fille « tondue », il remarque avec résignation : « Ça a presque pas de bon sens, une tête comme ça. »

Afin de redonner du « bon sens » à la tête de « sa » fille, Marie-Louise se propose de friser ce qui reste des cheveux d'Aurore. « Séance de coiffure » qui se change en séance de torture. Car il s'agit d'inculquer au fer rouge à friser à la jeune victime les volontés du bourreau : « Si des fois tu parlais trop [...]. Tu parleras pas à personne, certain ? » En prononçant ces mots, elle passe le fer brûlant sur le visage. On le voit, la torture vise au fond toujours à empêcher le passage à la parole de l'enfant, qu'on veut laisser croupir dans un silence, dans son état d'inarticulation animale.

La réduction de l'humain à l'animal, à la « brute », a donc dans ce film une double fonction : contester la valeur humaine de l'individu et par là, justifier son ex-termination ; en faisant régresser l'enfant à l'état d'animal, on le prive, une fois pour toutes, de la possibilité même d'une éclosion future de « l'âge de la parole ». Ainsi lorsque Catherine survient inopinément après la séance de « frisage », elle renifle en disant : « Ça sent bien le cochon. » Remarque cynique de la belle mère : « Théodore en raffole. » Autrement dit : Théodore « raffole » toujours de sa fille, même réduite, avilie en cochon. Le cochon, symbole en Occident de la saleté, de la souillure, puisqu'il se plaît à se vautrer dans la saleté, dans la merde. Ce cochon, comme d'ailleurs la vermine, vient en bas dans la hiérarchie animale. C'est à ces deux animaux associés à la saleté, à la crasse que Marie-Louise réduit « sa » fille. En la surprenant une deuxième fois, la nuit, en état d'adoration devant l'effigie de sa mère, ne lui lance-t-elle pas : « Cette vermine, tu parles aux morts. Vermine de vermine ? » Comme si la « vermine » toute seule n'exprimait pas assez le degré d'abjection auquel le bourreau voudrait dégrader sa victime, ce premier surenchérit avec « vermine de vermine », une vermine à la puissance deux.

Dans cette perspective, la symbolique du geste de Marie-Louise de lui bourrer la bouche d'un morceau de savon prend tout son sens en s'éclairant aussi doublement : d'un côté, on lave, on nettoie ce qui est sale. Le bourreau se sent en effet investi d'une « mission » de grand purificateur de la pollution inhumaine. De l'autre, ce savon symbolise le bâillon avec lequel on empêche tout acte de parole. Purification, étouffement, étranglement, empoisonnement, ce geste symbolique est un vrai carrefour de sens, confirmé aussitôt par le commentaire de Marie-Louise : « Je vais te la laver ta petite sale boîte à mensonges. Mange ! » Le plus sale, c'est la bouche qui profère la parole, qui risque de dire *sa* vérité, qui n'est pas *la* Vérité — « *pravda* » du dictateur.

Le pouvoir inculque *la* Vérité à coups de crosse, à coups de botte. Prise de vue significative en contre-plongée du bourreau d'enfant au grenier, jambes écartées, la victime à terre, ce qui montre bien le rapport de force disproportionné entre victime et bourreau, entre vérité et mensonge. En régime totalitaire, la vérité appartient au plus fort, au bourreau. C'est l'enfant de Marie-Louise, Maurice, qui vient « visiter » Aurore, un jour au grenier, qui fait remarquer la perversion, l'inversion de la situation d'Aurore : « On se fait seulement enfermer quand on dit pas la vérité. »

Tout comme dans les régimes totalitaires, la vérité sort souvent paradoxalement seule de la bouche des enfants : ceux qui soi-disant « ne parlent pas ». C'est dire la force de répression de la parole dans ce film.

La petite Aurore est donc un exemple « frappant » de cette « logophobie » désignée par Michel Foucault dans l'Ordre du discours (1971) comme la marque de tout système. « Logophobie » qui ne touche au Québec pas que des « sections » de sa société, mais le Québec comme peuple, comme système d'ensemble.

Enfin, dans la logique du bourreau, la petite Aurore ayant cessé d'être humaine, elle a perdu « droit de cité » dans sa propre maison que veut habiter l'étrangère. Elle sera donc reléguée au grenier, véritable chambre de torture psychologique et corporelle. La noirceur encore, cette fois « grande », totale, sa solitude, les araignées — vermine qu'est devenue Aurore —, tous les objets d'épouvante des cauchemars nocturnes — pavor nocturnus — des enfants y sont réunis. « Tu as peur ? », de demander cette sans-cœur pour juger de l'efficacité de sa torture psychologique. « Tu vas avoir bien plus peur si j'apprends que tu as parlé à quelqu'un. » Toujours cette hantise, cette peur de l'adulte d'entendre la parole de l'enfant la dénoncer. Il faut qu'Aurore se taise à tout jamais ! Marie-Louise ne cache pas ses intentions dernières, exterminatrices : « Si elle pouvait mourir, je serais bien débarrassée. » Elle précise son idée : « Si elle pouvait finir de mourir sans que personne s'en aperçoive ! »

Jusqu'à maintenant, par le parallèle constant entre le régime familial et le régime dictatorial, notre analyse faisait de La petite Aurore une des dénonciations les plus fortes des abus de pouvoir des régimes totalitaires. Certes, on pourrait être tenté d'y voir visé le « régime Duplessis ». S'il est vrai qu'il a fait régner la « grande Noirceur » au Québec, on ne saurait l'associer au système de répression projeté dans La petite Aurore, d'autant moins que la pièce, premier avatar du film, se situe bien avant ce « régime ». Justement, il ne s'agit pas dans ce film de déguiser le régime totalitaire sous une sorte de fable familiale, mais bien au contraire, la fable familiale, le « roman familial » y sont ramenés à un système dictatorial. Par une charge, un excès mélodramatique, une médecine devenue poison, excès dont Marie-Louise, nous l'avons vu, constitue le pharmakon, à la fois la pharmacie guérissante et le venin mortel. Au moment où Aurore-Québec constate que sa mère biologique — Delphine/France — est morte pour elle, une fois pour toutes, au moment où Aurore/Québec veut s'émanciper, luire de sa propre lumière, parler en son nom propre, une autre femme, qui prétend *aussi* être sa mère, une usurpatrice, une étrangère fait la loi dans sa maison maternelle, le père ayant lâchement abdiqué ses droits. Du coup, c'est Aurore, née dans cette maison, qui est traitée en étrangère, en indésirable, jusqu'à en être é-liminée, portée au-delà du seuil de *sa* maison.

On l'aura compris, cette marâtre tortionnaire, sadique, n'est nulle autre que la mère d'adoption anglaise qui a pris la relève maternelle après l'abandon du Canada par sa mère française. Or justement, depuis la Révolte des patriotes, depuis les séances de tortures, le supplice par pendaison des douze qui eurent les gorges étranglées, réduits à tout jamais au silence comme Aurore, depuis donc la Révolte des Patriotes, la « mère » anglaise subit l'effet d'*estrangement*[5] du « roman familial », poussé cette fois à l'extrême, grâce à la « pharmacie » de cheval de Marie-Louise.

C'est en effet le nom à consonance anglaise de l'actrice incarnant le rôle de cette belle-mère sadique (Lucie Mitchell) qui a pu induire la « filière anglaise » du « roman familial » canadien-français. Justement, le public canadien-français/québécois l'a tellement reconnue que sa rancœur, son zèle vengeur a débordé du *rôle* incarné par l'actrice sur la *personne* même qui porte la flétrissure de la « maudite anglaise ». Actrice qui s'est littéralement brûlée, comme Aurore, parce que le public québécois en germe confondait de façon infantile le jeu avec la « réalité ». C'est elle la victime, le bouc émissaire vivant que sacrifie le public québécois.

Étrangement, nous l'avons déjà constaté, contre les canons du « roman familial », Aurore reste attachée à sa mère, même après sa mort. Bien plus, Aurore lui voue un culte digne d'une sainte. Elle est devenue une idole, l'*eidolon* de la petite Aurore, grâce à la photographie de la mère, véritable « relique » qu'elle vénère la nuit. Delphine est montée au ciel. La tante Malvina l'appelle déjà « bien heureuse ». La mère terrestre montée au ciel comme Marie, la mère céleste. Sans aucun doute, nous sommes là en présence du dernier avatar du « roman familial » canadien-français, que nous avons appelé « roman familial céleste ». Le Canadien, déçu par ses deux parents terrestres, jette son dévolu sur ses parents célestes, Dieu le père et Marie, la mère céleste. D'ailleurs les noms des deux parents suggèrent une filiation sinon céleste du moins royale de droit divin. Théodore dérivé de *théos,* Dieu, tandis que Delphine évoque la « dauphine », celle à laquelle revient de plein droit la succession au trône, trône dans notre cas céleste.

De toute évidence, *La petite Aurore* contient *tous* les éléments, les trois avatars du « roman familial » canadien, représentant l'attachement du Canadien à ses trois parents successifs : parents biologiques français, parents d'adoption anglais, parents célestes. Or, ce film, tout en faisant appel à ces « matériaux » du « roman familial », les utilise à l'envers, à contresens, non pour construire le « roman familial », mais pour le « déconstruire », pour le démolir. *La petite Aurore,* perversion du « roman familial » par son excès même, tend à mettre fin à ce « roman familial ».

En effet, ce film, plus que la pièce de théâtre, moins excessive, est placé sous le signe de la *fin,* c'est-à-dire du terme, limite, rupture spatiale et temporelle. « C'est fini » est comme un leitmotiv qui traverse ce film du début jusqu'à sa propre fin. Presque tous les personnages prononcent ce « mot de la fin ». À commencer par le docteur, au début, qui assiste à l'agonie de Delphine. « C'est la fin ». Thème aussitôt modulé par Marie-Louise comme un vœu où l'on sent sa hâte que « ça » finisse : « Si ça peut finir une fois pour toutes ! » C'est précisément cette marâtre, non le docteur, qui constate la mort de sa « rivale » : « C'est fini. »

Nous avons déjà rencontré la variante négative du motif dans la bouche de Marie-Louise s'adressant à Aurore : « Si jamais tu racontes des mensonges à quelqu'un tu as pas fini, ma petite. » Négation, double négation qui revient à une affirmation forte : c'est *ta* fin. Cette hâte, cette précipitation de la fin, exprimée au début face à Delphine, se manifeste maintenant à l'égard d'Aurore : « Si elle pouvait finir de mourir sans que personne s'en aperçoive ! » Comme pour sa mère, le docteur annonce la fin de sa mère : « C'est fini. » Mais c'est au curé que revient le véritable « mot de la fin », le constat non seulement de la fin, de la mort du personnage, mais avec lui, la fin de « tout ». « Tout est fini. » Cette mort sacrificielle d'Aurore emporte avec elle « tout » ce qui faisait vivre psychologiquement jusque-là le Canadien français. Or, comme tout sacrifice n'est pas seulement une « fin », une mort, mais aussi début, germe d'une autre vie, Aurore est en quelque sorte le bouc émissaire imaginaire que le Canada français sacrifie pour faire germer le Québec. Voilà pourquoi le Québécois reste obsessionnellement attaché à ce film, malgré, à cause du coup de masse sado-masochiste qu'il lui assène. À travers Aurore, il *se* voit à la fois mourir *et* naître, naître à la mort. Il se voit mourir en tant que Canadien français avec qui meurt ce qui l'a fait vivre, le « roman familial ». Il se voit germer Autre, dans la lumière aurorale vacillante que répand la mort de la petite Aurore projetée sur l'écran réel et fantasmatique de l'imaginaire québécois.

Mort d'Aurore qui signifie donc la « mort » du « roman familial ». Mort pas définitive, puisque le « roman familial », nous le verrons, renaît de ses cendres comme le phénix. C'est précisément l'horrible belle-mère, le bourreau d'enfant qui est l'instrument de cette mise à mort. En tuant Aurore, elle tue le « roman familial ». C'est ici qu'apparaît vraiment sa double fonction complexe de *pharmakon*. Dans l'excès vénéneux de sa « cure de cheval », elle tue la « patiente », mais *en même temps*, elle « guérit » le Canada français du « mal » du « roman familial », d'où germera et finalement naîtra le Québec. Car cet excès mettra en évidence précisément la perversion, l'« absurde » du « roman familial ».

En effet, *La petite Aurore* est un « roman familial » inversé, perverti, puisqu'ici l'enfant, loin de rabaisser sa mère biologique, Delphine, l'idéalise. C'est justement le déni des parents biologiques comme ses « vrais » parents, le fantasme de son état d'orphelin qui ont permis à l'enfant d'« oublier » ou d'euphémiser le trauma de l'abandon de *ses* parents. C'est pourquoi Aurore ne saura combler la brèche ouverte par la disparition de sa mère : elle ne saura en faire le deuil.

D'autre part, là où, avec l'apparition de la « nouvelle mère » (ou des « nouveaux parents »), l'enfant, selon les canons du « roman familial », leur fait subir une « cristallisation » (au sens stendhalien) idéalisante, Aurore est confrontée avec une « méchante » belle-mère, qui est en fait un « principe de réalité » cruel, poussé à l'excès. Elle est certes un bourreau d'enfant. Mais elle le devient surtout parce qu'elle est d'*abord* un bourreau d'idéal qui démolit l'idéal, l'*eidolon* d'Aurore duquel elle n'arrive pas à se détacher.

Car c'est par l'intermédiaire d'Aurore que se livre le combat, la guerre, entre la dure, la cruelle réalité de cette « nouvelle » mère et l'idéal de l'ancienne. Dans la mesure où Aurore ressemble à cette image idéale, qu'elle est même « plus jolie », elle devient l'objet, elle aussi, de la rage destructrice de sa belle-mère. Les sales besognes auxquelles elle soumet l'enfant, c'est, dans ses mots, pour « faire oublier tes souvenirs ». Souvenirs du « bon vieux temps » avec sa « bonne mère » française. En effet, la mémoire, dans son regard rétrospectif non seulement embellit, idéalise ce passé mais aussi le « falsifie ». L'enfant canadien-français/québécois « oublie » que le régime français n'a peut-être pas été un régime totalitaire de répression, mais non plus le paradis qu'il est devenu après coup dans ses souvenirs.

Ainsi la belle-mère s'acharne avec sadisme sur les cheveux d'Aurore parce qu'ils « rappellent » sa mère. C'est pourquoi, lorsque, une nuit, elle découvre le culte secret qu'Aurore voue à l'image de sa mère, elle la déchire aussitôt avec cette remarque lourde de sens : « Les morts avec les morts. » Il s'agit de « tuer » ce passé « dépassé », d'en faire table rase, ce qu'Aurore ne saura faire. Elle devra donc, elle aussi, mourir sans pitié. C'est la loi d'airain de la naissance du Québec.

Aurore souffre donc le martyre et meurt au nom de ce passé, de cette mère morte. Elle est la dépositaire d'une « vérité » qu'elle seule connaît : l'empoisonnement de sa mère par Marie-Louise. Elle meurt pour cette « vérité ».

Elle est donc une martyre. Le sous-titre du film le souligne assez. Cette référence aux « saints martyrs canadiens » ne saurait être due au hasard. Tout d'abord, par le mode de tortures que subirent les martyrs missionnaires, notamment le plus célèbre, le père Jean de Brébeuf que nous avons mis en exergue : supplice par le feu. Aussi le poêle (et par l'extension, le feu) devient-il, dans *La petite Aurore,* le lieu central des supplices de l'enfant. Ce n'est donc pas un hasard si le film commence sur la flamme sautillante du forgeron que vient voir Théodore pour réparer sa charrette. Le feu utilitaire, le foyer bienfaisant perverti en enfer brûlant. Mains brûlées sur le poêle, cheveux et cuir chevelu brûlés avec le fer à friser, langue brûlée avec le fer à repasser. Progrès oblige ! On n'a pas peur de faire bénéficier la torture des « avantages » de l'électricité de l'« électroefficacité ». Aurore, martyre « hydroquébécoise » avant la lettre ! Aurore meurt des suites d'un traumatisme crânien causé par une chute contre le poêle fatidique.

A la fin de sa courte vie, le corps de la petite Aurore ressemble à ceux des « saints martyrs canadiens », contusionné, écorché vif, brûlé. C'est le docteur qui fait le constat de la souffrance hors du commun de sa jeune « patiente » qui, de ce fait, ne relève plus de la médecine, mais devient un cas d'espèce illustrant la pathologie du rapport sado-masochiste bourreau-victime exalté par le martyrologue de l'Église. C'est précisément pourquoi le médecin, impuissant, cède la place au curé. Voici les mots mêmes du médecin : « Jamais dans ma carrière de médecin je n'ai rencontré un cas aussi navrant. Son corps est couvert de plaies. Il est évident que cette enfant meurt épuisée par la souffrance [...]. Je ne peux même pas lui donner une piqûre, il n'y a pas grand comme l'ongle sur tout ce petit corps qui ne soit pas couvert de plaies et de contusions. Je ne peux plus rien [...]. Je ne comprends pas comment cette enfant a pu durer si longtemps. »

En effet, l'autopsie pratiquée par ce médecin révèle l'ampleur du « martyre » d'Aurore. On compte cinquante-quatre plaies sur son corps. « Le corps est pratiquement déformé par la violence des coups. Les viscères sont racornis, brûlés par l'absorption de la lessive. » On saurait difficilement dépasser l'acharnement sadique sur un corps frêle comme celui d'Aurore. Cette violence, ces tortures sadomasochistes, infligées par un bourreau à une victime, exaltées avec insistance à travers le martyrologue canadien-français, sont devenues un des centres « frappants » de l'instruction religieuse au Canada français. Violence banalisée, quasi normalisée, à force de répétition et d'inculcation. C'est précisément cette violence sadomasochiste latente, pathologique, que dévoile et dénonce ce film en l'excédant, en la « désautomatisant », comme diraient les Formalistes russes, c'est-à-dire en la dirigeant sur *la* victime des victimes, innocent des innocents : l'enfant, le Canada français lui-même.

La « pharmacie » excessive de Marie-Louise est appelée à « guérir » le Canada français de sa « nostalgie » masochiste qu'il exacerbait en regardant obsessionnellement les scènes de torture de ses « saints martyrs ». Le rapprochement avec les martyrs canadiens est suggéré dans le titre. Mais la pièce, premier avatar du film, au-delà de son origine banale de fait divers, doit être considérée aussi comme une réaction « violente » à la béatification et à la canonisation des martyrs qui deviennent « saints » au moment où s'élabore la pièce, c'est-à-dire dans les années vingt. Rappelons que le procès de béatification des « bienheureux martyrs canadiens » bat son plein au début des années vingt. Ils seront effectivement béatifiés en 1925, canonisés en 1930 (voir sur toute cette question, Guy Laflèche, *Les saints martyrs canadiens,* vol. I, « Histoire du mythe », Laval, Singulier, 1988).

Comme *La petite Aurore* pervertit le « roman familial », elle sape aussi jusqu'aux bases les mécanismes du martyre chrétien. Le martyr — son nom l'indique — est d'abord *témoin*. Témoin de la vérité de sa foi qui éclate au grand jour avec le sacrifice de sa vie. Dans ce sens, Aurore est une anti-martyre, puisqu'elle meurt pour une « vérité » qu'elle cache. « Vérité » de l'assassinat de sa mère par la belle-mère. Dénonciation implicite du « mythe fondateur » des béatifications, des canonisations. En effet, vu avec le regard critique, démystificateur qu'épouse *La petite Aurore,* le martyr n'est rien d'autre que la victime d'un délit relevant du code criminel et qui doit être puni. Aussi la belle-mère sera-t-elle « pendue par le cou jusqu'à ce que mort s'en suive ». Même supplice que la marâtre anglaise avait fait

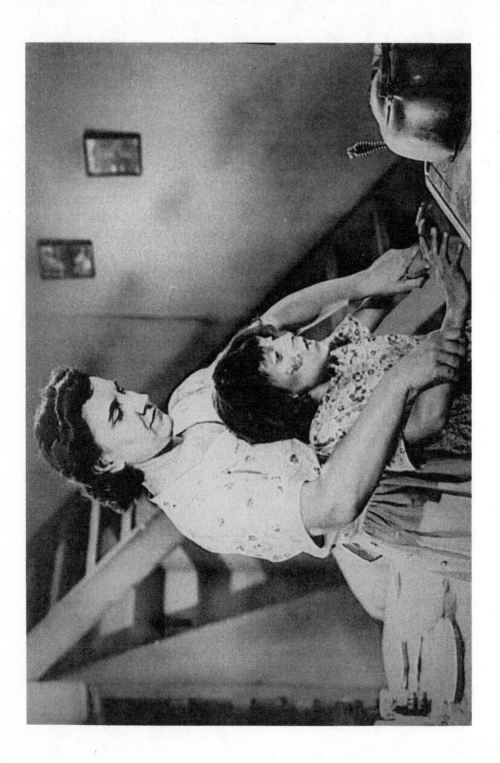

subir à ses douze « enfants » canadiens en 1838. Juste retour des choses...

L'imaginaire des peuples fonctionne avec une logique implacable.

À preuve, cette autre dimension du « martyre » d'Aurore qui puise encore dans l'imaginaire collectif canadien-français. C'est le père qui l'introduit. Ce dernier, « bon » mais naïf et faible, tombe facilement dans les panneaux machiavéliques de sa nouvelle femme.

Complice de Marie-Louise, il devient le bourreau de l'enfant. Bourreau au sens premier, qui exécute aveuglément et obséquieusement les ordres de l'instance maternelle. Aussi, lorsqu'il apprend par la bouche de sa femme qu'Aurore et Maurice ont été surpris ensemble au grenier — projetant sur les enfants la sexualité manquante des parents —, le père, sans sourciller, prend sa hache pour « exécuter » sa fille justement près du poêle. Exécution métaphorique et métonymique : le manche de hache avec lequel il abat sa fille suggère une décapitation.

Le Canadien français avait refoulé dans son inconscient la mort horrible de son patron saint Jean-Baptiste, décapité comme Aurore, par un bourreau sur les ordres d'une femme, Salomé. Il se cachait longtemps cette mort par l'image-écran, à l'opposé de la mort, de l'enfance de saint Jean-Baptiste. Or ce refoulé de l'« autre scène » fait ici brutalement irruption dans l'imaginaire du Canadien français. L'enfant, comme lors des parades de la Saint-Jean-Baptiste n'est plus tabou, n'est plus à l'abri du supplice. C'est lui qui subit maintenant le sort même de saint Jean-Baptiste adulte : décapité sur les ordres d'une femme, exécuté par un bourreau. Ce film a donc beaucoup contribué à faire décristalliser, voire même décomposer et le « mythe national » de saint Jean-Baptiste tel qu'analysé dans *Du Canada au Québec* et le « roman familial », les deux étant étroitement liés ici.

Justement, dans *La petite Aurore,* ces rôles de Salomé et du bourreau sont tenus par les parents mêmes d'Aurore. En fusionnant ainsi fantasmatiquement les deux scènes que le Canadien français avait soigneusement gardé séparées — l'enfant abandonné et la décapitation de saint Jean-Baptiste —, en faisant apparaître les parents selon les mots du docteur comme les « deux plus grands criminels que la terre ait portés », en faisant porter à ces deux parents l'absolu de la criminalité, ce film précipite le processus de décristallisation inauguré par la pièce de théâtre face aux « bons » parents du « roman familial » du Canadien français. Certes, *La petite Aurore* donne encore aux parents sadiques un pendant de bons parents dans les personnes de Catherine et d'Abraham qui ne « maganent » pas les enfants, parce qu'ils en apprécient la valeur. Mais ils restent pour Aurore les parents « des autres », à jamais hors d'atteinte. Seule Catherine dénonce auprès du « bon curé » les agissements suspects de la marâtre.

Mais ce qui fait la nouveauté du film par rapport à la pièce, provoquant son choc imaginaire, c'est le regard cinématographique. En effet, les prises de vue de la caméra épousent le regard de la petite Aurore, suscitant par là une identification entre la victime (innocente) et le spectateur québécois, en infligeant à ce dernier imaginairement et empathiquement les tortures d'Aurore. Identification qui saute littéralement aux yeux dans la scène du fer à repasser brûlant la langue d'Aurore. Ce fer en grandissant se rapproche de façon hallucinante de la bouche d'Aurore et donc aussi de celle du spectateur, puisque la caméra fait zoom sur le fer.

La « morale » de l'histoire, comme ce fer, « saute aux yeux » au moment même où le Canadien français commence à amorcer son *passage difficile* vers le Québec, où sa foi dans son « roman familial » (et sa foi tout court) commence à s'effriter : mieux vaut n'avoir pas de parents du tout, mieux vaut être carrément orphelin, mieux vaut ne compter que sur ses « propres moyens » que d'être affligé de parents comme « ça ».

Les bons débarras !

Tit-Coq : le Québec de la table rase

> *La naissance* honteuse *et* glorieuse *du Bâtard*
> *— gloire et honte ici ne font qu'un, l'un con-*
> *firme l'autre.*
>
> Marthe ROBERT
> *Roman des origines et origines du roman*

Cette morale restée implicite, *La petite Aurore,* tributaire par son sujet d'un imaginaire qui date des années vingt, ne saura plus en tirer les conséquences qui s'imposent. Une pièce et un film, conçus à cette époque la tireront : *Tit-Coq* de Gratien Gélinas. Tit-Coq, héros de la pièce (1948) et du film du même nom (1952), incarné par Gratien Gélinas, est en effet orphelin de père et de mère. En plus, il est un bâtard, « enfant de l'amour », enfant illégitime. Surnommé « Tit-Coq » (petit coq) parce qu'il monte sur ses ergots lorsqu'on se moque de sa bâtardise, il s'appelle en fait Arthur Saint-Jean. Saint-Jean parce qu'il a été baptisé le jour de la Saint-Jean, le 24 juin, fête nationale du Canada français.

Sa bâtardise ouvre donc sa généalogie imaginaire sur celle de saint Jean-Baptiste, patron du Canada français. Saint Jean-Baptiste tel que le Canada français se le représente lors de ses parades. N'est-il pas comme Arthur Saint-Jean, un enfant abandonné par ses parents ? Le Canada français se reconnaît dans cet enfant, puisqu'il *est* cet enfant.

Or, Arthur Saint-Jean refuse cette généalogie canadienne-française en rejetant ce nom qui lui est imposé d'office par le baptême donc par l'Église. Par là même, il renie ce qui a été le fondement symbolique du Canada français : son état d'enfance figuré par l'enfant frisé, le sacrifice de soi par le mouton. Le héros de la pièce d'abord, puis du

film, en récusant d'emblée son nom de baptême et son « nom de famille », refuse par là même que soit colmatée par une tradition mytho-religieuse devenue douteuse, sans fondement, la brèche, la rupture qu'ouvre sa bâtardise dans la continuité de cette tradition.

Arthur Saint-Jean change donc de nom pour bien affirmer la rupture qu'inaugure sa bâtardise. Il s'autobaptise pour ainsi dire sans le concours de l'Église et de l'État civil. On le surnomme, puis il se nomme « Tit-Coq ». Il s'agit évidemment d'un « canadianisme ». Terme plutôt impropre ici, puisqu'il implique un contresens par rapport au sens de cet acte de nomination de « Tit-Coq ». En effet, « Tit-Coq » se laisse ainsi nommer, puis se nomme ainsi justement parce qu'il valorise non plus la mythologie lointaine d'un grand Canada *from coast to coast* — mais une petitesse familière, chargée d'affectivité, d'amour. *Small is beautiful !* C'est vrai pour la langue française en général, mais plus particulièrement aussi pour le Québec qui commence à sortir des limbes.

Sans aucun doute, le Québec en gestation se reconnaît en Tit-Coq, car il est en quelque sorte son modèle imaginaire, son précurseur fictif. Le Canada français, comme Tit-Coq, ne changera-t-il pas sous peu de nom en s'autobaptisant « Québec » ? « Québec », « Tit-Coq », il s'agit tout d'abord de ruptures affectives, du « petit », du proche, du « chez-nous » qu'on affectionne par rapport au « grand », au « lointain » — le Canada — devenu étranger, autre. Ruptures affectives vite élargies en ruptures effectives. Et puis, Tit-Coq annonce de façon prémonitoire le rejet définitif et irrévocable pour le Québec naissant en 1969, lors de la dernière parade de la Saint-Jean-Baptiste, de toute la tradition sacrificielle sous-jacente au Canada français. Il cesse d'être mouton sacrificiel pour devenir un coq qui fait entendre sa voix, qui se met sur ses ergots, coq de combat qui défend ses droits, comme ce Québec naissant. Tel Tit-Coq, le Québec se veut orphelin bâtard, sans antécédent que lui-même, sans histoire. Il fait donc table rase de toute sa généalogie, de son « roman-familial » qui a orienté l'imaginaire du Canada français depuis la Conquête.

Mais Tit-Coq n'est pas un révolutionnaire, « révolutionnaire tranquille » plutôt, à l'instar de ce Québec émergeant. Car on dirait que Tit-Coq, pris de remords, atténue la révolte sourde qu'impliquait son acte de nomination. En effet, il est soldat dans l'armée canadienne. Il se « bat » pour ce Canada que son nom semblait combattre. Tit-Coq porte l'uniforme de l'armée canadienne. Ce paradoxe s'explique.

Tit-Coq, par sa bâtardise, rompt avec la généalogie familiale du Canada français. Rupture individuelle, certes, mais qui est aussi implicitement une rupture d'avec la collectivité, par le rejet des valeurs symboliques qui incarnaient le Canada français. Entre deux haines, il faut choisir la moindre ! Cette nouvelle collectivité dont il est le héraut et pour laquelle il voudrait se battre, n'existant pas encore, Tit-Coq se résigne à se battre dans l'armée canadienne. Tit-Coq, le héraut, le militaire du Québec, son militant. En somme, l'armée, par le port de l'uni-forme, certes, uni-formise, nivelle les individualités, mais elle efface aussi les différences familiales ; plus, elle recrée une « famille » de substitution basée sur le primat du mâle, du patriarcat, soustrait complètement à l'influence féminine, maternelle.

Mieux vaut l'armée que la famille canadienne-française, que le « roman familial » du Canada français ! Joseph Latour, le héros d'*Un simple soldat* (1957) de Marcel Dubé, plus encore que Tit-Coq, adhère à cette devise. Car contrairement à Tit-Coq, il n'a pas la « chance » d'être bâtard-orphelin, il est « pris » avec une de ces « maudites » belles-mères dont le Canada français a eu décidément le secret. D'ailleurs, il ne pardonnera jamais à son père d'avoir trahi la mémoire de sa « bonne » mère en épousant cette femme étrangère. Joseph Latour est une Aurore « transsexuée », révoltée. Sa révolte se dirige d'abord contre cette « maudite belle-mère » et de proche en proche, contre son père, contre tout le « système ». Comme pour Tit-Coq, l'armée devient un ersatz, un succédané d'une famille soustraite à l'empire de la belle-mère. Même s'il ne s'est jamais battu, l'armée exalte la camaraderie entre « chums » mâles et donne libre cours au fantasme de l'affirmation héroïque. Dans une de ses rodomontades, il dit avoir fait tomber Hitler ! C'est pourquoi Joseph Latour ne cesse de porter l'uniforme, même s'il est déjà retourné à la vie civile : il veut rester un simple soldat. Il meurt simple soldat, en Corée au fin-fond de l'Asie...

Dans la pièce de Marcel Dubé, la force d'abjection de ce qui est rejeté l'emporte sur l'affirmation de nouvelles valeurs. Joseph Latour, un militant québécois avant la lettre qui, pour combattre ce qu'il rejette familialement, doit se battre avec celui que les militants, les révolutionnaires futurs pas si tranquilles, vont combattre : l'Anglais. L'armée, une pépinière des soldats, des militants de la cause nationale québécoise future.

Ne nous laissons donc pas tromper par la violence apparente des révoltes ! L'efficacité d'une révolte, d'une révolution, ne se mesure

pas au nombre des cadavres et aux hectolitres de sang répandu. Joseph Latour d'*Un simple soldat* meurt de sa propre violence qu'il ne cesse de semer. Il s'autodétruit.

Or Tit-Coq s'affirme, s'assume dans sa différence, dans son altérité, grâce à sa bâtardise, grâce à son état d'orphelin. Plus de famille à combattre, plus de « glorieux ancêtres », comme il les appelle ironiquement, à honorer, ou de mère à remercier pour ce qu'ils nous ont fait, parce qu'ils nous ont donné le jour. Tit-Coq *est* par ses propres œuvres. Il est plus qu'un héraut, il est le premier héros positif québécois. L'année même de la publication du *Refus global* (1948) de Borduas qui répudie globalement les valeurs du Canada français, la pièce *Tit-Coq* affirme aussi globalement celles du Québec : c'est-à-dire sa bâtardise, son état d'orphelin.

En effet, loin de trouver sa bâtardise infamante, Tit-Coq la revendique comme un titre de gloire, comme ce qui l'identifie dans son unicité, sinon dans sa particularité. « Ce n'est pas donné à tout le monde d'être bâtard. » Bâtard n'ayant eu, depuis son enfance, que lui-même sur qui compter, il ne se laisse pas manger la laine sur le dos. N'en déplaise au mouton de saint Jean-Baptiste ! Contrairement à la petite Aurore, il sait se défendre, avec ses paroles et avec ses poings, dès la première scène du film, contre Jean-Paul. Il a cessé d'être un enfant, *in-fans* qui ne parle pas. Il est d'emblée un adulte.

Certes, comme l'enfant du « roman familial », Tit-Coq fantasme encore sur l'origine de « ses » parents qui ne pourront être que d'extraction royale, des princes et des princesses... comme dans tous les contes de fées. « Longtemps, j'ai pensé que ma mère devait être une belle princesse, comme dans les contes de fées. Une princesse qui, un beau matin, s'amènerait avec une mèche de cheveux et dirait aux révérendes sœurs épastrouillées : Ce beau jeune homme blond est mon fils, le prince un tel. Son père, c'est le premier ministre. Mais, quand j'ai découvert que les princesses étaient plutôt rares dans la paroisse, j'en suis vite revenu. Quant au premier ministre, maintenant que je le connais, ça m'étonnerait ben gros qu'il soit mon père ! » Tit-Coq nourrit les fantasmes du « roman du bâtard » tels qu'énoncés par Marthe Robert : idéalisation et élévation sociale du père lointain, dégradation, profanation de la mère restée proche. C'est précisément aussi ce comportement ambivalent, clivé, que le Canadien français avait déjà affiché face aux parents français, le roi et la reine française qui l'ont abandonné : tout en idéalisant son roi Louis XV, le Canadien français rabaisse sa « reine » en en faisant une putain, une « guidoune », « la Pompadour ».

Bâtard, terme de féodalité désignant l'enfant non reconnu d'un noble qui l'a eu d'une femme illégitime. Bâtard, devenu l'enfant « naturel ». Ce n'est donc pas un hasard si, lors de la traversée atlantique, un des soldats lit *Tarzan* : l'enfant naturel par excellence, déchu de sa dignité humaine, puisque élevé par une guenon.

Mais ces fantasmes, on le voit (« longtemps, j'ai pensé... »), appartiennent déjà au passé. Tit-Coq en est revenu aujourd'hui. Preuve encore qu'il a cessé d'être un enfant, car seuls les enfants croient à la « réalité » de ces contes de fées. Or la réalité parentale du Canada français/Québec est toute autre. Certes, il y a un roi et sous peu (1952) une reine... en Angleterre. Mais, maintenant que l'enfant québécois a liquidé les rapports parentaux de son « roman familial », le pouvoir des parents magnifiés en rois et en reines a cessé de le toucher, de le concerner : il est ailleurs, fictif, nulle part, littéralement u-topique. Car la seule réalité du Québécois fraîchement émoulu qu'incarne Tit-Coq, c'est son *ICI* prononcé ici *ICITTE,* pour donner encore plus de poids à son affirmation, à sa « paroisse », désacralisée. Tit-Coq tel le Québécois sous peu, ne prêche plus que pour *sa* paroisse. En effet, il constate lucidement que les « princesses étaient plutôt rares dans la paroisse ».

Même l'idée d'une filiation non plus royale, mais avec l'incarnation du pouvoir paternel d'*ici,* avec le premier ministre, en l'occurrence Maurice Le Noblet Duplessis, lui répugne. On le comprend ! Il l'a vu à l'œuvre, le « connaît » maintenant. Encore une fois, l'*esprit critique* de l'adulte prend la relève de la foi aveugle de l'enfant obnubilé, fasciné par l'autorité parentale, gobant son discours comme parole d'évangile.

En fait, Tit-Coq, comme le Québécois naissant, est *sa* propre réalité qui se réalise par *ses propres* moyens. Plus besoin d'idéal parental venu de loin (France, Angleterre) ou de haut (ciel). Il incarne le « héros » fait de ses propres œuvres, comme ces « héros » dont il prolonge le mythe dans la réalité québécoise : ces Moïse et ces Œdipe étudiés par Otto Rank dans *Le mythe de la naissance du héros.* Héros québécois du Québec naissant. Du *passage difficile* du Canada français au Québec. Peu importe le pléonasme !

Pourtant, Tit-Coq ne résiste pas à l'attrait de l'« intimité » d'un « foyer [...] des parents qui braillent de joie en se revoyant et qui braillent de peine en se quittant... Des parents pris les uns dans les autres comme des morceaux d'un puzzle ! »

Ce « puzzle », la famille « tricotée serrée » que l'orphelin n'a jamais connue, il le rencontre chez les Desilets à Noël : fête de la

naissance de la Sainte Famille. Or cette famille est vite désacralisée. Comme il le dit lui-même : « J'ai tombé dans le piège. » Dans le piège de la famille, du « roman familial ». Lui, le bagarreur mâle sans foyer, qui a appris à se mettre sur ses ergots, s'est laissé séduire comme une fille qui perd sa virginité, la virginité de sa bâtardise. « Comme une fille qui aurait dit "non" pendant longtemps, mais qui ouvrirait la barrière, un beau soir. » Comme une fille, Tit-Coq se laisse déflorer, se laisse « pénétrer » par la famille, alors qu'il était hermétiquement fermé à elle. Son système de défense, sa « barrière » contre elle, se sont tout d'un coup effondrés.

Pris dans le « piège » du « roman familial », il a recours, de nouveau, à ses fantasmes royaux qu'on croyait relégués aux contes de fées, donc morts une fois pour toutes. Là, au milieu de cette première famille d'adoption, il se sent fabuleusement « comme un roi ».

Justement, au sein de cette famille idéalisée, il rencontre la femme idéale, Marie-Ange. Son nom indique ce qu'elle est pour lui un ange « métissé » avec la Vierge Marie. Métissage céleste qui exclut doublement jusqu'à l'idée même d'un amour charnel, sexuel. D'abord, les anges — en attendant que les théologiens aient définitivement tranché la question ! — n'ont pas de sexe, puis la Vierge Marie, grâce à l'Immaculée Conception, conçoit sans le concours du sexe. Et Tit-Coq a bien décodé ce message du nom de *Marie-Ange* : « Une fille comme ça, ça s'appelle "Touchez-y pas !" Je voudrais que... je pourrais pas. » Il l'appelle aussi « Mam'zelle Toute-Neuve », parce qu'elle fait penser à « un petit mouchoir blanc tout neuf, pas même déplié ». Mouchoir, comme celui de Desdémone, symbole de la virginité, de l'hymen intact, mais *aussi,* une fois abîmé, « utilisé », symbole de l'abjection, des déjections : morve et foutre. « Un mouchoir pour pleurer ou pour se moucher », demande Marie-Ange. « Disons un petit mouchoir de fantaisie », répond Tit-Coq. Un mouchoir décoratif qui ne sert pas...

Marie-Ange aime les joies du corps, la danse, le cinéma et les baisers. Marie-Ange est une fille « au bout », dans le vent, pour le Québec du début des années cinquante. Pourtant, pendant leur séparation, elle promet à Tit-Coq de ne danser avec aucun autre homme, surtout pas avec Léopold Vermette qui la poursuit de ses assiduités. C'est justement Marie-Ange qui, par l'amour qu'elle déclare à Tit-Coq, désamorce le « roman familial » en voie de formation de nouveau chez lui. Amoureuse de lui, elle lui affirme : « Tu es le seul homme au monde pour moi ! » Pour vraiment décoder, comprendre, l'orphelin éberlué doit traduire ce langage du « monde ordinaire » dans celui « mythique » du « roman familial », certes inverti, dégradé, nié. « Comme ça, Clark Gable, Charles Boyer et Léopold Vermette [« le roi d'Angleterre » dans la pièce] c'est de la belle crotte à côté de moi. » Tit-Coq infère sa propre valeur, de la non-valeur, de la « crotte », des rois et des stars. Grâce à l'amour de Marie-Ange, il est *quelqu'un,* à côté de la « crotte » du roi d'Angleterre et des « stars » de Hollywood.

L'idéalisation de la famille, comme chez Aurore celle de la mère morte, débouche chez Tit-Coq sur un culte de l'image. Culte non d'*une* image, mais celui de l'album de photos de famille. Comme l'a bien montré Pierre Bourdieu, « l'album de famille exprime la vérité du souvenir social [...]. Les images du passé rangées selon l'ordre chronologique, "ordre des raisons" de la mémoire sociale, évoquent et transmettent le souvenir des événements qui méritent d'être conservés parce que le groupe voit un facteur d'unification de son unité passée ou, ce qui revient au même, parce qu'il retient de son passé les confirmations de son unité présente[1]. »

Tit-Coq tient à cet album comme à un fétiche. Il est effectivement l'unité de la famille figée en images, en idoles. Ramassis d'images ordinaires pour Marie-Ange qui appartient à une famille réelle, « il vaut cher, ben cher » pour Tit-Coq. Il contient les *eidola* de son nouveau « roman familial ». Il y tient comme à la prunelle de ses yeux. Plus, « j'aurais aimé mieux perdre un œil que de m'en séparer ». Freud a tout dit dans *L'inquiétante étrangeté* sur l'œil et les risques castrants de sa perte. Bref, ces images comblent le manque, l'absence de la première partie de la vie de Tit-Coq, habituellement sous le signe du maternage : « J'ai manqué la première partie de ma vie ! » C'est pourquoi, tout naturellement, lors de sa séparation forcée avec Marie-Ange, lorsque son bataillon est appelé en Angleterre, cet album de famille l'accompagne. Ses images lui tiennent lieu de « sa » famille qui lui manque, maintenant qu'il la connaît.

En fait, Tit-Coq sacrifie son amour pour Marie-Ange à l'idéal de la famille, du « roman familial », à son propre enfant futur qu'il voudrait aussi propre. « Il sera un enfant propre en dehors et en dedans. Pas une trouvaille de ruelle comme moi ! » Le propre, la propriété — nous le savons depuis *De la souillure* (1971) de Mary Douglas — s'imposent par le rejet de l'impropreté, l'impropriété, l'altérité. Puisqu'il a raté la première partie de sa vie — son enfance —Tit-Coq veut réussir la deuxième — sa paternité. Il devient le « martyr » de cet idéal, comme il se l'avoue lui-même.

Or c'est depuis qu'il est en Angleterre pour se battre pour « son » roi que son monde idéal commence vraiment à se dégrader. Non casse-cou, il se casse malgré tout un bras hors combat. Le « destin » de la guerre a voulu qu'il quitte sa fiancée canadienne-française pour l'Angleterre.

Rupture, infidélité lourde de conséquences, symbolisées par le bras fracturé. Rappel euphémisé aussi des douze cous canadiens-français fracturés par l'Angleterre lors des pendaisons en 1838. Par comble de malheur, ce bras droit cassé coupe la communication épistolaire, la parole, entre les fiancés. Par la force des choses, Tit-Coq redevient *infans,* enfant qui ne parle pas, ne communique pas par la parole.

Et puis, « sa » famille qui ne le quitte pas, grâce à l'album de famille, fait tout pour que Marie-Ange le quitte. Elle serre ses rangs pour empêcher le « maudit bâtard » de s'y intégrer. Ce ne sera pas trop difficile de convaincre Marie-Ange, puisqu'elle adore la danse. Un de perdu, dix de retrouvés. Sans tarder, elle se marie avec un autre, Léopold Vermette (Jean Duceppe), le « gars correct », propre, que la famille adore.

La chute est dure du haut de l'idéal où Tit-Coq a projeté Marie-Ange sur le sol de la réalité. Chute qui démolit la famille idéale, l'idéal de la famille, l'« amour » qui soi-disant l'anime. « J'en avais de l'idéal, que j'en dégouttais [...]. Mais j'en reviens ben, d'ces affaires-là. Parce que l'amour [...], l'amour jusqu'au trognon comme dans les romans, ça vaut de la chiure de mouches ! Les filles à tant à l'heure, c'est encore ce qui se fait de plus sûr. » L'idéal du « roman familial » n'a cours que dans les « romans », « romans familiaux », comme le reconnaît enfin Tit-Coq. En réalité, il ne « vaut que de la chiure de mouches ». De la merde, moins que rien.

Tit-Coq aimait Marie-Ange — le *padre* a raison — non tant pour elle-même, mais par ce qu'elle allait « apporter » quasiment en dot : *sa* famille. Marie-Ange, l'angélique, adulée, idolâtrée comme une image sainte, tombe entraînée dans la chute de sa/la famille.

Qui veut faire l'ange, fait la bête.

« Belle guidoune, va ! » Marie-Ange rejoint la putain anglaise avec laquelle Tit-Coq s'acoquine pour dégrader jusqu'à l'excès son idéal de la femme/mère canadienne-française. Il fait l'amour « en anglais », pour de l'argent. Un Canadien français peut-il tomber plus bas ? De quoi justifier ensuite sa misogynie généralisée. « Vous êtes ben toutes pareilles, vous autres, les femmes ! Passer d'un homme à l'autre... »

On connaît la chanson, surtout au Canada français : l'image de la femme écartelée entre la Vierge Marie (Mère Immaculée Conception) et la putain. *Tertium quid non datur* : pas de compromis entre les deux. La pièce *Les fées ont soif* (1978) de Denise Boucher a fait éclater ces deux images « mythiques » de la femme canadienne en les fusionnant spectaculairement.

Évidemment, l'album de famille, symbole même du culte que le néophyte Tit-Coq voue à la famille, tombe dans la chute de l'idéal familial. Car il *est* lui-même cet idéal, *eidolon* photographique où la famille, comme le notait justement Pierre Bourdieu, à la fois observe et vénère son unité passée. À l'image de la femme angélique déchue en « saloperie », l'album de photos, défétichisé, de relique se mue en rebut, en immondices. « Je me rends compte aujourd'hui que c'est rien qu'un paquet de cartons communs, sales et usés. Tu [Marie-Ange] le jetteras à la poubelle toi-même. » La poubelle : l'endroit pour les « saloperies ». Vie d'ange se terminant en vidange... *Vie d'ange,* titre d'un film de Pierre Harel, qui pourrait s'écrire aussi homophoniquement *Vidange*. On comprend pourquoi : le sujet hante... Le Québec tiraillé entre l'exaltation de son idéal passé et la joie sacrilège de sa chute.

Certes, Tit-Coq monte sur ses ergots. Il ne s'avoue pas battu. Il veut reconquérir Marie-Ange, même si elle est mariée. Il se laisse donc regagner par ses illusions familiales dont il semblait avoir fait le deuil. C'est grâce au « sacrifice final » de Marie-Ange que Tit-Coq ne tombe plus dans ce « piège ». Elle l'oblige — anti-Ariane — à couper le fil à la patte, à ne pas s'encombrer d'une famille, donc d'une généalogie, d'un passé, jusqu'à en oublier ce qu'aurait pu devenir, après coup, son propre passé par association avec son mariage. « Va-t-en, sans regarder en arrière, jamais... et oublie-moi. »

Marie-Ange oblige Tit-Coq à rester bâtard-orphelin jusqu'au bout, malgré lui.

La fin de *Tit-Coq* débouche sur un commencement : Tit-Coq auréolé de lumière longe le quai de la gare avec, à sa droite, le train en attente prêt à partir. Tit-Coq laisse derrière lui Marie-Ange et Jean-Paul, son frère, restés accrochés à la grille de la gare. Il prend ce train qui le conduit vers *son* avenir.

Le Québec qui sort des limbes au début des années cinquante se reconnaît dans Tit-Coq : il *est* ce héros. Abandonné une première fois par ses parents terrestres, réels (France, Angleterre), il perd ensuite comme le Québécois la foi dans le « roman familial », idéal à défaut

d'être réel, du Bon Père et de la Bonne Mère, projetés au ciel, garantis par la présence du *padre* (Albert Duquesne), l'aumônier de l'armée, curé qui a déjà quitté son foyer originel : l'Église.

En revendiquant sa bâtardise, Tit-Coquébec, se dit fils de ses propres œuvres, ne devant *rien* à « ses » parents, à ses ancêtres, ne devant rien au passé. Comme Tit-Coq fait table rase de son passé familial, le Québec se débarrasse de son passé collectif, historique, canadien d'abord, canadien-français ensuite. Ainsi les 450 ans d'un passé mouvementé qui ont fait devenir le Québec tombent dans les oubliettes, sacrifiés à un mythe de l'autonomie (*auto-nomos* : qui trouve sa loi en soi-même) aussi excessif, aussi extrême que l'était la dépendance symbiotique du Canada français de son « roman familial ».

Fils de ses seules œuvres, le Québécois, comme Tit-Coq, est donc fils d'oubli *(léthé)*. « Fils de Hasard » aussi, comme s'est appelé justement un autre enfant abandonné, qui a voulu également ignorer, oublier son passé familial : Œdipe.

Et pourtant, le Québec a gardé, paradoxalement, la devise de ses parents canadiens-français, seul vestige — à part sa langue — qui le relie encore à ce passé oublié : « je me souviens ». En effet, le Québécois a oublié le complément d'objet, *ce dont* ses ancêtres canadiens-français se souvenaient : « Je me souviens *de mon origine française.* »

Étrange *double bind* (double contrainte) mémorielle qui fait que le Québécois se souvient tout en oubliant *cette* origine, comme plus globalement toute quête généalogique *collective* au nom d'une autonomie, d'une in-dépendance radicale quasi suicidaire. Car la généalogie *individuelle,* avec les 50 000 généalogistes actifs au Québec, se porte bien, merci !

En rejetant ainsi *son* passé collectif comme celui d'un autre, après avoir bazardé, en 1969, son patron national, saint Jean-Baptiste, patronyme de Tit-Coq, il ne reste au Québec comme seul horizon collectif... que l'avenir. C'est à celui-ci qu'il se remet à partir de la fin des années cinquante (l'Alliance laurentienne fondée en 1957, le RIN en 1960, le P.Q. en 1968) pour atteindre collectivement son idéal que Tit-Coq avait déjà réalisé individuellement : l'indépendance.

Mais loin d'avoir frayé ce passage de l'indépendance individuelle à celle collective, Tit-Coq est devenu le modèle parental (in)conscient auquel tend à se conformer de plus en plus le Québec des années quatre-vingt. En effet, si en 1952, 5,2% des enfants naissaient hors de mariage, et en 1979, ce sont 12,6%, la proportion a presque triplé en une décennie en passant en 1988 à 33%. Si cette tendance de la monoparentalité se maintenait au Québec, ce seraient les enfants nés *dans* le mariage de plus en plus minorisé, marginalisés, qui constitueraient les « Tit-Coq » de demain...

Certes *Tit-Coq* ouvre la voie d'un Québec qui veut être « maître chez lui » en mettant en cause le « roman familial », mais il laisse intacte, parce que sacralisée comme un tabou, l'autorité paternelle. Autorité qui s'incarne justement dans le *padre* et à laquelle se soumet Tit-Coq finalement, même dans la version filmique qui, davantage que la version dramatique, met l'accent sur les ruptures. Certes, dans un moment de révolte Tit-Coq affirme que « la religion et le bon Dieu, ça fait deux », mais il ne cessera jamais de reconnaître l'autorité tempérée, il est vrai, du *padre*. Autorité paternelle hautement concentrée puisqu'elle cumule le pouvoir ecclésiastique, civil et militaire.

C'est à la suprématie de cette autorité paternelle que s'attaque *Mon oncle Antoine* (1971), le célèbre film de Claude Jutras qui a été jugé « le meilleur film canadien de tous les temps » en 1984. Ce chef-d'œuvre dans la production du cinéma québécois constitue une pierre de touche, une étape importante dans l'évolution, dans l'épanouissement d'un imaginaire québécois.

Mon oncle Antoine :
le crépuscule des idoles

> *Le lieutenant Raoul d'Haberville, ou plutôt le
> chevalier d'Haberville que tout le monde ap-
> pelait « mon oncle Raoul », était le frère cadet
> du capitaine [...]. C'était un tout petit homme
> que « mon oncle Raoul » [...]. Il est bien dif-
> ficile de savoir d'où venait ce sobriquet. On dit
> bien d'un homme, il a l'air d'un père, il a l'en-
> colure d'un père, c'est un petit père, mais on ne
> dit jamais de personne qu'il a l'air ou la mine
> d'un oncle. Toujours est-il que le lieutenant
> d'Haberville était l'oncle de tout le monde.*
>
> Philippe AUBERT de GASPÉ père
> *Les anciens Canadiens*

Mon oncle Antoine s'attaque globalement à cette autorité parentale, hypostasiée dans le pouvoir du père, que le « roman familial », en
fait, ne met en cause que localement, en transférant le pouvoir dont
sont investis les parents biologiques à d'autres parents, fictifs, « plus
prestigieux », puisque plus puissants encore. Il s'agit maintenant d'une
mise en cause globale du pouvoir paternel puisque ce dernier est
contesté radicalement dans *toutes* ses manifestations : du pouvoir de
procréation, fondement biologique de la paternité, en passant par son
pouvoir économique jusqu'à sa sacralisation religieuse (Dieu le père).

Justement, le « père », c'est le grand absent de *Mon oncle Antoine*. Absent des deux familles dont le destin s'enchevêtre dans la
trame de ce film : la famille des Poulin (Hélène Loiselle et Lionel
Villeneuve) et celle de « mon oncle Antoine » (Jean Duceppe) et de

« ma tante Cécile » (Olivette Thibault) avec ses deux enfants adoptifs, Carmen (Lyne Champagne) et Benoît (Jacques Gagnon).

Jos Poulin, certes, procrée cinq enfants, mais il ne les élève pas. Descendant des coureurs de bois, il est gagné par la « bougeotte » à l'approche de l'hiver. Alors il plaque tout, sa « job » à la mine, sa femme qui devra s'occuper toute seule de la ferme, des enfants. Tout en trayant une vache, la mère rappelle à Jos ses devoirs de père : « Les enfants ne te verront pas pendant six mois. » Le père reste sourd à l'appel de la femme, de la mère. Il n'a qu'une idée en tête : partir. « J'suis plus capable, faut que je parte. Je reviendrai au printemps. » L'hiver, le temps du trappage, de la « bûche ». Jos traversé par les cycles ataviques, vitaux des « anciens Canadiens ». À l'appel du « grand bois », rien ne résiste.

On fait une dernière fois l'amour à la sauvette (en concevant peut-être un sixième enfant) dans l'étable sur un ballot de paille, et Jos part, sa hache et son petit baluchon sur l'épaule. À ses enfants, plus particulièrement à son aîné, en guise d'adieux, il « chante » la beauté de la vie dans le « grand bois » : « J'en ai assez de la mine. Là-bas, c'est pas pareil. Tu es tranquille, c'est le grand bois, c'est la neige. Pas de patron sur le dos. Pas d'enfants non plus. » La grande liberté, quoi ! À l'aîné qu'il quitte il fait une promesse vague : « L'année prochaine, je t'enverrai au collège. » L'année prochaine ? Le fils n'en semble pas trop convaincu, car il répond : « Je sais pas. »

Enfin, l'oncle Antoine n'a pas d'enfants, comme il le confiera à la fin à Benoît, lors de sa « nuit de vérité » : « Ta tante ne m'a jamais donné d'enfants. » Mais « mon oncle » a-t-il « donné » de quoi à « ma tante » pour que cette dernière *puisse* lui donner des enfants ? La question reste posée. Nous y reviendrons.

Deux familles donc, l'une celle des Poulin, famille biologique, l'autre, celle d'Antoine, famille d'adoption. C'est donc la situation idéale du « roman familial » où un enfant remplace ses parents biologiques, rabaissés, déniés, parce que indignes, par des parents ayant plus de prestige, souvent royaux. Sans aucun doute, Jos Poulin est un père indigne, puisque son fils meurt l'hiver, peut-être pas *à cause* de son absence, mais *en* son absence. Mais « mon oncle Antoine », tout en étant un « bon » père adoptif qui prend bien soin des enfants, ne réussit pas à redorer le blason terni de la paternité québécoise, justement parce qu'il ternit précisément celui de l'oncle, de l'avunculat, plus prestigieux dans la société québécoise que la paternité.

Cette place importante, sinon centrale, donnée à « mon oncle » dans la société canadienne-française et québécoise, est due tout d'abord à l'absence atavique du père depuis les premiers temps de la colonie. Le père canadien est un « coureur » non de jupes mais « de bois ». Un tiers de la population de la Nouvelle France a été constitué de ces coureurs de bois. Un tiers des pères réels et putatifs — en « vadrouille » dans les bois, parfois pendant des années. « Le père manquant » diagnostiqué récemment dans son beau livre par Guy Corneau (*Père manquant fils manqué,* Éditions de l'Homme, 1989) au sein de nos sociétés a été donc absent dès les fondements du Canada. Absence bien invétérée.

Or, ces pères absents courant les bois se sont transformés en « survenants », lorsque les « Pays d'en Haut » se sont fermés après la Conquête. Les « survenants », des revenants de pères canadiens-français qui hantent l'imaginaire québécois.

Les absents ont toujours tort. Surtout les pères absents. En son absence, c'est l'oncle — et pourquoi pas — *les* « oncles » qui ne prennent peut-être pas la place du père, mais qui rôdent autour de cette place. À preuve, cette belle Alexandrine (Monique Mercure), en l'absence du « mari » se fait aguichante avec son regard enjôleur pardessus son col de fourrure *sexy*. Elle n'hésite pas à s'acheter un corset noir affriolant pour séduire et faire « rêver » encore davantage les « oncles ». À la campagne de Thetford Mines, dans le magasin général de « mon oncle Antoine », son entrée ne passe pas inaperçue. C'est un euphémisme. Alexandrine fait une entrée « explosive », précédée de la sirène, signal qu'ils « vont blaster » dans la mine. Le magasin branle comme sous le choc d'un tremblement de terre. À ce moment, Alexandrine entre. Chuchotement de ces « messieurs » : « Pauvre Alexandrine... Je vais la désennuyer... » Bref, lorsque le père s'absente, l'« oncle » devient important. Il y a donc beaucoup d'oncles au Canada français...

Mais ce n'est pas, on s'en doute, ce rôle vicariant du père qui aurait pu rehausser l'image de l'oncle au Canada français. Bien au contraire, puisque cette vicariance n'a rien de glorieux, qu'elle ne fait que combler un vide. Non, elle est le signe évident d'une « matriarcalisation » fonctionnelle, non institutionnelle de cette société du Canada français, matriarcat renforcé peut-être, à l'origine, par celui des peuples autochtones, aux structures familiales largement matriarcales. On sait que dans ces sociétés matriarcales[1], l'oncle assume une partie des fonctions d'autorité que dans le patriarcat monopolise seul le

père. Son autorité est moins autocratique, moins redoutable, plus « douce » que celle du père. Tout en inspirant du respect, l'oncle ne tient pas en respect ses proches. C'est pourquoi il est désigné ici « mon oncle », terme où se conjuguent à la fois le respect et une connotation nettement affective grâce au pronom possessif « mon », qui ici ne s'applique pas à un tiers absent, mais directement à la personne présente. En l'appelant « mon oncle », le Canada français/ Québec rappelle les liens d'affection qui se sont tissés ici entre l'enfant et l'oncle. Liens tellement « tricotés serrés » que le Canada français dit même « *mon* oncle » lorsqu'il devrait dire « ton oncle » (la mère disant à son enfant : « Va voir "mon" oncle ! ») Le cœur a des raisons que la grammaire ne connaît pas !

Cette place particulière de l'oncle dans la société déjà des *Anciens Canadiens* se note bien dans le roman du même nom de Philippe Aubert de Gaspé père. En effet, le seigneur a beau « occuper » symboliquement le sommet de la hiérarchie sociale, c'est quand même « mon oncle Raoul » qui gère matériellement la seigneurie, qui introduit le « facteur humain » en servant d'intermédiaire convivial entre le pouvoir seigneurial paternel, physiquement absent, et les membres de sa famille, des habitants. C'est lui, par exemple, qui assiste à la cérémonie de baptême des habitants. Ce n'est donc pas un hasard si « mon oncle Raoul » est littéralement « lieutenant » au sens premier du mot, tenant lieu du « père absent ».

C'est ce prestige ancestral dont avait été investi l'oncle au Canada français que *Mon oncle Antoine* « déconstruira », démolira. Un adolescent s'y emploie. Benoît, le neveu qu'Antoine a bien voulu recueillir chez lui, adopter. Le film ne nous dit pas pourquoi ses parents biologiques l'ont abandonné. Le fait est là. Par contre, il nous informe sur les raisons de l'abandon de l'autre enfant adoptif d'Antoine, Carmen. Son père fait son apparition une fois dans le magasin général d'Antoine pour empocher les « gages » de sa fille. Sans regarder même sa fille, encore moins sans lui parler, ce « père » tend juste la main pour encaisser l'argent gagné par sa fille. Ce « père » exploite sa fille de façon éhontée comme un boss étranger. Voilà un autre père indigne, déchu, tombé de son piédestal. Il y en a suffisamment ! Le message est clair.

Il revient donc à Benoît de briser le tabou du « roman familial », de désacraliser ces « bons » parents d'adoption appelés à rehausser le prestige irrémédiablement perdu des parents biologiques. *Benoît,* le prénom n'est pas choisi au hasard : « bénoit », « benêt » dérivent effectivement de « béni », de *bene-dicere,* « dire du bien de quelqu'un », « louer quelqu'un ». Benoît, son nom en contraste avec ses comportements, illustre ce que l'histoire des religions nous enseigne : le sacré et le sacre, sacralisation et profanation se constituent dans un seul et même mouvement, un *seul* mot signifiant souvent à la fois le sacré et son contraire, la profanation, comme par exemple le latin *sacer.*

Benoît commencera donc par profaner cette autorité divine qui, dans la plupart des sociétés, a servi de caution surnaturelle, divine, consacrant, « tabouisant » le pouvoir paternel : rois, empereurs, papes, ces pères de droit divin. Or au Canada français, après l'échec et la Révolte des patriotes, c'est le pouvoir religieux qui comble la brèche d'autorité ouverte par ces fils patriotes vaincus, en révolte contre le père anglais. Pendant plus de cent ans, l'Église est le fondement de *tout* pouvoir au Canada français, pouvoir pas uniquement symbolique. C'est seulement lors de la Révolution tranquille de la fin des années cinquante de notre siècle que, grâce à une laïcisation très rapide, la société canadienne-française va se libérer du joug d'une autorité paternelle cautionnée, consacrée par le pouvoir religieux.

La petite Aurore, nous l'avons vu, avait déjà été un premier pas vers la désacralisation du pouvoir paternel-maternel. Certes, le curé y est encore une figure éminemment positive, puisqu'il s'intéresse au bien de l'enfant et est le seul à faire parler l'enfant grâce au sacrement de la confession. De même que le *padre* de *Tit-Coq* s'avère être encore un médiateur hors pair au-dessus de la mêlée des conflits parentaux, des conflits de pouvoir. Or, en présentant les parents aux noms glorieux qui ouvrent une échappée vers le ciel — Théodore et Marie-Louise —, comme des bourreaux d'enfant, pis, de vulgaires assassins, on ne manquait pas d'entacher, de désacraliser, par ricochet, l'autorité divine, fondement ultime du pouvoir parental, du pouvoir tout court. Justement, comme nous le verrons dans *Jésus de Montréal,* cette caution du pouvoir paternel, du pouvoir civil par le pouvoir divin ne saurait se fonder sur les évangiles car pour Jésus, par une transmutation révolutionnaire des valeurs, c'est l'enfant, le « petit », qui devient le modèle d'un « pouvoir charitable », non autocratique, mais à l'écoute de l'Autre.

Bref, en 1952, on ne s'attaquait pas encore impunément au pouvoir ecclésiastique. Nous sommes maintenant en 1971. La sortie de *Mon oncle Antoine* se situe donc après la date fatidique de 1969 qui marque le rejet avec grand éclat du patron national, saint Jean-Baptiste lors de la dernière parade. Le Québec se dépouille des derniers vestiges religieux symboliques vides de sens, hérités du Canada français.

Mais l'action du film a lieu un peu avant 1971, comme nous le fait savoir le texte liminaire du film :

> *Au pays du Québec*
> *dans la région de l'amiante*
> *Y'a pas si longtemps.*

En effet, le Québec s'est laïcisé tout d'abord dans les grands centres urbains. Suivront les petites villes, enfin les campagnes. Thetford Mines est bien avancé dans ce processus de désacralisation à la fin des années soixante. Fonctionnaire d'un rituel vidé de son sens, puisque personne n'y croit vraiment, le prêtre n'est plus présent qu'aux « grands moments » de la vie des paroissiens : naissance, mariage, mort.

Justement, la deuxième scène du film nous fait assister à la mort d'un paroissien. Le curé y joue son rôle comme « consolateur ». S'adressant à la veuve éplorée d'Euclide, il calme ainsi les angoisses : « Euclide a été un bon chrétien. Quinze grandes messes, cinq basses. Vous pouvez être tranquille. » Au Québec, l'Église a été longtemps un « bon investissement ». On commence à croire qu'il est à fonds perdu, puisqu'on cesse justement de croire.

La religion catholique au Québec — et ailleurs — s'est réduite en un rituel momifié, sans âme, cadavérique comme cet Euclide qu'on se prépare à mettre en terre. Ainsi Benoît sert encore la messe le matin, le 23 décembre, dans une église complètement vide, présent seulement de corps, l'esprit absent. Mais surtout, avant la messe, dans la sacristie, il caricature l'Eucharistie à laquelle il assistera dans quelques instants. Il désacralise, il profane les deux symboles centraux de la religion catholique, de l'Eucharistie : l'hostie et le vin. Certes, les sacres des Québécois (« hostie », « tabernak » !), depuis longtemps, ont pavé le chemin à la profanation de Benoît. Or, ce dernier ne se contente pas seulement de « dire des sacres », il met en scène une véritable « messe noire », dérision de la consécration de la messe. Prenant une hostie dans le tabernacle, il ne manque pas de regarder comme le prêtre vers le ciel au moment où il la désacre, c'est-à-dire la croque avec ses dents (qui ne sait pas que l'hostie saigne, lorsqu'on la croque avec ses dents !). Après le pain, le vin. Benoît ne fait pas des chichis avec le calice. Il boit le vin de messe à la bonne franquette du goulot de la bouteille. Ni vu, ni connu. Le prêtre arrive juste lorsque tout est terminé.

En servant la messe, Benoît marmonne mécaniquement les prières. Décidément son esprit est ailleurs. Il sort une ficelle de sa poche. Il se tourne vers le banc de communion pour le charger de dessins et de graffiti. La messe basse — elle ne peut tomber plus bas —, terminée, Benoît jette un dernier regard dans la sacristie. Que voit-il ? Le curé en train de picoler le vin de messe du goulot de la bouteille, comme il l'a fait. Quel modèle chrétien que ce prêtre, ce ministre de Dieu ! Alors en quittant l'église (ou l'Église), le jeune Benoît marche sur les bancs. Au lieu d'y prier, il piétine les bancs.

Après avoir miné les fondements sacrés du pouvoir, il ne reste à Benoît qu'à saper celui du prestige de « mon oncle », des « bons » parents adoptifs. Comme *La petite Aurore,* le spectateur de *Mon oncle Antoine* voit le monde avec les yeux de l'enfant. Enfant non plus écrasé, terrassé littéralement par l'autorité parentale qui, par ses menaces, le réduit à l'état de catatonie, empêchant par là son passage de l'enfance — de l'*infans* sans parole —, à celui d'adolescent, qui s'émancipe progressivement. Dans *Tit-Coq,* ce processus d'émancipation ne se fait pas de façon naturelle, organique, il est provoqué par une « rupture » inaugurale : par sa bâtardise.

Or, *Mon oncle Antoine* nous fait assister aux « rites de passages » d'un enfant qui, à travers de nombreuses épreuves, devient adolescent et sous peu adulte. Au bout de ces épreuves, il se sera émancipé. Il n'est peut-être pas encore indépendant, mais à la fin du film, toutes les autorités, religieuses, civiles, (celle du boss de la mine), parentales (biologique et adoptive) auront été démystifiées. Benoît sait que toutes les « autorités » se valent. Il sait aussi que maintenant il ne peut compter que sur lui-même. *Mon oncle Antoine, Erziehungsfilm* (« cinéma de formation ») à la québécoise.

Enfant adoptif d'un oncle et d'une tante qui tiennent un magasin général « dans la région de l'amiante », à Thetford Mines, Benoît vit dans un milieu relativement « enrichi » où passent quotidiennement les gens de toutes les « classes ». Surtout au temps de Noël, le 23 décembre, où commence véritablement l'intrigue du film, les déboires de Jos avec son patron dans la mine, à l'automne, n'étant que le prologue qui nous situe cette « région de l'amiante ». D'immenses cratères d'un paysage lunaire où l'homme ressemble à une fourmi. Tout au haut des crassiers, les foreuses gigantesques crachent la terre qu'elles viennent de dévorer. C'est évidemment la fin mythe du *Cher-*

cheur de trésors. Ce qu'on trouve ici, ce n'est plus l'or luisant —
« soleil de la terre » —, tant convoité, mais une fibre grise qui, au
contraire protège contre le feu et les flammes. Fibre qui résiste aux
flux de chaleur, qui isole, fibre qui, en plus, se révèle toxique. C'est là
que la célèbre grève de l'amiante, en 1949, a mis en branle les forces
progressistes du Québec en cassant la glace, en surmontant les forces
de résistance conservatrices.

Le Parti québécois, on se rappelle, a voulu répéter avec la nationalisation de l'amiante le coup de maître que le Parti libéral avait
jadis réussi avec la nationalisation de l'électricité qui avait soulevé
« hydroélectriquement » tout un peuple. Évidemment, le courant ne
pouvait passer ! Il y a des symboles « conducteurs » et des symboles
« isolants ». L'amiante est de ces derniers. Quand reconnaîtra-t-on la
« réalité » des symboles pour l'imaginaire d'un peuple ?

La première, comme d'ailleurs la dernière épreuve de Benoît,
c'est la mort. Le film est donc pour ainsi dire encadré par *Thanatos*.
Au début, par la mort d'Euclide, déjà évoquée. Mort d'un adulte
d'âge avancé, mort naturelle. Or la fin est enchâssée par la mort la
plus scandaleuse qui soit : celle d'un enfant. En effet, le fils de Jos,
que ce dernier devait si bien envoyer au collège l'« année prochaine »,
décède sans que son père le revoie vivant.

C'est la « profession » de son oncle qui fait assister Benoît à ces
morts. Car son oncle est le « croque-mort », l'« embaumeur », dirions-
nous aujourd'hui, le « thanatologue » de la ville. Il habille les morts,
fait leur toilette, et lorsque le spectacle est terminé, il les déshabille, il
scelle le cercueil avec des vis ou des clous. (De là le baril de clous qui
traîne un peu partout.) Mise en scène dont nous sommes les témoins à
travers les yeux de Benoît.

Le spectacle est terminé, le curé, la famille vont à la salle à
manger boire un coup. Fernand (Claude Jutras), le commis d'Antoine
et ce dernier s'activent, ramassent le crucifix, enlèvent le veston, le
plastron du mort. Les mains raidies de ce dernier se crispant sur le
rosaire. Fernand s'amuse en tombant sur le « cahier de commandes »
du curé : « Mme Pelletier, une grand-messe à trois piastres. On sait
pourquoi. » Et puis il chantonne. L'oncle Antoine n'a pas le cœur à la
rigolade. « Fernand, tais-toi, tu m'énerves », lui lance-t-il. Puis, tous
les deux vissent le couvercle du cercueil.

Benoît se cache les yeux avec son missel. Il est choqué par le
sans-gêne avec lequel ces adultes manipulent le mort. En sortant de la
chambre du mort, il dit au commis : « Fernand, arrange ta cravate ! »
Un peu plus de tenue les adultes !

L'oncle Antoine, par son métier, on dirait, a apprivoisé l'angoisse de la mort. Or, il n'en est rien, comme on l'apprendra, à la fin, lors de cette « nuit de vérité ». Il boit, pour « noyer » cette angoisse, notamment lorsqu'il va chercher les morts. Antoine a peur parce qu'il sent inconsciemment qu'il est happé par *Thanatos,* d'autant plus qu'*Éros* ne tient plus son ennemi mortel en échec. Après trente ans de mariage, tante Cécile et oncle Antoine ne s'aiment plus. À Benoît qui lui demande s'il « a trouvé ma tante », Antoine répond, désabusé : « Il y a trente ans. » Il n'y a plus rien entre eux. Il ne reste qu'un rituel mort, comme celui de la messe lorsqu'on a perdu la foi. Pas d'enfants non plus comme signe évident de la Vie qui combat, contrebalance la Mort. Il y a un grand déficit vital dans la vie d'Antoine. « Ça ne balance pas », dira Fernand, un moment, en train de faire la comptabilité du magasin.

Cette conscience d'un « déficit vital », d'une balance qui penche du coté de *Thanatos,* au-delà du problème d'un personnage imaginaire, reflète une hantise, *la* hantise collective, du Canada français, du Québec : peuple qui ne peut tenir en échec *Thanatos* qu'en se régénérant continuellement, qu'en battant en brèche la dénatalité qui fait apparaître le spectre de *Thanatos.* Pas étonnant que ce « thème » refoulé fait surface régulièrement dans l'imaginaire québécois. Il sera évidemment au centre du *Déclin de l'empire américain.* Comme nous le verrons, dans ce dernier film, les yuppies universitaires se seront débarrassés définitivement de la mauvaise conscience de parents sans enfants dont souffre encore l'oncle Antoine : c'est pourquoi il en a adopté deux. Au contraire, ces « intellectuels » se flattent de pas en avoir. Cause première justement du « déclin de l'empire québécois... »

La deuxième épreuve de Benoît c'est l'« amour », *Éros*, plutôt la sexualité trouble d'un adolescent qui s'initie. De façon significative, chez lui l'épreuve de *Thanatos* est venue *avant* celle d'*Éros*. *Éros* sera-t-il suffisamment fort pour se dépêtrer de l'étreinte létale de *Thanatos* ou leur lutte restera-t-elle toujours indécidable ?

En fait, cette deuxième épreuve d'*Éros* se déploiera sur trois niveaux, touche trois groupes de personnages dont les rapports s'enchevêtrent inextricablement : les adolescents Benoît et Carmen, les adultes tante Cécile et Fernand, enfin les personnages « mythiques » de la religion catholique : Jésus, Marie, le Saint-Esprit censés arracher l'amour chrétien *(agapè, caritas)* à l'étreinte d'*Éros*.

Commençons par les derniers, puisqu'ils forment en quelque sorte l'arrière-fond mytho-thématique de la trame du film. Comme nous l'avons déjà suggéré, l'action principale du film se situe au moment de Noël, précisément les 23 et 24 décembre, derniers jours de l'Avent qui préparent à la naissance du Christ. Ce n'est pas un hasard si au magasin général on passe le plus clair de son temps à monter la crèche. C'est tout un événement à Thetford Mines. Enfants et même adultes s'assemblent devant la vitrine du magasin général pour voir le rideau se lever. Car il s'agit effectivement d'une véritable mise en scène théâtrale. Du « théâtre » qui se « répète » d'une année à l'autre, qui a perdu la foi dans son « scénario » originel. Comme le théâtre du chemin de la croix du père Leclerc de *Jésus de Montréal*.

Ce sont les deux femmes, tante Cécile et Carmen qui montent la crèche dans la vitrine du magasin général. Tante Cécile donne les instructions pour la mise en scène. Pas tout de suite la neige ! « Attends que le petit Jésus soit en place ! On va mettre saint Joseph [...] la Sainte Vierge et puis le petit Jésus dans le milieu. » Voilà les personnages de ce que nous avons appelé le roman « familial céleste » ou le « roman de la Sainte Famille » canadien qui se forme justement à la suite de l'effondrement, après la Révolte des patriotes, du « roman familial » laïque, idéalisant des parents terrestres, en l'occurrence, le roi et la reine d'Angleterre. La Vierge Marie, Joseph et le Saint-Esprit résolvent, nous l'avons suggéré, pour le Canadien ce casse-tête, cette quadrature du cercle vicieux à la canadienne : comment devenir mère sans déchoir de sa condition de « bonne mère » en femme de « mauvaise vie ». L'Immaculé Conception, miraculeusement, tire les Canadiens de leur dilemme « familial » : en concevant du Saint-Esprit, en éliminant la conception sexuelle, cette mère céleste gardait à tout jamais sa pureté originelle. Certes, Joseph devenait un simple « homme de paille », gardien de la virginité de Marie. N'empêche, le Canada français a eu une grande vénération pour ce Joseph et son image à la Joseph. Jusqu'à lui consacrer un Oratoire sur la montagne de la ville de Montréal. L'oratoire Saint-Joseph où se situera l'action de *Jésus de Montréal*.

« Elle est belle la crèche, cette année ! » s'exclame tante Cécile. Carmen refroidit vite l'enthousiasme de cette dernière par cette remarque : « Jésus est pas beau. » Et en toute honnêteté, tante Cécile concède. « C'est rien que lui qui est pas beau. Il lui est arrivé un malheur. On l'a échappé. Mais ça ne paraîtra pas, il est tellement petit. » Étrange, juste le personnage central, l'enfant Jésus, qu'on a *laissé tomber,* dans tous les sens du terme. C'est pourquoi il est « magané ». Le sort précisément du Canada français à qui est arrivé le même « malheur », puisque ses deux parents l'ont laissé tomber.

Mais en ce qui concerne ce Jésus « magané », les apparences sont sauvées : « Ça ne paraîtra pas. » C'est l'essentiel, puisque, de toute façon, personne ne le voit, ne le regarde. Jésus est « tellement petit » parce que plus personne n'y croit. Faut-il souligner que la crèche a déménagé de l'église dans un magasin ? Jésus-Daniel de *Jésus de Montréal* s'élèvera contre ce mélange profanateur du sacré et du commerce.

Mais comme si cette mise en scène et la déchéance — au sens premier de « chute » — des personnages de la geste chrétienne ne suffisaient pas, ce film les « déconstruit », en les caricaturant par dérision à travers les rapports triangulaires de tante Cécile, de l'oncle Antoine et de Fernand. Tante Cécile, restée « vierge », étant la Marie peu innocente de Thetford Mines, oncle Antoine, Joseph, le « dindon de la farce », tandis que Fernand, l'homme à tout faire, s'emploie à « incarner » le Saint-Esprit.

Lorsque Antoine surprend sa femme et Fernand à table en train de fredonner une chanson d'amour, de roucouler comme des tourtereaux, tante Cécile se fige de stupeur. « Tu m'as fait peur. Qu'est-ce que tu fais là ? Pas habillé, en bretelles, en combinaison, pas rasé ! » Antoine, un intrus dans sa propre maison. Et tante Cécile de le chasser, de lui rappeler tout ce travail qui reste à abattre avec la crèche. « Antoine, grouille un peu [...]. Ça presse ! » Réponse stoïque d'Antoine, preuve qu'il a bien compris : « Ça ne pressait pas tout à l'heure. » Puis, Cécile recommande à ses soins particuliers la Vierge : « Attention à la Vierge, elle est susceptible. » Sans aucun doute, c'est Cécile cette Vierge « susceptible ». Susceptible au sens premier de *suscipere*, « concevoir », « recevoir ». Elle est *susceptible* de *concevoir,* si elle rencontre un homme autre que Joseph-Antoine. Justement, Antoine lui-même nous mène sur cette voie. En effet, à la question de Cécile : « Où est le petit Jésus ? », il répond malicieusement : « Tiens, le Saint-Esprit doit le savoir ! » L'oncle Antoine se moque ici de ce rôle de Joseph qui lui revient dans cette « crèche réelle » que tante Cécile est en train de monter tranquillement pendant ces fêtes de Noël avec Fernand. « Le saint Esprit doit le savoir », sous-entendu : Fernand le « Saint-Esprit » « incarné » de Cécile qui la couvre non pas de son ombre, qui la « couvre » tout simplement.

La preuve, lorsque tante Cécile apprend qu'Antoine est appelé à la mortalité du fils de Jos Poulin, elle envoie Benoît accompagner l'oncle Antoine sur son traîneau... pour être seule avec Fernand. Car d'habitude, c'est Fernand qui assistait Antoine dans ces occasions.

Nous sommes le 24 décembre, c'est le réveillon, la veillée de Noël. Les « bons » chrétiens, même les tièdes — pour des raisons souvent sentimentales — assistent à la messe de minuit pour commémorer la naissance du Christ, événement inaugural du christianisme et de la Sainte Famille, qui naissent justement grâce à cette naissance. Et tante Cécile qui disait encore hypocritement à Antoine et à Benoît devant affronter la tempête de neige : « Tâchez de revenir pour la messe de minuit ! » Or Fernand et Cécile qui ont passé deux jours à monter la crèche, la veillée de Noël, « crèchent » pour la première fois ensemble. La « vierge » Cécile ne se montre pas trop « susceptible » : elle a du plaisir avec Fernand. Peut-être qu'elle a joui pour la première fois dans sa vie...

Après leurs ébats amoureux au lit, les deux tourtereaux se mettent sur le canapé, pour se cajoler, s'embrasser, rigoler de quelques blagues sous-entendues qu'on devine facilement. « C'est petit... J'aurais jamais pensé. » Et tous les deux de se rouler sur le sofa à force de rire. Évidemment, les « performances » de Fernand cette nuit de Noël, ne manquent pas de se comparer avec les « actes manqués » d'Antoine-Joseph qui brille sinon par son absence, du moins par sa « petitesse ». Lorsque le père s'« absente », l'oncle, devenu « lieutenant », prend sa place. Certes, quand Fernand dira plus tard d'Antoine qu'« il est mou comme une guenille », la tante proteste... pour la forme : « Ses bottines sont encore trop grandes pour vous. » Pas besoin de faire un dessin ! Les images sont assez évocatrices.

Puis les deux amoureux se mettent à s'interroger pour savoir depuis quand ils « y » pensaient. Tante : « Ça fait longtemps que tu y pensais ? » Fernand n'a pas besoin de donner une réponse. Le spectateur le sait : c'est le matin du 23 décembre, lorsqu'il voit apparaître la « belle matineuse » en peignoir au décolleté bien échancré sur les escaliers du magasin général. Fernand : « Toi, tu y pensais. » Nouveaux rires complices.

L'idylle de Noël est interrompue par des bruits. Antoine et Benoît sont de retour. Benoît prend sa tante et le commis en flagrant délit d'adultère. La tante ajuste son peignoir, retape son lit. Elle joue à la « mère » pour essayer de se tirer d'embarras : « Vous êtes bien en retard. Vous avez eu de la misère... » Les mensonges de tante Cécile et de Fernand sur la manière dont ils ont passé la soirée de Noël, ne trompent pas Benoît. Il reste muet, les regarde. Il les méprise. À sa tante qui tente de lui enlever son manteau de fourrure, Benoît répond, cinglant : « Lâchez-moi ! » Ainsi « désacralisée » dans sa fonction de

« bonne mère », déchue en « guidoune », tante Cécile n'inspire plus que du dégoût, de la répugnance. Déchue de son trône de bonne mère adoptive, elle devient « déchet » pour Benoît. Même, il a peur d'être pollué par elle, lorsqu'elle le touche. L'idéal familial ne pouvait tomber plus bas.

Or lors de la chevauchée fantastique dans la tempête de neige s'était *déjà* désacralisé l'idéal de l'oncle comme « bon père » adoptif. Décidément, cette nuit de Noël est un véritable « crépuscule des idoles » (*Götzendämmerung*, Nietzsche) pour Benoît.

Ce dernier est pourtant fier de pouvoir accompagner son oncle à la place de Fernand pour aller chercher le cadavre du fils aîné des Poulin. L'oncle Antoine, bardé de deux bouteilles de gin, Benoît et Antoine, emmitouflés dans leurs gros manteaux de fourrure, se mettent en route, bravant la tempête de neige. Une fois atteint le but, Antoine demande à Benoît : « T'as peur ? » — « Non, j'ai froid », de répondre Benoît. Sans aucun doute, Antoine projette sur Benoît sa propre angoisse qu'il n'a pas réussi à noyer complètement dans l'alcool.

Arrivé chez les Poulin, l'oncle Antoine se met aussitôt à table. La présence du cadavre dans la chambre ne coupe pas son appétit. Benoît ne touche à rien. Il n'en peut plus de dégoût. Les remarques témoignant de l'insensibilité sans bornes de son oncle ne font qu'augmenter son écœurement : « C'est rien qu'un petit gars, si jeune. On verra ça (en indiquant de la tête la chambre où se trouve le cadavre) plus tard. Mange ton lard. »

La mère éclate en pleurs. L'oncle s'excuse, quitte la cuisine : il est gagné lui aussi d'un haut-le-cœur. Après le repas « totémique », Antoine et Benoît vont trouver l'enfant mort dans son lit couvert d'un dessus en courtepointe. Ils le mettent dans le cercueil, en pyjama. Benoît hésite à prendre le cadavre par les pieds en voyant qu'ils ont commencé à bleuir. Le cadavre de l'enfant une fois posé dans le cercueil, on voit que celui-ci est trop petit. La tête de l'enfant doit être penchée pour trouver sa place.

L'oncle Antoine et Benoît pour leur retour, le cercueil sur le traîneau, affrontent de nouveau la tempête, devenue encore plus féroce. Antoine, soûl, s'endort, Benoît somnole. Voilà que le cercueil glisse et tombe. « On a perdu le mort. Il faut aller le chercher », dit Benoît à son oncle en le réveillant. « Quel mort ? » de demander ce dernier pas encore revenu à la « réalité ». Aussitôt l'oncle fait des reproches à son neveu. « Ça prend un petit morveux comme lui pour me faire une affaire comme ça. »

Alors les deux retournent à pied au cercueil pour le porter sur le traîneau. L'oncle soûl, à bout de ses forces, essaie vainement de soulever le cercueil. Appuyé sur le cercueil, il se met à pleurer tel un enfant en répétant : « Pas capable. » La fatigue et l'ivresse aidant, les « barrages » des rationalisations et des censures construits en trente ans de vie « commune » avec tante Cécile sautent tout d'un coup. Les décors s'écroulent, l'absurde de cette vie apparaît. « Qu'est-ce que je fais ici ? Je suis pas fait pour la campagne. J'étouffe là-dedans. Moi, je voulais acheter un hôtel aux États. Ta tante n'a pas voulu. Elle veut jamais rien. J'ai peur des morts. Je travaille pour tout le monde. Ta tante ne m'a jamais donné d'enfants. Je suis obligé de m'occuper des enfants des autres, moi. J'élève Carmen et toi. J'ai fait mon possible pour toi. »

On voit dans cette « association libre » d'Antoine, libérée des contraintes de la censure, comment d'abord ses désirs sont frustrés par l'autorité supérieure de sa femme, son « surmoi ». Désirs de fuite, d'évasion aux États-Unis. Antoine fait partie de la légion de Québécois réels et imaginaires qui cherchent leur refuge dans les « États ». *Les tisserands du pouvoir* ont beau « dénoncer » ce « rêve américain » des Québécois en montrant l'oppression des Canadiens français par un patron français (« maudit Français » jusqu'en Amérique !), les « États » restent pour les Québécois le « pays du sourire », du « soleil », des « vacances », de la « retraite ».

Évidemment, l'angoisse de la mort d'Antoine, refoulée jusqu'à maintenant sous une carapace d'habitudes, éclate en cette nuit de Noël, de naissance des vérités existentielles. Angoisse de la mort renforcée par la conscience qu'Antoine n'a pas pu pousser cette mort qu'il côtoie régulièrement dans ses derniers retranchements à l'aide d'*Éros*. Antoine a manqué d'*Éros,* il a manqué d'amour. Donc il a manqué de tout. L'adoption, loin d'être une « vocation », n'est qu'un simple pis-aller. Les enfants des autres lui pèsent, puisqu'ils lui rappellent l'absence de *ses* enfants, ceux qu'il aurait pu avoir si tante Cécile avait voulu lui en « donner ». L'alibi est trop facile.

Antoine, l'adulte, écroulé sur le cercueil qui contient le cadavre d'un enfant, régresse, tombe dans des comportements infantiles : il pleure, se lamente, se dit « hilflos », « pas capable », a besoin de l'aide des autres, d'un Autre. Antoine lance une ultime « demande d'amour » à Benoît en lui rappelant qu'il a fait « son possible » pour lui. Benoît lui saura-t-il gré maintenant qu'Antoine a besoin de lui ?

Les regards de Benoît se durcissent. On sent le mépris qu'il éprouve pour cette lavette, cette épave humaine appelée « mon oncle Antoine ». Leurs rôles s'inversent à partir de ce moment. Celui qui se dit adulte, Antoine, se trouve par terre à quatre pattes comme un enfant, tandis que l'enfant Benoît se tient debout. Par un seul mot, de façon cinglante, Benoît repousse cet adulte devenu abject, infantilisé par l'alcool : « Ivrogne. » Le « bon » oncle Antoine est définitivement déchu, mort comme ce cadavre dans le cercueil sur lequel il s'appuie. Un dernier sacre, « maudit », consacre enfin la cérémonie de désacralisation de celui qui était censé tenir lieu de son père manquant.

En même temps que cette initiation — voyeuriste à l'*Éros* pervers, saturés du *Thanatos* des adultes — se fait celle à la sexualité trouble des adolescents. Or cette initiation sexuelle du monde des adolescents s'opère sur le modèle érotique des adultes, métissé de *Thanatos*. Le contraire aurait été étonnant. Tout naturellement, Carmen, la « sœur » par adoption de Benoît, devient l'« objet » érotique de Benoît. *Carmen,* ne porte pas son nom par hasard. C'est une petite « allumeuse » comme la « grande » Carmen qui travaille dans une manufacture de cigarettes.

À la suite de tante Cécile, Carmen fait son entrée dans le magasin général en mini-jupe, les seins bien bombés. Fernand n'est pas insensible aux charmes de ce bourgeon en train d'éclater. Il ne manque pas de donner une tape sur son derrière. Mais tout d'abord, il la rabaisse, comme l'enfant du « roman familial » qui a trop adoré ses parents. « La fille engagée qui se prend pour une princesse. » On dirait les fantasmes de Tit-Coq ! Benoît joue l'indifférent.

Un moment après, Benoît et Carmen se « bagarrent ». Tous les prétextes sont bons pour provoquer des attouchements. Comme dans le monde des adultes, la crèche, plutôt que d'inciter à la méditation, à la prière, aiguillonne les personnages vers le dévergondage. Certes, encore « innocent » chez les adolescents. Carmen veut séduire Benoît avec son maquillage qu'elle admire dans un miroir rond. « T'es quétaine, t'es assez folle d'avance. » Le « compliment » de Benoît montre à Carmen qu'elle a raté son coup. Elle trouvera bien une autre nasse pour prendre ce Benoît dans les rets de sa séduction.

Justement, en décorant la crèche, véritable « plaque-tournante » érotique, Benoît se trouve en haut d'une échelle en train de fixer des cloches, des boules de Noël, des fleurs artificielles au plafond. Carmen lui tend les décorations, Fernand à l'écart, en voyeur, observe le « couple ». Carmen lance à Fernand un clin d'œil évocateur, provocateur. Benoît, les regards tournés au plafond, baisse de temps en temps une main pour prendre de nouvelles décorations. Cette fois, Carmen a fixé une fleur sur son sein. La main aveugle de Benoît la touche et découvre en même temps une « boule » d'une souplesse bien excitante. Benoît sursauta tellement qu'il faillit tomber de l'échelle. Il ne s'attendait pas à cela. Cette fois Carmen a réussi son coup. Car elle a compris mieux que certains adultes : la séduction est un double jeu d'avances et de reculs, de permissions et d'interdits. Carmen est maîtresse parfaite de ce double jeu érotique. Elle le montre à la prochaine occasion.

Justement, un moment, ce 24 décembre, l'euphorie éclate dans le magasin. Tante Cécile à qui Mlle Brillant demande à voix basse si elle a du voile de mariée, clatronne la « bonne nouvelle » dans tout le magasin : elle se marie. C'est la liesse, on s'embrasse, on boit, on chante. Tante Cécile demande aussitôt à Carmen d'aller chercher le voile dans une boîte au premier étage. Plutôt que de porter le voile, Carmen le met elle-même. Elle se regarde dans le miroir en fermant le voile blanc sur son visage. Voile blanc symbole de l'hymen encore inviolé, symbole de la virginité.

Entre-temps, Benoît a suivi Carmen. Elle l'a vu s'approcher dans son miroir. « Je te vois, Benoît. » Elle devine ses intentions. Elle lui lance un avertissement : « Touche-moi pas, mon maudit ! » Benoît en a bien compris le sens profond : « Vas-tu enfin me toucher, mon maudit ? ! » Commence alors une chasse folle dans cet entrepôt du magasin général rempli de cercueils de toutes dimensions. L'*Éros* de Benoît et de Carmen, comme celui des Québécois « font du slalom » dans les parages de *Thanatos,* en essayant désespérément d'éviter les cercueils, en essayant de faire triompher *Éros,* malgré tout.

Finalement, Benoît réussit à attraper Carmen. Il la plaque par terre, se met sur elle, pose sa main sur son sein. Main du conquérant. Ils sont tous les deux essoufflés comme des amants qui ont fait l'amour. Pendant toute la course, Carmen a perdu son voile. On a compris le symbole. Les jeunes amants, par terre, sont surplombés par les cercueils. Leur étreinte amoureuse pourra-t-elle échapper à celle de *Thanatos* ? Carmen se dégage, descend au magasin sans le voile et pleure.

C'est Fernand, du coup, qui doit aller chercher le voile. Après tout, n'est-ce pas lui qui, cette nuit, va briser l'hymen/voile de tante Cécile ? Pendant tout ce temps, on ne cessait d'entendre en voix *off* la chanson que tante Cécile avait chantée en l'honneur de Mlle Brillant, la future mariée. Chanson du folklore français d'une jeune fille mariée à un « marchand de velours ».

« Le premier soir m'est arrivé un mauvais tour. » Justement, ce marchand de velours a « enfirouapé » cette jeune mariée littéralement, non pas « enveloppée dans de la fourrure » *in fur wrapped,* mais dans du velours : du doux et du mou. Il ne la touche pas de toute la nuit... jusqu'au son de l'alouette. Décidément, elle s'est fait avoir, elle s'est fait plumer.

> *Alouette, enlève-toi, car il est jour*
> *Pauvre mariée*

Tante Cécile vient de chanter sa propre nuit de noces avec son « marchand de velours », Antoine. « Pauvre mariée », couchée à côté d'un mari qui n'écoute que les appels de *Thanatos*. Comme jadis déjà Tristan et Yseut.

Carmen sera-t-elle aussi un jour une « pauvre mariée » à côté d'un mari (Benoît ?) ensorcelé par *Thanatos* ? Leur première « union » amoureuse ne s'est-elle pas déjà faite à l'ombre de *Thanatos* ? En effet, le rêve de Benoît à son retour de sa chevauchée fantastique laisse présager le pire. Il revoit Alexandrine qu'il avait aperçue nue lors d'un *peep show* à l'œil, mémorable — Alexandrine essayant sa nouvelle gaine Triumph —, mais cette fois couchée dans un cercueil. La morte, complètement nue se « réveille », sort de son cercueil. *Éros* et *Thanatos* s'unissent dans la même personne. Ayant perdu son poids corporel, complètement dépondérée, légère, Alexandrine saute en l'air, au ralenti, ses seins souples, dodus rebondissant comme des ballons, avatars des « boules » de Carmen. Alexandrine monte et descend rythmiquement. À chaque descente, Benoît touche ses seins. Il la possède. Il possède une morte...

La réalité de Benoît finit par rejoindre l'horreur de ce cauchemar. Il doit rebrousser chemin avec Fernand pour essayer de récupérer le cercueil laissé au milieu d'une route en pleine tempête de neige. On aura compris le sens symbolique de ce cercueil « oublié » en route : il ne sert à rien de dénier la mort, cette dernière saura toujours imposer sa présence terrifiante. Laisser les morts enterrer les morts ? Les morts, la mort, ne cessent de solliciter les vivants. Benoît doit donc retrouver ce mort qu'il a « laissé tomber ». Mais comment justement le retrouver la nuit en pleine tempête de neige sur des routes à visibilité réduite, encombrées de bancs de neige. Comment se rappeler un chemin pris la nuit ?

Benoît et Fernand arrivent chez les Poulin sans avoir trouvé le cercueil. Benoît s'approche de la maison des Poulin, regarde par la fenêtre de la salle de séjour. Il voit un spectacle plus macabre encore que celui de son cauchemar, tellement que le spectateur peut croire qu'il s'agit d'une hallucination.

Au milieu du salon, repose dans son cercueil ouvert le cadavre du fils. La « Sainte Famille » est assemblée autour de ce fils mort. Le père l'a trouvé quasi miraculeusement — le seul miracle de ce Noël de Thetford Mines ! —, sur son chemin de retour. Ayant été pris de remords, il a voulu passer Noël avec « sa » famille. Il est prostré, comme l'oncle, appuyant sa tête sur le bord du cercueil.

Alors que la chrétienté entière, devant la crèche, entonne son « Il est né le divin enfant », une famille québécoise s'agenouille devant une crèche létale adorant non pas un enfant né, rédempteur, la Vie, mais le cadavre de leur enfant mort, la Mort, *Thanatos*. Il s'agit évidemment d'un anti-Noël. Le deuil réel inconsolable de cette famille devant la mort incompréhensible de leur aîné dénonce comme sans fondement cette joie censée être provoquée par la naissance d'un « divin enfant ». Comment voulez-vous que naissent des « enfants divins », lorsque, le jour de Noël, meurent les enfants terrestres les plus chers ?

Mon oncle Antoine se termine sur la vision qu'a Benoît de cette famille visitée par *Thanatos*. Benoît voit avec horreur ce qu'entr'aperçoit le Québec lorsqu'il consent à (se) regarder dans les profondeurs : le spectre de son « disparaître », de sa mort. Mort d'un Québec jeune, adolescent puisqu'il a l'âge à peu près de ce fils Poulin, l'âge de Benoît. Le Québec, halluciné, voit alors sa mort possible... sa mort réelle.

Benoît a réussi là où a échoué la petite Aurore, à savoir à battre en brèche toutes les autorités parentales, civiles et religieuses qui demandent du « respect », qui étouffent, écrasent, tuent le « petit ». Il a cessé de croire. Il est presque devenu un cynique qui risque de s'empoisonner. Le cynisme est le venin qui intoxique aussi les personnages du *Déclin de l'empire américain* et qui pourrait provoquer le déclin de l'« empire québécois », si on n'y prend garde.

Après *La petite Aurore,* le Québec, dans notre corpus de films, avait été « incarné » par deux héros masculins. Le jeune Québec voulait se dresser sur ses ergots. Le prochain film montre que les « filles » ne sont pas en reste. Voici venir la véritable revanche d'Aurore grâce à la Manon des *Bons débarras*.

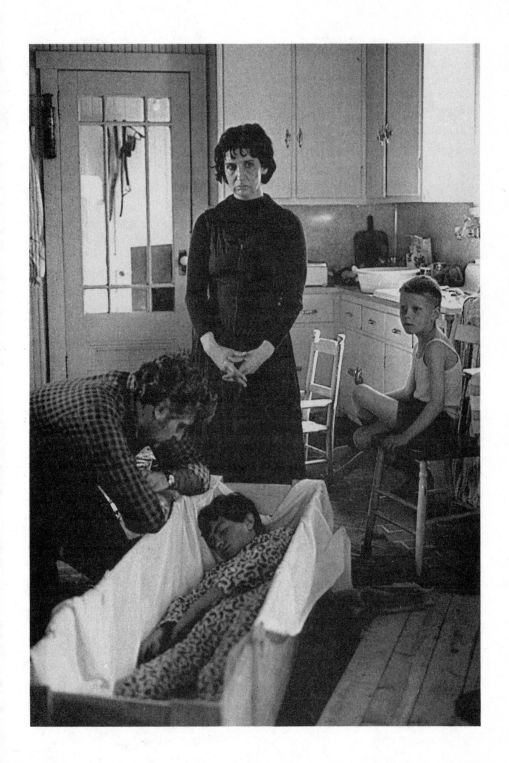

Les bons débarras : la revanche d'Aurore

J'ai besoin qu'on me rassure, qu'on me berce,
qu'on me bichonne. Je ne suis pas faite pour
mourir vierge et martyre.

Réjean DUCHARME
L'avalée des avalés

Les bons débarras (1980), titre du film de Francis Mankiewicz d'après un scénario de Réjean Ducharme, sonne comme un mot d'ordre, « dans l'air » depuis les années cinquante, enfin prononcé. Tout à fait de saison, au bon moment : le film sort deux mois avant le référendum fatidique de mai 1980 sur la souveraineté-association, la première ayant lieu le 28 février 1980.

Le temps de la récolte semble proche, des semailles mises en terre québécoise depuis les temps de *Tit-Coq* : autonomie et indépendance. En trente ans, l'idée d'autonomie, individuelle chez Tit-Coq, aurait-elle gagné enfin la collectivité, la nation québécoise, dans son ensemble ? Autonomie, indépendance beaucoup moins radicales, moins extrêmes que celles incarnées par la simple existence de Tit-Coq. En effet, l'idée d'indépendance pure et dure n'arrive pas à mordre sur une majorité de la population du Québec. Elle se marginalise dans des groupements considérés comme « extrémistes » tels l'Alliance laurentienne et le RIN, sans parler de la « section rouge de l'armée de libération » du Québec : le FLQ. C'est que la velléité d'indépendance — il ne s'agit pas d'un élan irrépressible — au Québec est aussitôt contrecarrée par une volonté de dépendance qui fait valoir ces liens ataviques qui relient le Québec au Canada. Le Québec n'a jamais osé couper aussi radicalement que Tit-Coq ses liens avec la « famille » politique qui le « supportait ». Bien plus, paradoxalement, ce qu'incarne familialement Tit-Coq — l'indépendance —, sera politiquement frappé d'inexistence, d'un tabou lourd de conséquences. Le mot n'existera plus.

En effet, depuis la fondation du Parti québécois, l'« autonomie » du Québec louvoie *entre* la dépendance *et* l'indépendance, entre l'adhésion au Canada *et* sa rupture, entre la volonté de maintenir ses liens avec le Canada *et* le désir de les couper. Le Québec, quant à sa souveraineté, se trouve donc littéralement dans la situation paradoxale du *double bind* (double contrainte). Double contrainte, d'ailleurs exprimée dans le concept même de la souveraineté-association : on s'associe *en même temps* qu'on se dissocie, on lie *en même temps* qu'on coupe. D'ailleurs, même ceux qui aujourd'hui prétendument s'en souviennent semblent avoir déjà oublié que le référendum ne portait ni sur la souveraineté, ni même sur la souveraineté-association, mais sur l'éventualité d'une négociation avec Ottawa *en vue* d'un accord de souveraineté-association, qui, lui, devait être entériné par un *autre* référendum. Non seulement l'indépendance, mais même la souveraineté-association étaient encore loin. On ne l'aurait pas dit à en juger par la réaction de panique d'un grand nombre de Québécois.

Car, comme nous l'avons montré dans *Du Canada au Québec,* lors du processus référendaire, dans l'esprit de beaucoup d'électeurs québécois paniqués, perdant de vue les véritables enjeux du référendum, Ottawa redevient l'instance parentale (après la France, l'Angleterre) qui nourrit l'enfant québécois (allocations de chômage et de vieillesse) menacé de manquer de... tout, si le Québec est réduit à ses propres moyens. En fait, l'esprit de Tit-Coq dressé fier sur ses ergots ne s'est pas communiqué à la majorité des Québécois. Bien au contraire. Le « roman familial », jamais vraiment mort au Québec, tel le phénix, renaît de ses cendres. Le Québécois qui disait un moment faire table rase de sa généalogie, de son « roman familial » ailleurs qu'*ici*, s'empêtre dans un inextricable *double bind* entre l'« ici » (Québec) et l'« ailleurs » (Ottawa), entre l'indépendance et la dépendance, entre la souveraineté et l'association.

Bien plus, Tit-Coquébec, après le référendum, régresse dans l'attitude de l'enfant martyr battu, doublement battu, lors du référendum et lors du rapatriement de la constitution dont il est exclu.

Le « grand stratège » du PQ, Claude Morin, le père de l'« étapisme », de l'achat de l'indépendance à crédit, après avoir titcoquesquement dressé les ergots et les huit provinces dans une alliance contre Ottawa, se lamente, crie à la « traîtrise » après ce qui, d'ores et déjà, est entré dans l'histoire québécoise comme « la nuit des longs couteaux » (4-5 novembre 1981)[1]. Référence à l'assassinat massif et brutal par Hitler et ses SS, le 30 juin 1934, des membres de la SA, dirigée par Röhm, devenue trop encombrante avec ses deux millions et demi d'adhérents.

« Nuit des longs couteaux » à la québécoise : comme sa révolution, cette nuit fut « tranquille ». Le sang n'a pas coulé. On ne saurait pas dire la même chose de l'alcool...

L'enfant martyr québécois, frappé par un mal innommable, baptisé finalement « le syndrome postréférendaire[2] », retombe, telle Aurore, dans le mutisme. En effet, on a constaté avec stupeur « le silence des intellectuels québécois », qui pourtant jadis ont été si loquaces sur la question nationale. Le Québécois redevient *in-fans*, « celui qui ne parle pas ». Loin le temps où on se *disait* fièrement entre Québécois jusqu'à la publicité : « On est six millions, il faut se parler ! », où des émissions de télévision s'intitulaient : « Parle, parle, jase, jase. » Une rescapée du temps de *La petite Aurore,* Jeannette Bertrand, anime encore une émission « Parler pour parler », où, entre deux bouchées et deux gorgées de vin, le Québec de 1990 écoute les confidences de prostituées, d'homosexuels, de droguées, de marginaux de tout acabit. Quelle famille !

Pourtant, *Les bons débarras,* deux mois encore avant le référendum, pouvaient nous faire accroire que le Québec s'était effectivement débarrassé de l'enfant en lui, toujours au sens premier d'*infans,* qui n'a pas encore accédé à l'« âge de la parole ». Car c'est bien cela qui est « bon » dans ces débarras.

Certes, au centre du film, comme dans tous les romans de Réjean Ducharme, il y a un enfant, enfant non infantile, puisque par sa maîtrise de la parole, il affirme *et* nie en même temps son état d'enfance. Les enfants de Ducharme sont de ce fait des *enfantômes,* comme les a admirablement définis l'auteur par le titre d'un de ses romans : des êtres métissés de réel *et* d'irréel, d'adulte parlant *et* d'enfant *(infans)* muet.

Manon, « enfantôme » bien réel, a accédé à la parole. Tellement bien, que c'est elle qui se fait appeler boss par sa mère. Situation totalement inversée par rapport à celle de *La petite Aurore.* On serait presque tenté de dire que *Les bons débarras* sont la revanche d'Aurore, d'une Aurore qui ne se laisse plus intimider par l'autorité parentale, qui cesse d'être souffre-douleur, martyre, n'encaissant plus les coups sans broncher, en silence, les donnant plutôt.

Nous l'avons vu, le « martyre » d'Aurore visait bien son aphasie : coûte que coûte, les tortures de la marâtre aidant, elle devait rester l'*infans* inarticulé. *La petite Aurore* est bien le drame de l'enfant québécois resté aphasique, qui se soumet à une instance parentale tyrannique, d'autant plus tyrannique qu'elle est *étrangère*.

Or dans *Les bons débarras,* à l'inverse, c'est Manon (Charlotte Laurier), l'enfant qui soumet l'autorité parentale à son empire tyrannique. Du moins, ce qui reste de cette autorité, bien éméchée. Une mère célibataire, Michelle (Marie Tifo) qui a eu son enfant à dix-huit ans. Le père biologique reste inconnu. Certes, la mère est « accotée » avec un homme, Maurice (Roger Lebel) qui, apparemment, a tout pour incarner cette autorité paternelle manquante : il est policier. Portant l'uniforme comme Tit-Coq, il arrive à la maison de Michelle en auto-patrouille, sirène en marche. De quoi impressionner un enfant. Justement pas Manon ! Ces insignes du pouvoir ne lui inspirent pas de respect. C'est plutôt elle qui tient ce policier en respect. Son autorité est bien « maganée » puisqu'il se voit obligé d'acheter avec des cadeaux sinon l'amour, du moins la sympathie bienveillante de Manon. Car sans elle, il le sait, il ne peut garder Michelle.

On le voit, tout est en place, pour que Manon, orpheline de père, se choisisse, suivant les canons du « roman familial », un nouveau père d'adoption, plus prestigieux que son père biologique inconnu. Or, elle refuse justement cette idéalisation du nouveau parent d'adoption comme son « vrai ». Elle rejette le « roman familial ». Fugueuse, elle refuse l'idée de la famille nucléique triangulée, comprenant père, mère, enfant, l'idée de la famille tout court. Interrogée par Gaétan (Gilbert Sicotte) sur sa mère et son père, Manon répond lapidairement : « On peut se débrouiller sans ça. » À quoi Gaétan rétorque : « On n'a plus les opérations du Saint-Esprit qu'on avait. On n'a plus les chefs qu'on avait. »

Les temps de l'Immaculée Conception, des Marie-Ange « touches-y pas » sont révolus. Ceux des Maurice Duplessis aussi, même si le policier porte encore son prénom. Les chefs, Jean Lesage, Daniel Johnson, Robert Bourassa, René Lévesque, plus « démocratiques », plus « bon enfant » aussi, n'inspirent pas le respect nimbé de religieux. Surnommés « Boubou » et « Ti-Poil », ils sont plus « parlables ».

Au Québec se parachève le « crépuscule des idoles » (*Götzendämmerung*) commencé avec *Tit-Coq* et *Mon oncle Antoine.* Les idoles tombent de haut. Comme cette mère, pourtant adorée, des *Bons débarrus*. En poursuivant sa fille qui revient d'une fugue, la mère tombe à l'eau : son autorité maternelle est « à l'eau ». Dans la scène suivante, Manon lui lance ce « mot d'amour » : « Bâtard de Vierge ». La mère se qualifie elle-même de « poune ».

À la place de l'opération du Saint-Esprit, c'est Maurice qui fait son « œuvre ». Michelle est enceinte de deux mois. En annonçant la « bonne nouvelle » à sa fille, cette dernière, sèchement, lui répond : « Écœure-moi pas. Un petit. Un petit Maurice. »

Dur coup, en effet, pour Manon qui rêve d'échouer seule avec sa mère sur une île déserte. Rêve d'isolement, d'amour narcissique, tyrannique, de possession sans partage de cette mère. C'est lors d'une promenade nocturne qu'elle lui déclare son amour : « Je t'aime [...] je t'aime tout le temps, même quand j'ai pas l'air. » Et plus tard, lors d'une communication téléphonique : « M'aimes-tu ? Même pas un petit brin ? Si tu ne m'aimes pas, ça ne vaut pas la peine de vivre. » En effet, Manon ne laisse pas de doute jusqu'où elle ira pour gagner, garder exclusif, pour elle seule, l'amour de sa mère : « Si je ne peux pas te gagner, je vais te voler. » Comme un objet. Amour objectal. Amour fou aussi qui ne voit accomplir l'union des êtres que dans la mort, dans un enlacement à la fois tendre *et* lugubre d'*Éros et* de *Thanatos*.

L'idée effleure Manon lorsque mère et fille se trouvent seules sur la route dans leur *van* déglinguée. « On aurait un accident. Ton sang se mélangerait avec le mien. Il y pousserait une fleur pas arrachable, pas écrapoutissable. » L'amour, éphémère, d'une fragilité extrême, n'est indestructible que dans la mort, ne dure que dans la mort, comme cette fleur. Les romantiques allemands, Novalis, Hölderlin, ne disaient rien d'autre. Union érothanatique résumée dans l'interjection de Manon : « Je t'aime à mort. » « Aimer à mort », seul le Québec, dans un raccourci saisissant, omettant la préposition de graduation temporelle « jusqu'à », "bis zu", "to", fusionne *amour* et *mort*, en les mettant *instantanément* sur un pied d'égalité. Fusion qui ouvre le gouffre sur lequel le Québec marche, vit, travaille, danse, chante, gouffre qui, de temps en temps, ouvre et laisse entendre son écho caverneux : *Disparaître*.

L'amour pour l'enfant, pour l'autre, pour le pays est-il suffisamment fort pour battre finalement en brèche cette emprise de la mort au singulier (le nombre record des suicides, jeunes et adultes au Québec) et au collectif (assimilation) ? La question reste posée, doit rester posée de façon permanente, comme elle l'est dans toute l'œuvre de Ducharme, et dans *L'homme rapaillé* (« La vie agonique »).

Amour fou, exclusif de Manon pour cette mère célibataire. C'est ce même amour-passion que les poètes québécois ont déclaré à leur pays. Gaston Miron dans « La marche à l'amour » *(L'homme rapaillé)*.

Hubert Aquin dans *Prochain épisode*. D'ailleurs, Hubert Aquin, par sa propre mort, a prouvé ce que c'était qu'« aimer à mort » au Québec. Hubert Aquin, « martyr », témoin de la fusion érothantique.

Le rapport des Québécois à leur pays avant d'être politique est érotique, au sens premier, englobant d'*Éros*. Son Histoire, une histoire d'amour frustré. Pas étonnant alors, qu'après tant de déceptions affectives, une demande d'amour enfin exaucé soit devenue le quasi-hymne national du Québec. « Ma chère Manon, c'est à ton tour de te laisser parler d'amour. » Le refrain est repris trois fois par la mère lors de l'anniversaire de Manon.

Alors que d'autres nations dans leurs hymnes nationaux glorifient des faits d'armes, la supériorité de la race, que *La Marseillaise* souhaite sanguinairement « qu'un sang impur arrose nos sillons », le Québec, lui, chante qu'on laisse entendre des paroles d'amour. Confirmant largement cet enlacement du politique et de l'érotique, Pierre Bourgault ne trouve pas ridicule de proposer même comme question référendaire « claire et nette » : « Aimez-vous le Québec ?[3] » Sans aucun doute, avec une telle question, le OUI aurait remporté une victoire écrasante sur le NON. Pierre Bourgault n'aurait évidemment pas eu de scrupule à déclencher aussitôt l'indépendance...

Ce qui est embêtant avec l'« amour » en français et de façon générale en Occident, est qu'il n'y a qu'*un* seul mot pour des centaines de variantes d'amour : amour hétérosexuel, amour homosexuel, amour filial, amour parental, amour idéal, amour platonique, amour bestial, amour divin, amour raisonnable, amour fou, amour...

Les bons débarras, finalement, témoignent de la dérive amoureuse du Canadien français dans son *passage difficile* vers le Québec. Après avoir adoré raisonnablement des mères idéales « loin » et « haut », après s'être dit, comme Tit-Coq, bâtard, sans parents connus, le Québec aime irraisonnablement, d'un « amour fou », comme Manon, le corps de cette mère toute proche dont il est né.

Première grande brèche donc ouverte dans l'état d'orphelin du Québécois depuis le temps de *Tit-Coq*. Après sa mère, il lui reste non pas à découvrir, mais à re-connaître son père, dans tous les sens du mot, comme ce sera le cas, nous le verrons, dans *Un zoo la nuit*. On dirait que le Québécois des années quatre-vingt cesse d'être l'« homme spécifique », hors du commun, l'*homo quebecensis* qu'il se croyait dans les années soixante et soixante-dix, embranchement autochtone, local d'*homo sapiens,* indépendant, coupé de son tronc commun. Il se normalise. Il se sait maintenant fils de parents qu'il re-connaît comme

siens, avec une généalogie qui est aussi la sienne. Mais le problème « spécifiquement québécois » reste entier : le *passage difficile* entre la généalogie individuelle (famille) et la généalogie collective (nation souveraine) est-il possible, sera-t-il franchi une fois pour toutes, de façon irréversible ?

Question qui reçoit une réponse nettement négative dans *Les bons débarras*. Car Manon non seulement ne s'intègre pas au collectif, son noyau le plus élémentaire, la famille, mais use et abuse de tous les stratagèmes pour empêcher cette intégration : chantage affectif, menaces, fugues. En ses mots : « J'aime mieux être baveuse que plate. » Inutile de dire que l'école, première grande socialisation de l'enfant, répugne à Manon. Elle fait justement chanter sa mère pour ne pas y aller. « Si tu m'aimais, tu ne m'enverrais pas là » (école). Avec la même ruse, elle réussira à écarter Maurice qui s'est insinué dans la famille comme futur père d'un « petit Maurice ». Après son anniversaire où elle est fêtée, comblée par son futur « beau-père » d'une belle bicyclette qui ferait sauter tout autre enfant de joie, Manon boude, se met en retrait. La mère, inquiète, l'interroge. « Qu'est-ce que t'as ? Tu vas me le sortir ou je vais le sortir. Parle ! »

Et Manon parle, effectivement : « C'est le gros Maurice ; il m'a touchée. » Réponse immédiate de la mère : « Maudit chien ! » Et elle se met à chasser ce « maudit chien » Maurice, le policier, à coups de pelle, cabossant son auto-patrouille. Et Maurice portant l'uniforme de l'autorité prend la fuite. L'autorité paternelle en train de se constituer, évincée par les paroles d'un enfant rusé. Enfant qui parle. Contradiction dans les termes.

Oui, c'est extraordinaire un enfant qui parle ! Car dans la famille il y a un « vrai » enfant, inversion même de Manon : Guy (Germain Houde), le frère de Michelle, autrement dit, l'oncle de Manon. « Mon oncle Guy » : après la débandade du père, l'aphasie de l'oncle. En effet, Guy, bien qu'adulte, ne parle pas. C'est un demeuré, demeuré enfant. Protégé, surprotégé par sa sœur, il vole à Manon le monopole de l'amour maternel. Comme le dit Michelle au téléphone à Mme Viau-Vachon (Louise Marleau), la riche « bourgeoise » excusant les « maladresses » de son frère : « Il (Guy) n'est pas méchant. Il est comme un enfant. »

Manon est sans pitié pour ce rival en amour. Elle l'appelle « mongol ». Elle est « tannée d'avoir des malades, écœurée des mongols ». Elle fait tout pour le chasser. « Les bons débarras » visent en premier lieu cet adulte aphasique demeuré enfant. Guy est en quelque sorte

l'avatar d'Aurore, transsexué, ayant survécu aux tortures de sa belle-mère. Aurore devenue adulte. Manon assume le rôle de la belle-mère tortionnaire, sadique. Sadisme moins brutal, moins spectaculaire, plus subtil, plus psychologique, mais aussi efficace. Car il s'agit comme dans *La petite Aurore* de se *débarrasser* du « roman familial », de celui qui le perpétue, à savoir de l'enfant-*infans* qui le gobe sans mot dire, resté bouche bée devant son pouvoir de fascination. Il faut se débarrasser de l'enfant demeuré *infans,* de l'adolescent, de l'adulte non enfantin (le personnage-enfant ducharmien perçoit l'âge adulte comme une déchéance) mais infantile.

L'oncle adulte de Manon est un tel demeuré infantile. Il n'est littéralement pas sorti du bois. S'il ne coupe pas ou ne livre pas du bois de chauffage, il boit. La bouteille de bière et la caisse de 24, comme dans *Broue,* remplacent le biberon. Cette blancheur de la broue moussue ne fait-elle pas penser à la tétée, à la blancheur du lait maternel ?

Guy est en effet la victime idéale pour tomber dans le panneau du « roman familial », à s'en laisser ensorceler comme par un conte de fées. Par la personne de Mme Viau-Vachon qu'il aperçoit dans sa maison luxueuse lorsque, un jour, il lui livre du bois de chauffage ensemble avec sa sœur et Manon. La piscine intérieure avec ses grandes fenêtres panoramiques qui ouvrent cette maison sur le lac, sur la forêt ambiante des Laurentides, est l'emblème du luxe. Mme Viau-Vachon s'y baigne en plein jour, seule, aux sons d'une musique d'ambiance de Vivaldi : *Il pastor Fido.* Les trois personnages, d'emblée, croient entrer dans un monde autre, irréel, fantastique, où les dures lois de la réalité, l'implacable « principe de réalité » sont suspendus. Ce monde du luxe, du jeu, du plaisir ne fait ressortir que plus cruellement leur monde de la nécessité, du besoin, du travail dont ils sont issus.

Mais Manon ne se laisse pas ensorceler par cette naïade, cette fée, cette princesse sortie des eaux du « roman familial ». Son esprit critique tue implacablement toute velléité de mythification, d'idéalisation de cette dame. À aucun moment, l'idée de troquer la vie de Mme Viau-Vachon contre celle de sa mère ne l'effleure. Même si elle y trouve une édition de luxe de *Les Hauts de Hurlevents,* d'Émily Brontë, livre qu'elle lit passionnément dans la baignoire, au lit, en livre de poche. En fait, il s'agit du même texte, avec cette différence qu'elle le lit tandis que Mme Viau-Vachon le garde sur les rayons de sa bibliothèque. « Culture » de luxe momifiée, faite pour l'ostentation, contre

une culture d'usage pratique. C'est cette démesure ostentatoire de la culture qui met tout dans l'apparence, sans substance que dénonce Manon lorsqu'elle dit en aparté : « La grosse amour, la grosse musique, la grosse peinture, la grosse lecture. Ils sont gras durs, ça n'a pas d'allure ! »

Signe évident de son mépris pour cette « dame » et de la dégradation extrême qu'elle lui fait subir symboliquement : elle lui vole un collier qu'elle transforme en collier de chien. Ce dernier s'appelle comme par hasard « Princesse ». Le message est clair. Le luxe, incarné par les bijoux de cette dame qui ont tout pour faire d'elle une « princesse » de conte de fées, de « roman familial », est juste assez bon pour servir de collier de chien. Dans leur vie de chien, c'est elle « Princesse », la chienne, la princesse des jours ouvrables. La princesse devenue chienne. On ne saurait penser à un rejet plus *cynique* (de *kyne* = chien) de l'idéal du « roman familial ».

Guy, au contraire, fait tout pour contrecarrer ce cynisme dégradant que Manon fait subir à la « grande dame » qu'il adore comme une princesse dans une fascination muette. Il restitue à « sa » princesse le collier aliéné au cou de la chienne « Princesse ». Mais ce qui devait être une offrande d'amour nocturne se termine en désastre, parce que Mme Viau-Vachon ne devine pas les vraies intentions de cet homme-enfant aphasique qui la guette la nuit. Dorénavant, il se contente de la regarder en voyeur, de loin, à travers la grande vitre de la piscine. Le *tremendum* de cette femme divinisée ne tolère plus le contact physique direct. L'idéalisation prend des proportions démesurées, délirantes. Guy incarne jusqu'au bout, jusqu'à sa mort, l'absurdité, le délire de cette idéalisation du « roman familial ».

« Tu débarrasses ! Va-t-en ! » Manon donne l'ordre fatidique, « acte de parole » (Austin) par excellence. Guy, infantilement, sans maugréer, suit l'ordre de cet enfant, appelé boss par sa mère. Il va retrouver consolation chez sa « Princesse »... pour toujours.

Installé dans sa *van*, Guy observe Mme Viau-Vachon sortir de sa piscine au ralenti, dépouillée, tel un être éthéré, un ange, du poids de son corps, au rythme de Puccini *O mio bambino caro*. *Bambino*, Guy l'est plus que jamais en suivant cette femme divinisée, cosmicisée par ses propres fantasmes. Elle se confond avec la Nature. Son image se détache en surimpression sur le lac nocturne. Elle lui fait signe. Il la suit. Oui, il l'aime à mort. Pour mieux la voir, il casse la vitre de sa *van*. Le moteur de la *van* vrombit. La voiture fonce en bas du talus. Après la chute, Guy s'unit fusionnellement avec « sa » déesse étrangère... dans la mort.

Et Manon s'unit avec sa mère, qu'elle possède enfin pour elle seule. Le film se termine sur une scène où fille et mère dorment paisiblement ensemble.

Les bons débarras ! Pour que le Québec soit, parle, vive, reconnaisse où se trouve le véritable amour de sa vraie mère, il fallait que meure l'enfant-*infans* en lui. Il fallait que Manon l'élimine, pour exterminer, du même coup, le chant des sirènes du « roman familial » qui chante des paradis féeriques *ailleurs*, nulle part, *u-topiques*.

Les bons débarras... hélas pas pour de bon !

Un zoo la nuit : le Québec amnésique

> *Bien sûr, il y a des guerres d'Irlande*
> *Et les peuplades sans musique*
> *Bien sûr, tout ce manque de tendre*
> *Il n'y a plus d'Amérique [...]*
> *Bien sûr il y a nos défaites*
> *Et puis la mort qui est tout au bout*
> *Le corps incline déjà la tête*
> *Étonné d'être encore debout.*
>
> Jacques BREL
> *Voir un ami pleurer*

Un zoo la nuit (1987) de Jean-Claude Lauzon vient trente-cinq ans après *La petite Aurore,* sept ans après le référendum sur la souveraineté-association (1980) qui a fait voler en éclats l'espoir, l'horizon d'attente : l'idéal de l'indépendance.

Certes, le paysage social et politique a changé, mais l'imaginaire québécois manifeste, au-delà de ses métamorphoses, une continuité à travers un certain nombre d'invariants.

Côté changements, tout d'abord : la famille n'est plus ce « puzzle » dont rêvait Tit-Coq, où les parents, « tricotés serrés », s'imbriquent les uns dans les autres. Elle a volé aussi en éclats, comme nous l'avons vu dans *Mon oncle Antoine* et dans *Les bons débarras* déjà. Les parents de Marcel Brisebois (Gilles Maheu), héros d'*Un zoo la nuit,* ont divorcé.

Plus frappant encore, la mère, omniprésente dans l'imaginaire québécois sous sa forme de mère phallique (la belle-mère de *La petite Aurore*), de la mère couveuse (mère Plouffe) ou de mère monoparentale *(Les bons débarras)* est quasiment absente de ce film. Elle fait une brève apparition — hallucinée ou réelle ? — avant la mort d'Albert (Roger Lebel), son mari.

On dirait que le rôle de la femme imaginaire (non de la mère) n'a pas changé depuis *Tit-Coq* : elle est restée la « gidoune », la putain. Putain fantasmique projetée par Tit-Coq, revers d'une idéalisation manquée. Tandis que dans *Un zoo la nuit,* la seule femme (non mère) est une prostituée professionnelle. Son passage au « statut professionnel » y est expliqué vaguement : par les appels téléphoniques de la femme au répondeur automatique de Marcel restés sans réponse pendant les deux ans de sa réclusion. Julie (Lynn Adams) comme Marie-Ange n'a pas attendu son homme pendant deux ans en se tournant les pouces. Elle paiera chère son « infidélité ». Elle est violentée, sinon violée une première fois par Marcel à sa sortie de prison, poussée de force à la copulation sur les toits de Montréal. Affirmation phallique du mâle qui « baise » dressé debout, haut et grand, dominant de haut cette femme qu'il laisse tomber par à coups brutaux sur son phallus en érection.

Puis, lors d'un *peep show,* citation de *Paris Texas* de Wim Wenders, elle devient l'objet d'un (jeu de) massacre sadique auquel Marcel assiste, séparé par une vitre, en voyeur impuissant. Encore une femme séparée par une vitre, comme dans *Les bons débarras.* Seulement, dans *Un zoo la nuit,* cette vitre a la fonction inverse : non plus celle de protéger l'intouchabilité de la femme idéale, mais, au contraire, permettre sa dégradation sans aucune défense. Elle devient l'objet de chantage dans la guerre de la drogue que se livrent les mâles.

Les bourreaux de la femme sont ceux-là mêmes qui persécutent aussi Marcel avec leurs assiduités pédérastes. Homosexuels mâles, ils mettent donc un plaisir accru à torturer cette femme, leur rivale auprès de Marcel. Ses bourreaux la menacent d'*overdose* avec une seringue pointée dans la bouche ouverte. « Avec la tête qu'elle a, je ne crois pas que la guidoune soit capable de supporter plus que 2 milligrammes. » Ils ne forcent pas Julie à parler, ils veulent la réduire au silence, par contre, si Marcel ne parle pas pour révéler où il a caché la drogue. Encore cette dialectique, cette fois pervertie, de la parole et du silence, omniprésente, nous l'avons vu, dans l'imaginaire québécois.

La misogynie évidente des gestes affleure aussi dans les paroles. George (Lorne Brass), un des flics pédés persécuteurs, ne dit-il pas à Marcel, sollicitant la complicité entre mâles : « Elles sont toujours pareilles, les précieuses. » Comment ne pas y entendre l'écho misogyne du « vous êtes ben pareilles » de *Tit-Coq* ? Oui, elles sont toujours « ben pareilles » lorsqu'elles risquent d'échapper à la domination du mâle...

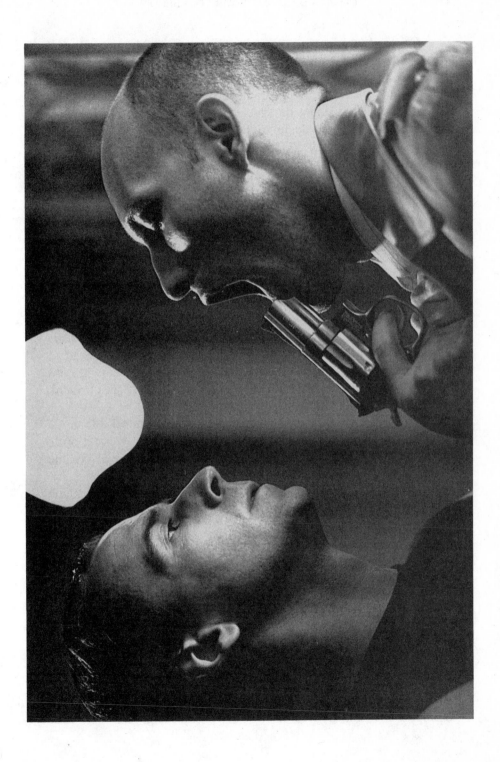

Certes, Marcel souffre à voir Julie souffrir. Mais on ne peut s'empêcher de penser qu'il souffre/jouit masochistement et que le sadique en lui « participe » par procuration aux sévices que subit la femme. Sadisme voyeuriste qui se dédouane par la vitre qui sépare les bourreaux et leur victime du spectateur. Après tout, Marcel n'a-t-il pas déjà brûlé la photo de Julie lorsqu'il s'est aperçu qu'elle n'était pas une *yes woman* facile ? Tit-Coq qui « brûle » également son idéal photographique, lorsqu'il semble lui échapper. Comme si ces héros imaginaires québécois voulaient ignorer que l'idéal, par définition, échappe à la prise réelle.

De là ce chassé-croisé au Québec entre un idéal, un rêve poursuivi avec passion tant qu'il est loin, hors d'atteinte, irréalisable. Mais dès qu'il devient proche, s'apprête à se réaliser, il s'abîme, se brûle par le fait même de sa réalisation. On l'a vu avec le mouvement de souveraineté dès qu'il s'est incarné dans un parti politique, venu au pouvoir, à deux doigts de sa réalisation.

Le Québec : une série d'holocaustes sacrificiels brûlés en pure perte à un dieu anonyme, inconnu. Pierre Bourgault a donc raison pour une fois : « Si nous brûlons aujourd'hui ce que nous avons adoré il y a peu, c'est que nous adorions sans raison et que nous brûlons sans discernement[1]. » Justement, l'« amour fou », aveugle et sourd, n'écoute pas les conseils du discernement de la raison.

L'enfant québécois est devenu grand, adulte. Marcel a l'âge du Québec, la trentaine. Si on lui donne comme date de conception le début des années cinquante (long « travail » venu à terme comme nous l'avons dit, avec la « crise d'Octobre » de 1970[2]). Certes, Tit-Coq est déjà adulte, mais aussi militaire. Il reste comme un enfant, soumis à l'autorité, aux ordres de ses supérieurs, de l'aumônier surtout, appelé justement *padre*.

Pourtant Marcel est resté aussi dépendant. Dépendant de la drogue. Non pas qu'il en consomme (pas visiblement), mais il en vend, il est pusher. Son activité louche, nocturne (de là la « nuit » dans le titre du film) l'emporte sur son activité avouable, diurne, celle de l'artiste. Il en fait consommer à d'autres, jusqu'à son père. Mais il agit *comme* s'il était sous l'effet de la drogue, sous l'effet du speed, accélération des stimuli sensoriels et fantasmatiques qui chercheront des voies d'évasion d'une réalité lente, lourde, qui arrête le « voyage ». Qui arrête tout court.

De là ce jeu de vérités et de mensonges sur ses deux années d'emprisonnement. Le film commence — avant le générique — avec une vue sur un loft d'artiste situé sur les rives du Saint-Laurent, près du port. Une voix enregistrée sur le répondeur automatique, celle de Marcel, se fait entendre : « Je suis en voyage. » Tous les signes visuels du voyage, de l'évasion sont présents : le fleuve Saint-Laurent, le grand inducteur de voyage des « Anciens Canadiens », de ces « coureurs de bois », appelés aussi « voyageurs » ; le port, avec ses trains, ses bateaux qui viennent d'ailleurs...

Mais ce « je suis en voyage » doit donner le change aux non-initiés. En fait, Marcel est en prison : à cause de la drogue. « Il est en voyage », parce qu'il est « dans » la drogue. Il est dans la drogue pour s'évader de la prison de la réalité, de *sa* réalité. Emprisonnement figuré aussi par l'oiseau en cage qui accompagne partout son père. Et bien sûr, par les animaux en cage, privés de leur liberté, dans le zoo. Thème central du film donc, puisque souligné par son titre *Un zoo la nuit.*

Anywhere out of this world, le titre d'un poème en prose de Baudelaire, s'applique à Marcel. Il a recours à tout ce qui fait « triper » : drogue, moto, rêve d'évasion, jusqu'en Australie... aux antipodes.

À regarder sa réalité, on comprend le rêve d'évasion de Marcel. Ambiance triste, angoissante, déprimante de l'après-référendum. Le rêve d'avenir s'est écroulé.

Et puis le père a vieilli. Il est malade. D'emblée, son image ressemble à celle de tous les pères de l'imaginaire canadien-français/ québécois : faible, il reste un *underdog* (comme disent les Anglais, « chien battu » ne rendant pas le sens) soit de la mère, soit de l'Autre (employeur, *boss*). Pis, citadin, il a perdu même son autonomie, puis-qu'il vit en parasite aux crochets d'Italiens, des « Spaghet » qui tiennent un restaurant, donc le nourrissent. Ce n'est plus la « Binerie » de « chez-nous » du *Matou* : les « bines », les pattes de cochon et les boulettes de viande de la cuisine autochtone sont remplacées par les spaghetti et les « pizzas quatre saisons » de l'italo-québécoise.

Vole en éclats le rêve d'autochtonie des Québécois (volé d'abord aux Autochtones amérindiens) du Québec « pure laine », qui se découvre tout d'un coup « métissé au coton ». Par la présence d'immi-grants, qu'à l'origine, les Québécois, ont été aussi : Italiens, Grecs, Allemands, mais aussi *boat people* du Viêt-nam, rescapés cambod-giens du génocide de Pol Pot. Le Québec « tricoté serré » se découvre mosaïque.

Ce père est *objectivement* un raté. Il a raté son mariage, sans profession (en a-t-il jamais eu, à part son activité d'amateur : la

chasse ?), il en est réduit à l'hospitalité de l'Autre, parce qu'il a perdu son « chez-soi ». Quel fils aurait envie de s'identifier à un tel père ? Quel fils, pour s'affirmer, ne voudra pas le renier ? Donc Marcel et Albert se sont séparés physiquement, affectivement. C'est pourquoi ils ne se retrouvent plus après la sortie de prison de Marcel. Albert, son père, l'a attendu toute la journée. Lorsque le garde de prison lui demande : « Êtes-vous son père ? », celui-ci lui répond : « Des fois, je me le demande. »

Son fils ne l'a pas seulement renié, mais dénié. Aussi le « roman familial » qu'on croyait mort semble-t-il renaître des cendres. À sa sortie de prison, revenant enfin revoir son père « chez lui », Marcel salue d'*abord* Tony et Angelica, les propriétaires du restaurant italien, se laisse accaparer affectivement tellement par eux qu'on les croit ses « vrais » parents. Le père a compris. Dépité, il recule, se sentant abandonné par son fils qui, apparemment, a trouvé de nouveaux parents d'adoption plus prestigieux. « Roman familial » qui se désamorce aussitôt : le père et « son gars » s'embrassent.

Signes de ces retrouvailles, les murs séparateurs (séparation symbolisée puissamment par les murs et les grilles de la prison) du restaurant sont défoncés. Le père et le fils peuvent enfin se retrouver[3].

Le « roman familial » ici semble vraiment mort, parce que Marcel ne commence pas à idéaliser un autre parent, *ailleurs,* mais son propre père. Plus précisément, il se fait dans *Un zoo la nuit* une scission entre l'image du « bon père » et du « mauvais père », persécuteur sadique, comme dans *La petite Aurore,* l'image de la mère avait été clivée, scindée en « bonne » et « mauvaise ». Ici George incarne les pulsions sadico-anales d'un « père-flic » tyrannique qui jouit lorsque Marcel, attaché de force aux barreaux de sa prison, se fait pénétrer analement ou bien qui oblige Marcel à la pointe de son arme à une fellation... dans les toilettes. « Endroit » où est caché justement aussi la drogue. En fait, George, Canadien anglais, *est* la prison sans barreaux, invisible, dans laquelle Marcel reste enfermé, même une fois libéré de la prison « réelle ». Prison de l'*aliénation* de tous les points de vue : aliénation par la drogue, par la perversion sexuelle, par une autorité tyrannique. On le voit, l'*aliénation*, expression unidimensionnellement et simplistement politique du temps de *Parti pris,* s'est psychologisée, complexifiée.

Certes, le Canadien anglais reste le « maudit Anglâs ». N'oublions pas que son image, nous l'avons dit, a déjà été plus reluisante au xix⁰ siècle, avant la Révolte des patriotes de 1838. En fait, l'Anglais avait déjà été le « bon père ». Après 1838, sa représentation s'est dégradée suivant les « lois » du « roman familial ». Aucune velléité d'idéalisation donc de ce pouvoir brutal, de cette force brute. Nous l'avons vu déjà dans *La petite Aurore*. Quelle différence avec Maurice, le flic « bon papa » des *Bons débarras* ! Il est Canadien français.

S'engage entre Marcel et George une lutte sauvage de (sur)vie et de mort. George et son acolyte (Germain Houde) se livrent en voiture à une véritable chasse à l'homme allant à la poursuite de Marcel dans les ruelles sales de Montréal, pleines de déchets et de poubelles. Pour esquiver ses agresseurs qui risquent de le tuer, Marcel saute dans une poubelle, couvert de vidanges. Marcel transformé en vidange. Comme dans *Tit-Coq*, s'exprime ainsi la chute de l'idéal de « vie d'ange » en « vidange ». Seulement, dans *Un zoo la nuit,* il ne s'agit plus de la chute de l'image de l'Autre (de la femme, par la *médiation* de l'album de photos), mais de celle de l'ego, du moi de Marcel. Chute non plus symbolique médiatisée, mais immédiate, directe. Marcel est réduit en immondices avant d'être « achevé » par ce « père castrateur ». Une grande balafre qu'il lui inflige avec son couteau au visage prouve qu'il ne plaisante pas, qu'il ne s'en tient pas aux paroles, qu'il passe aux actes. Blessure « déplacée » qui évoque symboliquement et euphémiquement celle, mortelle, infligée par l'Anglais aux 12 Canadiens français en 1838.

Marcel doit couper de force ces liens qui le lient doublement au pouvoir tyrannique de ce « mauvais père ». En effet, George tient Marcel par la drogue. Il sait qu'il en possède toujours, il voudrait la récupérer.

Pour s'en sortir (à la fois sortir de la prison sans barreaux de la drogue, sortir de la « vidange » à laquelle le flic anglais le réduit), Marcel commence à comprendre qu'il n'a d'autre choix que de supprimer ce « père castrateur », autrement, c'est lui qui le supprime. Il n'y a pas de compromis possible. Et il le tue dans un bouge sordide, — appelé par dérision « Bangkok Paradise », Bangkok en thaï signifiant « cité des anges » — délâbré, reflet matériel du délâbrement moral que George incarne, en train d'enculer un autre homme, ami de prison de Marcel. Il s'avère être un « ami américain » (autre « citation » de Wim Wenders). Les bourreaux au Canada, les amis aux États-Unis. Voilà un fantasme qui a eu cours au Québec depuis les temps de Papineau, puisque ce dernier a sauvé sa « tête à Papineau » justement en fuyant aux États-Unis. Mieux vaut devenir Américain, plus précisément États-Unien, et à coup sûr rapidement se « louisia-

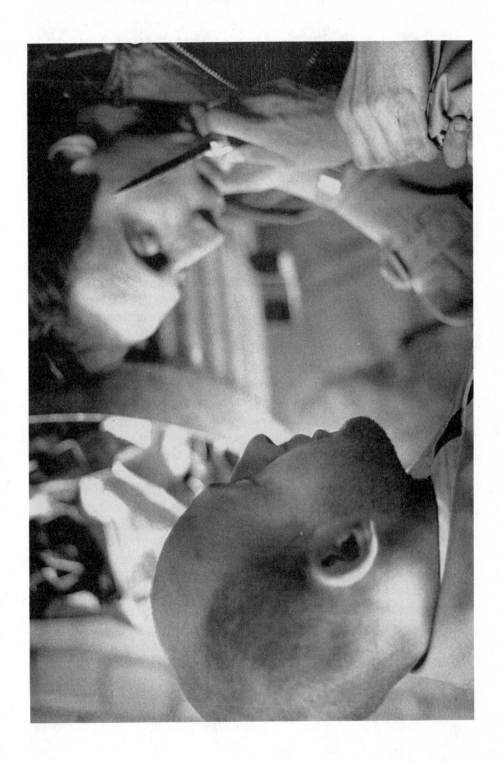

niser », c'est-à-dire s'assimiler, que de rester Canadien *français,* qui malgré une assimilation progressive pendant plus de deux cents ans, su garder au Québec un noyau dur de résistance à l'assimilation.

C'est donc seulement une fois l'empire de ce « mauvais père » brisé que Marcel pourra vraiment re-connaître, puis aimer comme « bon père », son père biologique. En supprimant George, il supprime du même coup ses propres pulsions homosexuelles à l'égard de son père empêchant leur relation père-fils de s'exprimer. Mais c'est une fois seulement ce père biologique mort, à l'égard de son cadavre, que se manifeste véritablement l'affection, la tendresse du fils : il lave son corps, peigne ses « beaux cheveux ». *Éros* ne s'exprime que sur fond de *Thanatos.*

Re-connaître son père, c'est le voir tel qu'il est, reconnaître ce qu'il a fait pour vous. On dirait que les Québécois de la fin des « eighties » re-connaissent le père longtemps introuvable, refoulé, parce que méprisé, dans leur imaginaire. On peut penser que l'image positive du « bon père » René Lévesque a beaucoup contribué à redorer l'image du père québécois. Tel Marcel dans ce film, les Québécois ont attendu que René Lévesque, leur « père » soit mort pour lui témoigner leur affection. Au Québec, il faut être mort pour être *vraiment* aimé. Comme toujours ici, on passe d'un extrême à l'autre : du « refus global » à l'« acceptation globale », du refus du père à l'« amour fou » du père (Robert Lalonde, *Le fou du père,* 1988).

Donc Marcel re-connaît son père en constatant ce qu'il a fait même pendant son absence de deux ans en prison. Marcel qui est étonné par sa finesse, par son intuition. Celui qu'il croyait « quétaine », « vieux jeu », ne comprenant rien à la drogue, lui « bouche un coin », l'épate, puisqu'il s'avère plus astucieux à cacher la drogue que le fils citadin qui se croit « dans le vent ». Même, Marcel est pris de vertige devant l'audace de son père. « Tu es fou, Albert », lui dit-il. « Je suis ton père, tu es mon gars. Pour moi, ça veut dire encore quelque chose. » Phrase centrale, pivot du film, reprise plus loin, inversée par Marcel : « Je suis ton fils. Tu es mon père. Pour moi, ça veut dire encore quelque chose. »

La scène suivante, une partie de pêche du père et du fils, métamorphosera ce père pitoyable de l'environnement urbain en figure mythique au milieu d'une nature dont il connaît les secrets. Voyage iniatique : son fils, « gars de la ville » devenu étranger à cette nature, apprend de son père les secrets ancestraux de la chasse et de la pêche. Comment exciter une truite, comment « caller » un orignal, l'élan

d'Amérique. Savoir ancestral transmis des Amérindiens aux coureurs de bois/voyageurs, tombé en désuétude d'abord avec la perte des « Pays d'en Haut », puis avec l'urbanisation galopante du Canada français/Québec. Albert, « le dernier Mohican », le dernier « coureur de bois » du Canada (français), atavisme d'un passé révolu dont le Québec n'a plus que faire. Marcel, le nomade urbain, déraciné, y est devenu complètement étranger. Le fils a tout à apprendre d'Albert, promulgué du coup « le Grand ». « Tu m'impressionnes, son père » dit-il, visiblement fasciné par son savoir-faire *(know how)* et il le fait savoir. Le « son père », contrairement à « mon oncle », met une distance entre le fils et le père, signe de l'aura dont ce dernier est de nouveau entouré...

Certes, Marcel adore ce père, pas l'Albert de la vie ordinaire, malade, vieillissant, mais « Albert le Grand », idéalisé, figure mythique, soustrait au temps. De là le sens profond des dons somptuaires qu'il fait à son idole : une Buick 1957 et la carte de l'ancien territoire de chasse. Temps nostalgique du rétro, lorsque ce père était jeune, temps mythique du « il était une fois... »

La réalité n'a cure du mythe. Le père est hospitalisé à la suite d'une crise cardiaque. Mais le fils dénie obstinément la fragilité, la mortalité de son idole. Il veut qu'elle vive éternellement, qu'il reste chasseur devant l'éternel. Donc il va libérer son père de sa prison de chair. De gré et de force, même s'il est très affaibli, presque mourant. Par la drogue : il lui fait « sniffer » de la cocaïne. Marcel désire une photo de chasse de son père à côté de son trophée, certes pour impressionner le « Spaghet », mais aussi pour figer, éterniser son père dans cette pose mythique. Mon royaume pour une photo... *instamatic* Polaroïd !

Mais où aller chasser avec un père malade dans une chaise roulante ? Dans un zoo. On doit bien y trouver des élans d'Amérique ! De là cette équipée fantastique au zoo de Granby qui prouve à l'évidence non seulement l'oubli des traditions ancestrales de la chasse mais aussi leur perversion et leur dérision : chasser un animal dans un zoo... pour une image !

Or, ironie du sort, il n'y a pas d'orignal au zoo. Quel animal sacrificiel pourrait le remplacer ? L'éléphant. Plus gros et aussi plus mythique que l'élan d'Amérique. Le père, suivant les ordres du fils, abat l'éléphant à bout portant. Il l'« a eu ». Quel exploit ! Marcel prend la photo de son père devant le trophée encore agonisant.

Or le choix de l'animal de chasse n'est pas un hasard. Animal symbolique et mythique s'il en est. L'éléphant symbolise en effet la mémoire (« mémoire d'éléphant »), mémoire de longue durée.

C'est cette mémoire qui est assassinée dans *Un zoo la nuit.* Mémoire vive, vivante encore, mais déjà agonisante, comme Albert qui mourra aussitôt. Albert est la dernière personne qui l'incarne. Cet assassinat de l'éléphant ressemble à un suicide : Albert se tue en tuant sa mémoire.

L'air de Brel, « Voir un ami pleurer », à la fin du film le dit : « Il n'y a plus d'Amérique. » On pleure cette mort de l'Amérique canadienne-française, doublée de l'assassinat de sa mémoire. Le déclin de l'empire canadien...

Cette scène mythique du zoo rappelle la loi implacable du *passage difficile* du Canada français au Québec. Passage basé sur l'oubli radical du Canada français et de son « roman familial ». Certes, la devise du Québec est : « Je me souviens. » Souvenir d'un amnésique qui a oublié *ce dont* il doit se souvenir !

La culture québécoise dans et autour des Portes tournantes

Aura must be until you open your mouth.
Andy WARHOL

Les portes tournantes (1988), film de Francis Mankiewicz, tiré du roman de Jacques Savoie du même nom, scénarisé par l'auteur, reprend et module sur un autre registre un certain nombre des thèmes directeurs de l'imaginaire québécois que nous avons rencontrés.

Tout d'abord le titre, *Les portes tournantes,* donne, d'emblée, la définition, la traduction même du nom *Québec,* non comme *être* mais comme *passage difficile,* comme *détroit.* Notons en effet qu'il ne s'agit pas de portes conventionnelles, ordinaires, qui sont soit ouvertes, fermées ou entrebâillées, mais de *portes tournantes,* tournant sans cesse sur elles-mêmes, laissant indécidables l'ouverture *ou* la fermeture, étant en permanence *à la fois* ouvertes *et* fermées. Aux passants de la faire marcher. Aucune clef pour la fermer.

Quelle belle image du Québec ! Il fallait un demi-étranger, un Acadien, pour l'inventer.

Le Québec, un pays aux « portes tournantes ». Une des sociétés les plus accueillantes pour qui fait cet effort minimal requis d'y entrer : tourner la porte parce qu'on veut y entrer. Mais vouloir y entrer ne suffit pas, il faut comprendre le fonctionnement de ces « portes tournantes » donnant accès au Québec.

Justement, leur mode de fonctionnement fait problème en premier lieu pour celui qui vient de l'extérieur, l'*alienus,* l'Autre, l'immigrant, le premier appelé à passer par ces portes. Problème encore de l'indécidabilité de ces portes. Si l'immigrant y passe plus facilement qu'ailleurs, il risque tout de même de rester *dans* ces portes. Car on n'entre pas au Québec comme on entre dans d'autres sociétés, chez les nations pleinement constituées. L'immigrant entre par la « grande porte » du Canada et devient finalement Canadien.

Rien de tel au Québec. On ne devient pas Québécois. On naît Québécois ou l'on n'est pas Québécois. Au plus, l'immigrant peut devenir Néo-Québécois. Or, le Néo-Québécois, comme le néo-gothique, non seulement est une imitation de l'original donc dégradé par rapport à lui, mais ne saurait cacher son vice foncier inhérent, sa nouveauté qui le fait déchoir devant l'Ancien, le Québécois « pure laine ». Devant l'absence de critères objectifs et irrévocables de son entrée dans la société québécoise, l'immigrant au Québec est obligé de s'en remettre aux seuls critères « flottants », indécidables d'une « opinion publique », de la *doxa* qui « juge » l'immigrant globalement ou cas par cas au fil de ses contacts avec lui.

C'est pourquoi l'immigrant québécois reste *dans* les « portes tournantes » puisqu'il ignore la loi qui régit son entrée dans cette société. Il se trouve un peu dans la situation de l'homme « devant la loi » de la célèbre parabole kafkaïenne. On se rappelle, l'étranger, l'« homme de la campagne » se laisse interdire le passage dans la loi, dans l'« intériorité », par les seules *paroles* du gardien de porte. La porte reste ouverte. « La sentinelle s'efface devant la porte, ouverte comme toujours, et l'homme se penche pour regarder à l'intérieur. » Ce qui est paradoxal pour l'étranger kafkaïen et l'immigrant québécois, c'est cette ouverture physique des portes qui lui signifient qu'il peut y entrer, liée à la « censure » d'une loi non révélée à l'immigrant et qui l'empêche d'y pénétrer de plain-pied. Loi d'airain de l'autochtonie, de ceux qui sont issus *de* cette terre, les *habitants*. C'est pourquoi l'Autre, comme l'a bien vu Simon Harel dans la belle étude de l'étranger dans l'imaginaire, dans le roman québécois contemporain, est réduit à n'être qu'un « voleur de parcours », nomade sans racines vivant aux crochets de l'« habitant », son envers négatif (Simon Harel, *Le voleur de parcours, Identité et cosmopolitisme dans la littérature québécoise contemporaine.* Préf., René Major, Montréal, Le Préambule, 1989).

Mais les « portes tournantes » ne sont pas là que pour les immigrants. C'est par elles que passent aussi les Québécois de souche, « pure laine », en sens inverse pour en sortir. Profitant justement de l'indécidabilité de ces portes pas complètement ouvertes, pas complètement fermées, de leur mouvement giratoire continu, beaucoup de

Québécois restent *dans* les portes profitant au maximum de ce qui se donne à l'extérieur *et* à l'intérieur. En Floride dans leurs condos l'hiver, ces Québécois « saisonniers » savent prendre le soleil au Québec en cas de maladie avec leur « carte-soleil », le Québec ayant l'assurance maladie la plus généreuse du continent. D'autres exemples affluent. Je ne développe pas.

Mais avant tout, ces « portes tournantes », signifient encore autre chose, ce qui nous fait revenir à Jacques Savoie, au roman, plutôt qu'au film : l'entrée dans la culture. On doit regretter que l'auteur ait trahi à ce propos le message central de son propre roman. Il s'agit d'une famille de trois générations de Québécois qui, à des moments différents de l'histoire québécoise, entrent dans la culture, pratiquant chacun un art, un média différent. Cette « porte tournante » par où l'on accède à un art en particulier, dans la culture en général, est une « porte étroite ». Il s'agit en effet d'un passage iniatique difficile.

Céleste, première dans la chaîne généalogique des Blaudelle, apprend la musique de jazz. Plus précisément, le rag-time pour pouvoir accompagner les films muets dans le cinéma de Campellton. Des heures, des journées, des mois et des mois d'exercices interminables, comparés dans le roman à la traversée d'un tunnel. Et puis, un jour, apparaît la lumière au bout du tunnel. C'est le déclic. La musique se trouve au bout des doigts. L'initiation à la musique de jazz s'est faite. Par contre, Céleste ne sortira jamais du « tunnel » de la musique classique. Elle ne s'initie jamais vraiment à Chopin.

Son fils, Madrigal Blaudelle, artiste lui aussi, est peintre. Tout en cherchant difficilement sa voi(e)x, peu sûr de lui-même, il expérimente différents styles, différentes modes de peinture, de l'abstraction à la figuration. Il a beaucoup de difficultés à faire le portrait de son propre fils. Son initiation à son art est d'autant plus difficile qu'il doit vaincre d'abord la résistance de son milieu parental, en l'occurrence celui de ses grands-parents, industriels incultes, qui l'élèvent, puisqu'il est orphelin (encore un !). Son propre fils, Antoine, hésitant d'abord entre la peinture et la musique, en réaction contre son père, choisit finalement l'art de sa grand-mère, la musique. Appartenant à la génération du *walkman*, (*baladeur,* en français) et de la culture instantanée (comme le café), accessible et soluble immédiatement sans avoir même besoin de la remuer, il s'initie à la musique en s'écoutant jouer sur cassettes. Le livre, l'écriture, l'imprimé, cette porte d'entrée principale à toute véritable culture digne de ce nom, connais pas, puisque Antoine est analphabète, non seulement « fonctionnel », comme beaucoup de nos jeunes, mais total (tout au moins dans le roman), puisqu'il ne sait ni lire ni écrire. Pour communiquer à distance avec sa mère dont il est séparé, il lui envoie des cassettes enregistrées. Évidemment, il ne sait lire (dans le roman) « Le livre noir », journal, autobiographie envoyée par Céleste à son fils.

Le roman, plus que le film, pose le problème de la transmission de la culture d'une génération à une autre, au sein d'une nation. Pour qu'une culture ne meure pas, il faut que chaque génération la réactive, la fasse revivre. Car la culture n'est pas héréditaire, transmise automatiquement, naturellement, par « gènes » des parents aux enfants. Mais elle est par contre le seul pont qui franchisse la brèche que la mort ouvre d'une génération à une autre. À condition que chaque génération transmette (c'est le sens premier de la *tra-dition*) à son époque les messages de la précédente, à condition que *je m'en souvienne*. La mémoire culturelle vive combat l'entropie, la mort *entre* les générations, la mort par amnésie des nations.

Car les nations meurent aussi de la maladie d'Alzheimer. Je me souviens !

Dans le roman, c'est précisément « Le livre noir », héritage culturel de la mère, sa mémoire vive, transmise grâce à l'écriture, qui jette un pont entre elle, morte en exil aux États-Unis, et son fils qui ne l'a jamais connue. « Le livre noir », parce que écrit à l'approche de la mort, livre testamentaire. Grâce à ce livre rédigé en face de la mort, Madrigal sait qui a été sa mère, même s'il ne l'a jamais vue, même s'il ne lui a jamais parlé de vive voix. En face de la mort, mieux, au milieu de la mort, puisque Céleste écrit en pleine guerre. Son mari, Pierre Blaudelle, volontaire, meurt en « héros de guerre ». Il aura une statue au « parc des Braves ». Cette guerre, mort par excellence, s'insinue en Céleste comme un froid, une raideur qui gagnent progressivement son corps, qui l'empêchent, finalement, de jouer du piano. Elle meurt deux jours avant la fin de la Seconde Guerre mondiale, le six mai 1945, deux jours avant la capitulation de l'Allemagne.

Ne reste de Céleste que « Le livre noir », pas si noir que cela, parce qu'il fait la lumière sur sa vie, qu'il combat la mort de la mémoire, plus tragique que celle de la mort physique, parce qu'elle est évitable. *You don't kill a piano player,* le titre de la composition la plus populaire de Céleste aux États-Unis. « Vous ne tuez pas la pianiste. » Québécois, ne tuez pas la pianiste deux fois : une première fois en l'envoyant en exil aux États-Unis, une deuxième en l'oubliant, en oubliant son œuvre. Ne tuez pas l'artiste ! Céleste, paradigme même de l'artiste « tuée » en exil, par l'exil, comme Paul-Émile Borduas.

Le scénario du film a escamoté ce message profond du roman. Dans le film, Céleste (Monique Spaziani) vit toujours, écrivant son journal non par nécessité vitale devant l'échéance de la mort *(le deadline)*, mais comme un luxe *auto*-biographique, puisque son fils peut toujours la voir et son petit-fils vient effectivement la visiter à New York. Tout seul comme un grand ! C'est à Grand Central Station justement qu'il passe, l'unique et seule fois, par les « portes tournantes » et aperçoit, oh miracle (pince-moi, si je rêve !), le double (fantasmatique ou réel) de sa grand-mère. Hélas, le film a choisi la porte facile, large, « porte tournante » américaine, « hollywoodienne », mass médiatique du *happy end,* du conte de fées, du « roman familial ». Et s'ils ne sont pas morts, ils vivent toujours parmi les nombreux enfants... Fin des contes de fées.

Je préfère la fin du roman, des « portes tournantes » du « Grand Théâtre de Québec ». « Porte tournante » de la culture. « Porte étroite » de la culture. Passage toujours difficile, angoissant. Voyez comment Pierre a peur de traverser ces « portes tournantes » avec son tableau ! Va-t-il se (le) casser dans cette épreuve iniatique, dans cette épreuve de la réalité ? Et Antoine attend, cherche son père devant les « portes tournantes ». Vont-ils se re-trouver ? Ou simplement enfin se trouver ?

À l'intérieur du grand hall du théâtre, une foule bigarrée, hétéroclite se presse. Certes, elle est passée aussi par les « portes tournantes », non pas avec l'intention de voir une pièce de théâtre ou écouter un concert, mais tout simplement, désœuvrée, le dimanche, elle a cherché abri au théâtre pendant la panne d'électricité d'Hydro-Québec (roman prémonitoire !).

Manque de chance, cet après-midi, devait se donner un concert de jazz avec John Devil, violoniste, Américain noir, compagnon de vie de Céleste à New York et avec Gunther Haussmann, d'origine allemande, pianiste, accordeur de profession. Le concert est annulé à cause de la panne. Cette fois, Céleste meurt une deuxième fois... au Québec. John Devil joue malgré tout la mélodie préférée de Céleste, leitmotiv du film, *You don't kill a piano player.* Le public québécois (doublement québécois), ennuyé, se détourne de cette musique « vieux jeu », s'il ne s'en moque pas carrément, la couvrant de sarcasmes. Ne sait-il pas que l'invocation de Céleste « Vous ne tuez pas un pianiste » s'adresse à lui ? Que morte, sa mémoire ne vivra que tant que sera jouée sa musique ? Que la culture vivante, c'est-à-dire *performée,* est performante, réactivant dans le présent son passé dans sa mémoire, vainc la mort la plus cruelle, la mort par amnésie ?

Non, le public québécois ne le sait pas. La panne d'électricité terminée, il se presse aux « portes tournantes » pour vite sortir, vaquer à ses *vraies* activités que la panne d'électricité a interrompues : faire du ski, du lèche-vitrine, du magasinage, se promener... sur les Plaines d'Abraham, toutes proches.

Le public québécois sait-il qu'il vient de perdre une autre « bataille des Plaines d'Abraham » ? Il fallait qu'un Acadien le lui rappelle. Perdue cette fois non par la « faute des Anglais », mais par sa propre faute. En effet, tous les jours, des centaines, des milliers de « batailles des Plaines d'Abraham » ont lieu sur les plaines, dans le champ culturel au Québec. À chaque fois, irrémédiablement perdues, parce que le public québécois, indifférent, se détourne de *sa* culture, la laisse tuer sans défense dans *sa* mémoire. « Vous ne tuez pas la pianiste », ne tuez pas *sa* pianiste, sa poésie, ne tuez pas son roman, ne tuez pas son essai québécois, ne tuez pas la culture !

On le voit, les « portes tournantes » ne sont pas là que pour les immigrants. Même les Québécois de souche doivent les utiliser pour entrer *dans* leur culture. En effet, la culture, c'est la « porte tournante » par laquelle les individus, les peuples, les nations pénètrent jusqu'au cœur, jusqu'au tréfonds d'eux-mêmes, de leur identité. Là aussi, la porte ne tourne pas automatiquement. Chaque individu, chaque génération doit faire l'effort minimal pour tourner la porte, pour assimiler et transmettre à la suivante le maximum de *sa* culture. Car chaque génération est la mémoire culturelle *de* la précédente, *pour* la suivante. La culture est mémoire et passage.

Passage difficile, comme le Québec. Passage donc d'autant plus difficile plus exigeant, au Québec, qu'ailleurs.

Certes, nous vivons à une époque de grands désarrois culturels. Pas au Québec seulement, un peu partout dans le monde. *La* culture, de monoculture s'est éclatée en pluriculture, en une multitude d'expressions culturelles. Elle s'est stratifiée sociologiquement, s'adressant à différentes couches de la société. Mais surtout, elle s'est scindée en deux depuis l'avènement de ce qu'on a appelé la « culture de masse », accessible, d'emblée, à de larges couches de la population, à cause justement de sa grande facilité d'accès. Accessibilité rendue possible par l'âge électrique et électronique. Culture qui fait tourner les « portes tournantes » culturelles, automatiquement, comme le cinéma (de *kiné* = mouvement), le tourne-disque, la vidéo. Justement, trop souvent, cette culture de masse fait tourner en rond ceux qui s'y engagent, sans les vraiment faire pénétrer *dans* la culture. Parce que la facilité d'accès à ces médias (la télévision et la vidéo faisant partie des meubles), à l'origine un acquis inestimable, loin de garantir l'assimilation de cette culture, ne favorise que sa consommation en masse. *Fast culture* à l'image du fast-food.

Il ne s'agit pas, comme l'ont essayé de le faire certains intellectuels sourcilleux, Finkielkraut et Bloom, par exemple, encoconnés dans Platon, Kant, Locke ou Goethe, de déprécier ou de frapper d'inexistence cette culture de masse, la chanson populaire ou même la musique sous prétexte que Platon dans sa *République* en a fait autant. La culture de masse est une partie intégrante de « la » culture, au même titre que Platon, Kant, Locke ou Goethe. Certes, il y a des hiérarchies à établir entre les différentes expressions culturelles, à partir de jugements, de discernements critiques, lucides, non à partir d'emballements aveugles dignes des *fan clubs,* ni à partir des condamnations qui mènent à des pelotons d'exécution culturelle, à des exclusions, à des autodafés.

Mais plus inquiétant, c'est que *toute* la culture québécoise est en train de se mass médiatiser, au sens vulgaire du mot, ne comptant plus que (sur) le nombre, sur l'effet du nombre. Certes ailleurs, en France, en Allemagne, aux États-Unis, on assiste aussi à cette mass-médiatisation de la culture, phénomène universel. Seulement, dans l'espace culturel québécois plus limité, financièrement plus étriqué, moins diversifié, cette mass-médiatisation risque d'étouffer, à brève échéance, l'*autre* culture, non instantanément soluble pendant la consommation, qui porte à réflexion, qui casse des automatismes, empêchant que nous tournions en rond comme des toupies, par habitude, par tropisme.

Justement, *Les portes tournantes* posent, entre autres, le problème de la crise d'identité de l'artiste individuel — fût-elle pianiste de jazz, accompagnatrice du cinéma muet —, broyée dans la machinisation et la mass-médiatisation du cinéma qui s'opère avec l'avènement du son en 1927. *The Jazz Singer* étant le premier film sonore, astuce des frères Warner pour les tirer de la faillite. Début de la « Grande Noirceur » du cinéma. Certes, cette noirceur fait encore apparaître les « stars » au ciel du cinéma. Mais elle marque surtout la fin irrévocable du temps des inventeurs-bricoleurs individuels, des Griffith, des Chaplin. Voici venir le temps des producteurs anonymes, gérants des chiffres d'affaires, du « box office ». Céleste est la dernière « étoile » vacillante de l'époque des pionniers du cinéma.

Mais son nom et son être nous renvoient encore à l'origine du « roman familial ». On ne s'étonnera pas assez devant cette rechute, cette régression vers ce qui avait été combattu avec la plus grande ténacité depuis la conception du Québec, au début des années cinquante. Rechute certainement due à l'effet traumatisant du référendum de 1980. Car le roman date de 1984.

En effet, tout le roman (plus que ce film encore) *Les portes tournantes* a comme pivot cette crise de l'enfance qu'est le « roman familial ». Crise individuelle qui reflète, comme chez les autres personnages fictifs, la crise de l'imaginaire collectif et politique des Québécois. Car c'est cette idée fondamentale qui a germé depuis *Tit-Coq* : à savoir que le Québec n'a pas besoin d'idéal parental, ailleurs, qu'il incarne lui-même cet idéal. Cette idée fondamentale, constituant le fondement psychologique du Québec, est de nouveau ébranlée par l'issue du référendum.

La crise de confiance, de conscience que traverse le Québec au début des années quatre-vingt se reflète dans la crise familiale que connaît Céleste et qui correspond précisément aux différentes étapes du « roman familial ».

Élection de « parents » d'émanation supérieure, que l'enfant dit ses « vrais » parents, rejet ou dénégation de ses propres parents, rabaissés au niveau de parents nourriciers. Céleste, — nom oblige —, est portée vers les hauteurs éthérées par ce que Gilbert Durand a appelé le « schème ascensionnel ». Très jeune déjà, elle veut atteindre les sommets des montagnes pour voir son village natal « Val-d'Amour » (c'est tout un nom !) « du point de vue de Dieu ». Céleste se choisit le plus élevé et le plus puissant des pères : Dieu le Père. Vu de ces hauteurs éthérées, idéalisées, son « propre » père, son propre « chez-soi » lui paraissant du coup minables, cheap. « Quelle déception j'ai eu ce jour-là ! Val-d'Amour n'était qu'un petit tas de taudis dans le fond d'une vallée. » C'est là que Céleste se détourne définitivement de « ses » parents qui lui paraissent *autres, étrangers.*

Elle suit le premier venu (Litwin) qui l'arrache à ce taudis minable qu'elle ne reconnaît plus comme sien, pour la mener à sa véritable destination, à la révélation de ses parents célestes : les *stars*[1]. Ces « étoiles » qui ont fait leur apparition avec l'apparition du cinéma muet. Scintillant sur l'écran comme les étoiles au firmament, les *stars* développent un nouveau culte qui a toutes les caractéristiques d'un culte religieux : rites, adoration, jusqu'à l'idolâtrie. Le cinéma, dans l'obscurité de sa salle, célèbre tout une messe noire qui convie ses idoles lumineuses.

C'est donc naturellement, loin de la terre, vers ces émanations célestes que se portent le regard et l'adoration de Céleste, que se dirige la filiation céleste de cette femme « sublime ». La magie de sa musique, accompagnant de ses improvisations rag-time le cinéma muet, ne fait que renforcer la magie, la fascination des images, des idoles. Images, idoles prennent corps, le rêve devient réalité, ces spectateurs « tombaient tous dans le panneau comme ces enfants qui suivent le joueur de flûte jusqu'à la rivière ». Allusion au « joueur de flûte de Hamel » *(Rattenfänger zu Hameln)*, qui envoûte, hypnotise animaux et enfants pour les mener à leur mort. Enfants restés *infans*. Légende allemande renforcée par la présence dans le livre (pas encore dans le film !) de l'accordeur allemand Gunther Hausmann. Pouvoir de fascination des « enfants » allemands, qui ont abdiqué leur volonté, leur sens critique d'adultes pour suivre le joueur de flûte de Braunau (artiste peintre à l'origine), Adolf Hitler, jusque dans leur mort. « Führer, donne tes ordres, nous te suivons-obéissons *(folgen)* ! Tous disent "OUI" ! » Voilà quelques-uns des slogans dans la bouche des Allemands de l'époque. Thomas Mann a magistralement décrit *(Doktor Faustus)* cet effet envoûtant, hypnotisant, aliénant, diabolique de la musique sur la psyché allemande.

C'est dans ce contexte du « roman familial » seulement que peut être saisi le véritable trauma provoqué par l'avènement du cinéma parlant dans la vie de Céleste, complètement brisée par lui. Drame de l'enfant au sens premier encore d'*infans,* seulement transposé, modulé cette fois de façon esthétique. Car Céleste, envoûtée par l'*aura* de ces *stars*, de ces images célestes, muettes, enfantines, voudrait rester pour toujours dans leur empire sans parole, rester pour toujours *infans*. Pour adorer leur *aura* en silence. Andy Warhol a bien perçu cette dialectique entre l'aura de l'image et la parole qui la brise. *Aura must be until you open your mouth.*

Tout dans ce roman pivote autour de ce drame de l'enfant qui, piégé dans ses filiations célestes infantines et infantiles, se refuse à devenir adulte. Il refuse d'entrer dans « l'âge de la parole ». Cette fascination de Céleste par l'image sans parole pèse lourd sur l'hérédité de cette famille québécoise. Madrigal, son fils, choisit l'art muet, aphasique par excellence : la peinture. Lui, paradoxe, qui ne porte pas de nom propre mais celui d'une pièce de musique. Romances sans paroles. Céleste, comme par hasard, se marie avec Pierre *(Petrus)*, « mur de silence[2] ». Transformé, à sa mort, en statue de pierre muette. Ce n'est pas une statue de commandeur qui parle... Même, Pierre étouffe les dernières velléités de parole de sa femme. « Mais contre Pierre Blaudelle, je ne pouvais rien. J'étais bâillonnée dans un mouchoir de soie comme les autres femmes de la rue Prince-William[3]. »

Dans le film, pour une fois, cette régression, lors de la naissance d'Antoine, du père Madrigal à l'état de bébé est bien mise en valeur par Lauda (Miou Miou). « Vous êtes deux maintenant à clamer une mère : lui qui avait arrêté de parler et toi qui ne parlais pas encore. » Madrigal reste enfant, *infans,* comme son propre nouveau-né, parce qu'il n'a jamais connu sa mère.

Il est un orphelin abandonné par sa mère. Non orphelin revendiquant fièrement, comme Tit-Coq, sa bâtardise, mais la sentant comme une tare. Donc il ne cesse de chercher sa mère, de *se* chercher. Après le référendum, la question de parents idéaux ailleurs qu'ici, de la généalogie (imaginaire ou réelle) du Québec, se pose de nouveau avec inquiétude.

En fait, Céleste est une Aurore « enfant martyre » du cinéma parlant. Elle est sa propre martyre. Alors qu'Aurore est réduite au silence par une marâtre terrorisante et meurt pour avoir parlé, Céleste souffre, au contraire, parce qu'elle voudrait que son art « pratiqué », le cinéma muet, garde le silence. Ce qui avait été une nécessité existentielle vitale — l'acte de parole de l'adulte —, dans le Québec d'Aurore, Québec auroral, devient un luxe artistique dont on peut bien se passer dans le Québec de Céleste, conçu dans les années quatre-vingt.

Après avoir dit « non » à la parole et aussi à la langue française, Céleste dit « oui » à un Noir américain joueur de jazz appelé John Devil, surnommé Papa John. Mariage du Ciel et de l'Enfer. Mariage, métissage, de la « négresse blanche » de l'Amérique française avec l'Amérique noire. Métissage culturel stérile dont naîtra aucun enfant, seulement de la musique de jazz, lui-même né du métissage culturel entre le folklore français d'Amérique de la Nouvelle-Orléans et la musique des Noirs d'Amérique.

Dans le désarroi de sa crise postréférendaire, le Québec s'est tourné vers Papa John, ou plutôt l'*Uncle Sam,* dans l'espoir incertain que l'accord de libre-échange entre le Canada et les États-Unis distende et finalement coupe ses liens avec le Canada. Rêve d'enfant qui pense que la souveraineté(-association ou pas) puisse se faire sans mot dire, sans dire à haute voix « OUI ».

Papa John est un de ces nombreux fantômes du « roman familial » venu d'ailleurs qui ont hanté l'imaginaire québécois depuis son origine et qui le détournent de sa *propre* généalogie. Fantômes flottants, incertains entre réalité et rêve comme ces « portes tournantes » indécidables jamais vraiment ouvertes, jamais vraiment fermées, ouverts *à la fois* sur l'extérieur *et* l'intérieur, représentant l'être même du Québec. Sur ce flottement indécidable se terminent *Les portes tournantes,* avec la disparition de Papa John dans les portes tournantes. « Il y avait un moment de flottement. On attendait à le (Papa John) voir réapparaître au prochain battement, mais quand les portes cessèrent de tourner, il n'était plus là. »

Et Papa John disparaît, fantomaque, flottant, comme il est apparu. Le Québec n'a plus besoin de ces fantômes pour prouver son existence, sa réalité. Il est, existe. Jeune, très jeune, sera-t-il un jour adulte ? Oui, le jour où il aura chassé les fantômes du « roman familial », une fois pour toutes.

Le Déclin de l'empire américain : fin du party

Fini, c'est, fini, ça va finir.

Samuel BECKETT
Fin de partie

Je suis l'Empire à la fin de la décadence
Qui regarde passer les grands Barbares blancs
En composant des acrostiches indolents
D'un style d'or où la langueur du soleil danse.

Paul VERLAINE
Jadis et naguère

La plainte de Jacques Brel à la fin d'*Un zoo la nuit,* pleurant la fin de l'Amérique, est le thème central, le leitmotiv du *Déclin de l'empire américain* (1986) de Denys Arcand. Malgré leurs grandes différences, ce n'est pas le seul trait que ces deux films ont en commun. Tous les deux, en effet, à la fois reflètent le présent québécois et plongent leurs racines dans le passé. Passé lointain dans *Un zoo la nuit.*

Car Jean-Claude Lauzon y modèle sur un air contemporain, avec des techniques cinématographiques actuelles, le vieux thème du roman québécois de la dialectique de la campagne et de la ville.

Passé plus récent dans *Le déclin de l'empire américain.* Justement s'y conjuguent deux mentalités, deux modes d'être, deux *Weltanschauungen* : l'une, remontant à la fin des années soixante, touche les rapports de couple, sa sexualité « libérée », sexualité « sans entraves » sous le signe d'*Éros,* battant la famille en brèche, se faisant fort de la remplacer par la commune ; l'autre, des années quatre-vingt où le « yuppie » se substitue au « hippie », déclare la mort des idéologies collectives (politiques, sociales, conviviales, etc.) en mettant les désirs et les pulsions des individus au-dessus des exigences, des « droits supérieurs », des collectivités, des nations. Époque surtout marquée par l'apparition, dès 1981, d'un nouveau fléau, le sida, qui frappe la société au cœur de ce qu'elle croyait sans frein, illimité : sa capacité de jouissance érotique. Depuis l'avènement du sida, *Thanatos* a partie liée avec *Éros,* la Mort fait l'amour avec l'Amour.

Rétrospectivement, les années soixante et soixante-dix — bref répit, où la syphilis est vaincue et le nouveau fléau est encore loin à l'horizon — pouvaient paraître comme une sorte de « paradis » d'impunité, voire d'innocence sexuelle avant la « chute » dans la punition et dans la mort. Or, dans *Le déclin de l'empire américain,* c'est justement ce temps de la liberté sans entraves (sexuelles ou autres) qui « décline », qui « chute », excédée, pervertie par sa propre liberté, fauchée par la faucheuse grimaçante de la « peste moderne ». Ce film est le chant du cygne du monde des années soixante et soixante-dix qui laissaient croire que la vie était un *party,* un *free lunch* où il suffisait de se servir, où tout se servait gratis sans payer. *Le déclin de l'empire américain,* c'est la fin du *party,* sa fin de partie. Plus récemment, *Le party* en milieu carcéral de Pierre Falardeau nous en a donné la preuve éclatante.

Certes, l'idée de *déclin* est « dans l'air » de l'Occident depuis plus de cent ans. L'Anglais Edward Gibbon, dans son *Histoire de la décadence et de la chute de l'Empire romain* (1776), donne le ton à la fin du XVIIIe siècle. La décadence, à l'époque, est encore le sujet d'études historiques des « empires des autres », des Romains. Avec Nietzsche, à la fin du XIXe siècle, l'idée du « déclin » s'empare de l'homme présent, de l'homme en général. *Ainsi parlait Zarathoustra* (1883-1885) consomme le « déclin » de l'homme qui doit céder la place au « surhomme ». « Ce qu'on peut aimer dans l'homme, c'est qu'il est une transition *(Übergang)* et un *Untergang*[1]. » *Untergang* est en allemand un mot polysémique qui signifie, au sens propre, l'immersion d'un objet et la mort par noyade d'un objet, notamment d'un bateau, du soleil aussi qui se meurt *(untergehen)* tous les soirs, et, au sens figuré, le « déclin » d'un régime, d'une époque. Chez Nietzsche, cette idée qui lie le déclin au « coucher » des astres, du soleil comme phénomène naturel, est centrale dans *Ainsi parlait Zarathoustra.* Elle est présente également dans *Le déclin de l'empire américain.* C'est pourquoi nous l'évoquons ici : sous la forme du plongeur énigmatique qui revient comme un leitmotiv du début jusqu'à la fin.

Enfin, Oswald Spengler dans *Le déclin de l'Occident* (1918-22) donne l'œuvre maîtresse du déclin qui fait le bilan de cette guerre meurtrière venant de se terminer. Le *déclin* (*Untergang* comme chez Nietzsche) chez Spengler se précise géographiquement comme un processus de vieillissement naturel des civilisations, de la « culture ». Ce n'est plus la lointaine Rome qui est en déclin, mais l'Occident tout entier. Vision prophétique, puisque la fin de la Seconde Guerre mondiale confirme définitivement le déplacement du centre de gravité économique et culturel (?) d'Occident en Extrême-Orient, de New York à Tokyo.

Le déclin de l'empire américain de Denys Arcand continue de préciser géographiquement la zone du déclin occidental en le centrant sur la partie la plus occidentale de l'Occident : l'Amérique du Nord dont fait partie naturellement aussi le Québec. Il s'agit là, bien sûr, du thème central du film renforcé par son titre même. Thème central qui, à son tour, devient la thèse du livre *Variances de l'idée du bonheur* de Dominique (Dominique Michel), directrice du département d'histoire de l'Université de Montréal. Thèse qui nous est présentée au début du film lors d'une entrevue que Dominique donne à Diane Léonard (Louise Portal), pigiste à Radio-Canada et chargée de cours à l'Université de Montréal. Ou bien elle est déjà implicite dans la première scène qui ouvre le film avant le générique, dans une salle de cours de l'Université de Montréal par un zoom sur une étudiante asiatique, pendant que Rémy (Rémy Girard), professeur d'histoire pérore : « Les Noirs sud-africains finiront un jour par gagner, alors que les Noirs nord-américains n'arriveront probablement jamais à s'en sortir[2]. » Enfin, lors d'un moment stratégique du film, le soir au coucher de soleil *(Untergang)* sur le lac Memphrémagog dans les Cantons de l'Est, à la saison du déclin, l'automne, pendant une promenade à travers bois et le long du lac crépusculaire, Dominique, en voie *off* — celle de son entrevue —, énonce l'idée centrale de son livre : « Le déclin d'une civilisation est aussi inévitable que le vieillissement des individus (p. 144). » La dégénérescence, la chute des civilisations sont aussi naturelles que la sénescence des humains, le coucher du soleil, la chute des feuilles à l'automne. Le déclin des collectivités, des nations, des civilisations est à l'image de celui des individus.

Ce n'est donc pas un hasard si les deux lieux principaux de l'action du film se situent près de l'eau, élément même du passage, de l'évanescence, de la mort féminine surtout. Ophélie qui y surnage comme les feuilles mortes rouges flamboyantes du film qui se noyent dans le lac nocturne. D'une part, la belle maison blanche de Rémy au bord du lac Memphrémagog où les quatre hommes font la cuisine en attendant la venue de quatre femmes ; de l'autre, le centre sportif de l'université, avec sa piscine, où apparaît à trois reprises, venu du fond des eaux, un plongeur d'un noir luisant, masqué, avec une bonbonne d'oxygène sur le dos. Lorsque Louise (Dorothée Berryman), la femme de Rémy, lui fait face pour la première fois dans la piscine, elle panique, pousse un cri et se sauve précipitamment vers l'échelle. Pour elle, c'est autre chose que le « gars du club de plongée (p. 28) ». C'est une force inconnue — de là le masque —, menaçante qui cherche à l'entraîner dans sa succion tourbillonnante vers les fonds, qui veut son « déclin » *(Untergang)* par noyade. Noyade symbolique, plutôt que réelle. Car c'est elle, nous le verrons, la plus « naïve », la moins cynique, la véritable « épave » du *Déclin de l'empire américain*. C'est donc à elle que ce plongeur apparaît encore, à la fin, dans un rêve devenu cauchemar. Elle nage en eau profonde, lorsque le plongeur l'empoigne par la taille pour l'entraîner vers les fonds. Louise lutte, se débat, mais sans se réveiller. Dans son inconscient — lui-même une plongée dans les eaux de l'inconscient, figuré par la « psychologie des profondeurs » —, Louise se noie.

Enfin, Danielle (Geneviève Rioux), maîtresse de Pierre, étudiante en histoire au département d'histoire de l'Université de Montréal, qui arrondit ses petites fins de mois comme masseuse dans un studio de massage — où elle fait la connaissance d'ailleurs de Pierre —, rencontre également le plongeur sous-marin dans la même piscine. Cette fois, il apparaît à visage découvert, le masque sur le front. Visiblement, pour Danielle, le plongeur *est* un plongeur, pas une force *autre*. La preuve, ils rigolent, plaisantent, s'amusent : très évidemment, ils se connaissent. Danielle ne risque pas de se noyer en eau trouble, en nageant entre deux eaux. Elle nage, surnage, survit très bien au déclin...

Mais non seulement l'espace, le temps aussi de ce film est marqué également par les signes du déclin. Nous l'avons déjà vu par le soleil qui décline. Bien plus, telle une pièce classique, sa durée totale est rythmée par une seule « révolution » du soleil. Son action tient en vingt-quatre heures : jour, nuit, lever du jour. Au soleil déclinant, moribond, succède le soleil auroral, naissant. Après le déclin, la renaissance... dans *Jésus de Montréal*.

D'ailleurs, comme le dit justement Louise, les symptômes du déclin d'une époque, suivant un point de vue autre, pourraient être interprétés comme les signes d'une renaissance. « Puis je suis sûre qu'il y a des savants qui pourraient prouver exactement le contraire : qu'on vit à une époque de renaissance extraordinaire, que la science s'est jamais autant développée, que la vie n'a jamais été aussi agréable (p. 145). »

Bien plus, déclin et renaissance d'un peuple, d'une civilisation sont moins — ou autant — conditionnés par des données matérielles (économie, institutions politiques, etc.) que par la perception que ce peuple, que cette civilisation ont d'eux-mêmes. Si bien que, souvent, on ne distingue plus très bien ce qui est cause, ce qui est effet du déclin d'une nation, d'une civilisation, puisque les deux — faits matériels et perceptions — sont indécidables, se fondent de façon indissoluble. Certes, il y a des époques où les symptômes du déclin s'imposent avec une telle force, comme lors de la chute de l'empire romain — évoquée au début du film —, que ses données matérielles, massives, de la déliquescence finissent par peser lourdement sur l'état d'esprit des contemporains. D'ailleurs, on dirait que Denys Arcand est hanté par l'idée de la décadence dont le déclin de l'empire romain devient en quelque sorte le modèle. Ainsi *Réjeanne Padovani* (1973) est une version actualisée, moderne de l'exécution de l'impératrice Messaline.

Mais il y en a d'autres époques aussi où la décadence est surtout « dans la tête » des individus, des collectivités. Ainsi la vie des peuples, des civilisations est rythmée, à l'instar de celle des individus — comme l'a suggéré Dominique —, par un sentiment de jeunesse, un sentiment de renaissance, un sentiment de sénescence, de vieillissement, de déclin. Voyez cette fin du Moyen Âge des xvie et xve siècles avec ses danses macabres qui donnent lieu à un sentiment de décrépitude, admirablement étudié par Huizinga dans son livre au titre évocateur *L'automne du Moyen Âge.* Voyez cette « Renaissance » qui naît dans la mort même du Moyen Age, comme le christianisme naît parmi les décombres de l'empire romain décadent. Voyez ce beau film du Néo-Zélandais Vincent Ward *The Navigator* (1988) qui, de manière hallucinante, a rapproché cette Angleterre moyenâgeuse, sénescente de l'année 1348, frappée par la peste noire, traversée d'autoroutes qui arrêtent toute véritable communication humaine, atteinte par une autre peste, le sida.

Les fins de siècle, mais surtout la fin d'un millénaire ont toujours donné lieu à des mentalités de décadence, d'apocalypse, de jugement dernier, de fin du monde. Or notre époque est surdéterminée par la double fin d'un siècle et d'un millénaire. Il n'est donc pas étonnant que le sentiment d'une fin des temps, d'une fin possible du monde anime aussi *Le déclin de l'empire américain*. Ainsi Danielle est une passionnée du « millénarisme », terme justement que les historiens ont donné à ce sentiment de fin apocalyptique d'une époque.

> Le millénarisme. Je suis fascinée par tous les gens maintenant qui parlent de l'an 2000 [...] C'est comme ça que je me suis intéressée à l'an mil. En Europe, vous savez, ç'a été un événement capital. Il y a plein de gens qui pensaient que... à minuit, le premier janvier de l'an mil, la fin du monde était pour arriver, la trompette de Gabriel, les quatre cavaliers de l'Apocalypse, le jugement dernier.(p. 140-141)

Malgré leurs parallèles, les différences entre le millénarisme européen de l'an mil et le millénarisme québécois de l'an deux mille sautent aux yeux : les hommes du Moyen Âge y *croyaient,* vendaient leurs maisons, se flagellaient publiquement, tandis que pour les universitaires québécois du xxe siècle, le millénarisme, ce sont des *discours en l'air.* Car ces beaux discours millénaristes, Danielle les tient alors qu'elle masturbe avec application Pierre (Pierre Curzi) qui, dans le salon de massage, se paie le « spécial manuel » à 25 piastres. Il vient de terminer — aidé par son correcteur —, la correction des copies. Il a donc besoin de quelques gratifications en sus. Cette jouissance masturbatoire décadente pendant qu'il entend parler des « horreurs » de l'an mil reste une des expériences intellectuelles « bouleversantes » de cet adulte, Ph. D. de Princeton. « Me faire masturber en parlant de l'an mil avait été pour moi une expérience intellectuelle et physique bouleversante (p. 143). »

Non, le « jugement dernier » de l'an deux mille pour ces huit Québécois réunis dans un chalet, comme pour beaucoup d'autres contemporains, n'est plus annoncé par la « trompette de Gabriel », ni par les « quatre cavaliers de l'Apocalypse ». Le ciel où jadis trônait Dieu s'est dépouillé de son aura sacrée. Aujourd'hui, ce sont des satellites et des sondes cosmiques qui le sillonnent et des milliers de fusées avec leurs têtes chercheuses, leurs charges nucléaires, se tiennent prêtes pour leur mission apocalyptique.

L'homme du xxe siècle vit l'Apocalypse — ou l'a vécue jusqu'à la *glasnost* gorbatchevienne —, dans le présent, à chaque moment : *Apocalypse now,* la menace permanente des fusées et des bombes nucléaires. Si bien que les personnages assis sur la galerie du chalet, scrutant le ciel nocturne, ne s'extasient pas devant le clair de lune romantique mais s'interrogent avec angoisse sur le scénario possible d'une guerre nucléaire au Québec en bordure de l'empire américain. « Je me suis toujours demandé, s'il y avait une guerre atomique, est-ce qu'on verrait passer les missiles (p. 148)? » demande Danielle, la « spécialiste » du millénarisme. Et Pierre de répondre : « Ce sont pas les missiles qui vont descendre, seulement les charges. C'est tout petit, ça (p. 149). » Les personnages tirent un sentiment de sécurité illusoire du fait qu'ils se savent au Québec, en bordure de l'empire américain. « Est-ce qu'on verrait les lueurs des explosions aux États-Unis (p. 149)? », demande Danielle encore, alors que Dominique lui répond : « Si la base de Plattsburg était touchée, on verrait probablement la boule de feu d'ici (p. 150). » L'explosion atomique, vue « à distance » du Québec comme un feu d'artifice !

La catastrophe de Tchernobyl, « simple » *burn down* d'une centrale, non véritable explosion, qui a eu lieu l'année même de la sortie du film, le 26 avril 1986, a montré que la pollution atomique, pire que le feu et le souffle de l'explosion, ne s'arrête pas aux frontières nationales. Toute l'Europe a été infestée par un nuage atomique nomade. Nous le savons, la menace nucléaire, comme d'ailleurs aussi les pluies acides et de façon générale la pollution, rendent poreuses, illusoires les frontières nationales.

L'Amérique, le titre du film l'indique, devient une notion géographique floue, justement sans frontières, continent et pays (États-Unis d'Amérique). L'Amérique a cessé d'être ici le havre de protection qu'elle a été pour l'imaginaire québécois et qu'elle est encore, nous l'avons vu dans *Les portes tournantes*. Elle devient, bien au contraire, le centre mou d'où prolifèrent la décadence, le déclin. D'abord, cette Amérique n'a-t-elle pas sur sa conscience « la deuxième plus grande catastrophe de l'histoire de l'humanité après la peste noire au moyen-âge *(sic)* (p. 138)[3]? », génocide — premier génocide de l'humanité — qui éclipse numériquement les « six millions » de morts cités de l'holocauste nazi. « Les gens parlent toujours des six millions de Juifs qui ont été exterminés. Bon, c'est vrai, c'est terrible. Sauf que ce qu'on commence à peine à réaliser c'est qu'entre, disons 1525 et 1750, il est mort à peu près cent millions d'Indiens dans les deux Amériques (p. 137). » Et puis, plus près de nous, brûlant nos mémoires et nos consciences, l'« holocauste d'Hiroshima » où le 6 août 1946 cent mille Japonais périrent en une minute, où d'autres sont morts par milliers des suites des radiations radioactives.

Le Québec, bien qu'en marge de cet « empire américain » — le Canada français, notons-le, ne s'est rendu coupable d'aucun génocide d'Amérindiens —, en fait, malgré tout, partie, puisque c'est lui qui illustre justement « le déclin de l'Amérique ».

Mais le Québec qui participe, s'il le veut ou pas, aux grands mouvements continentaux et même planétaires de notre monde contemporain, puisqu'il en est traversé de part en part, réagit, en tant que nation aussi, à ses événements strictement internes, dépendant du cours de ses « affaires personnelles ». Le référendum sur la souveraineté-association a été un tel événement. Comme nous l'avons déjà vu dans *Un zoo la nuit* et dans *Les portes tournantes,* ce référendum a laissé une marque profonde sur la psyché québécoise. La déprime du Québec postréférendaire, à l'image de la déprime individuelle, altère complètement son estime de soi, broyant du noir. Il se sent « échoué » (au sens marin du terme). Tous les symptômes quasi naturels de décadence, de la fin d'un temps, d'un millénaire, se trouvent donc renforcés au Québec, par cette déprime postréférendaire. C'est même cette situation particulière qui, saturée d'un sentiment d'échec, a rendu un Québécois, Denys Arcand, hypersensible aux signes ici et ailleurs du déclin. Dans ce contexte postréférendaire, il n'est pas étonnant que les personnages du film, à l'image de la collectivité à laquelle ils appartiennent, ont connu leur « dépression », comme Louise (p. 84), ou ont tout simplement eu recours à la pharmacopée anxiolytique (valiums, libriums, mogadons, sorpax), pour calmer leurs angoisses, combattre leurs insomnies, symptômes avant-coureurs des dépressions.

Lorsque ces individus ou les collectivités broient du noir, alors même les phénomènes qui « normalement » sont associés à l'espoir, au renouveau, à la renaissance, à la vie, sont frappés aussi du signe du déclin, de la mort. Claude (Yves Jacques), professeur d'histoire de l'art à l'Université de Montréal, en opposant aux peintres de la nuit, — Rembrandt et Georges de La Tour — ceux de l'aube — Géricault et surtout Caravage —, associe l'aube justement, « heure de la lumière glauque (p. 161) » — couleur verte de la mer dans laquelle on se noie — à la mort. Dans ce contexte encore, pas étonnant alors que des hommes et des femmes de la trentaine avancée se sentent déjà décadents de corps et d'esprit, vieillissants. « Je sens que je vieillis [...] J'ai la mémoire qui s'en va aussi (p. 114-115). » C'est pourquoi, les femmes font du « culturisme » pour tenter d'arrêter le « déclin » de leurs corps et de leurs esprits.

Il est donc normal que les personnages — mais surtout Dominique qui a consacré un livre au sujet —, obsédés par l'idée de « déclin » de leur nation après l'échec du référendum, voient les signes du « déclin de l'empire » partout. « Nation » pas seulement au sens étroitement politique, mais celui plus large, englobant la signification originelle de nation : *naissance*. Denys Arcand, après une analyse à chaud du référendum dans *Le confort et l'indifférence* (1981), se livre dans ce film à une autopsie minutieuse, à une psychanalyse de la situation mentale postréférendaire, en disséquant la vie de sept universitaires montréalais.

Ce qui est en cause — et nous touchons là enfin au centre névralgique de ce film — c'est une perturbation grave, quasi suicidaire de la relation entre l'individu et la collectivité, la nation qu'il forme avec ses concitoyens. « Les signes du déclin de l'empire sont partout », note Dominique dans son entrevue. « La population qui méprise ses propres institutions. La baisse du taux de natalité. Le refus des hommes de servir dans l'armée. La dette nationale devenue incontrôlable. La diminution constante des heures de travail. L'envahissement des fonctionnaires. La dégénérescence des élites (p. 143). »

En effet, tous ces signes généraux du déclin des empires nationaux sont renforcés au Québec par sa situation linguistique, culturelle particulière, en bordure du géant empire américain. Plutôt que de tirer, comme Dominique, trop rapidement la conclusion que la situation en marge des États-Unis favorise le Québec parce que les « chocs [y] sont beaucoup moins violents (p. 144) », tout laisse croire que les chocs y sont, au contraire, renforcés, beaucoup plus violents.

On voit facilement, en effet, que ces « signes du déclin » de l'empire énoncés plus haut ont essentiellement une cause, un dénominateur commun : le refus de l'individu de modérer, de restreindre ses désirs, ses jouissances personnelles au nom, pour le bénéfice de la collectivité — famille, cité-polis, nation, etc. — à laquelle il appartient et qu'il fait vivre autant qu'elle le fait vivre. Les concessions que les individus font à la collectivité constituent le premier geste politique — premier « contrat social » — le plus fondamental de toute *polis*, de toute communauté, *Gemeinschaft,* comme disent les Allemands, la distinguant de la *société,* la *Gesellschaft.* Ces concessions se font, se « négocient » dans tous les domaines : économiques, politiques, culturels, familiaux, sexuels.

Or *Le déclin de l'empire américain* nous montre un groupe d'individus chez qui les liens qui normalement se tissent entre eux et la communauté ont été rompus. Des individus-monades ne se mirant qu'eux-mêmes — comme ce *Narcisse* du Caravage qu'on voit dans le cours de Claude —, ne tâtant que leurs pouls libidineux, en quête d'une jouissance personnelle maximale.

L'hypothèse du livre de Dominique Saint-Arnaud, *Variances de l'idée du bonheur,* qui est aussi celle de ce film, énonce que « la notion de bonheur personnel s'amplifie » dans la même mesure que « diminue le rayonnement d'une nation, d'une civilisation (p. 12) ». Autrement dit, le bonheur individuel est directement proportionnel au « malheur » des collectivités, des nations.

C'est la famille, cette micro-communauté qui devient le premier révélateur du genre de rapport que l'individu entretient avec la collectivité englobante. Le mariage donnant lieu à la famille est-il « un mode d'échange économique ou politique, ou encore une unité de production (p. 13) » ou simplement une unité de jouissance, pour laquelle le « bonheur » se mesure au nombre de contacts d'épidermes et de saillies ? Si bien que Dominique peut ainsi formuler son hypothèse sous forme de question qui sous-tend ce film : « Cette volonté exacerbée de bonheur individuel que nous observons maintenant dans nos sociétés n'est-elle pas, en fin de compte, historiquement liée au déclin de l'empire américain que nous avons maintenant commencé à vivre (p. 14) ? »

Déclin de l'empire américain, déclin de l'« empire » québécois, car ce sont huit Québécois d'une situation économique et financière privilégiée, appartenant au milieu universitaire, qui l'incarnent. Comme il se doit, on habite Outremont, on roule en BMW (noire, s'il vous plaît !) et on passe ses fins de semaine dans la maison de campagne du lac Memphrémagog pour se relaxer du stress des six heures de cours par semaine et de l'année sabbatique en prime (paraît-il très stressante !)

Personnages qui illustrent tout d'abord donc le déclin de la famille, du mariage complètement en loques. Parmi les huit personnages, il reste un seul couple marié, Rémy et Louise, tenu ensemble uniquement par les conventions et le mensonge. À la fin du film, il est emporté aussi dans le maelstrom broyeur du déclin, de l'effritement, de l'entropie.

Il reste donc quatre individus-monades, séparés d'abord, au début du film, selon les sexes en deux groupes : Pierre, Rémy, professeurs d'histoire à l'université ; Claude, le professeur au département d'histoire de l'art, homosexuel non « pédéraste (p. 76) » qui drague les garçons du parc du mont Royal mais qui s'extasie « esthétiquement »

devant les fesses des garçons de douze ans dont il modèle d'ailleurs une réplique avec sa pâte de coulibiac qu'il est en train de pétrir : « Y a rien de plus beau que les fesses d'un garçon de douze ans, ni la chapelle Sixtine, ni la Messe, c'est sublime, les fesses d'un garçon de douze ans, même les filles à cet âge, c'est déjà mou (p. 76-77). »

Alain (Daniel Brière), 26 ans, maîtrise en histoire, correcteur de Pierre, bien qu'ayant encore les illusions de son âge sur l'amour, est entraîné mimétiquement dans le sillage des aînés, ses modèles de « reproduction » (Bourdieu) négative. Au début, il s'en différencie encore. « Moi, je suis pas comme vous autres. J'ai pas envie de baiser une nouvelle fille à tous les jours (p. 53). » Certes, Pierre encourage Alain du bout des lèvres à faire un doctorat, l'alpha et l'oméga de la carrière universitaire, non pour explorer un nouveau sujet de recherche, mais parce qu'il va « vouloir [s]'acheter un appartement en ville, peut-être une maison de campagne. Ça occupe ton esprit (p. 61). » Plus que la recherche...

D'ailleurs, depuis qu'il sait qu'il ne sera « jamais Arnold Toynbee ni Fernand Braudel (p. 62) » — deux coryphées dans le domaine de l'histoire —, Pierre s'est rabattu sur un seul sujet, se « spécialisant » dans une seule matière, ne recherchant qu'un seul filon : le sexe. « Tout ce qui me reste c'est le sexe ou l'amour. On fait pas vraiment la différence. Au fond, je sais pas ce qui me reste. C'est pour ça que le vice vient avec l'âge (p. 62). » Beau modèle pour un jeune chercheur !

Alain proteste : « Mais moi, j'ai pas d'ambitions comme ça. Je voudrais juste être heureux un peu. C'est tout (p. 62). » C'est trop demander dans le milieu où il vit !

Comme si les directives de son « patron » Pierre ne suffisaient pas, Rémy se met de la partie pour lui donner une « leçon privée », en le prenant à part dans son bureau au cas où il n'aurait pas compris le sujet de *leur* « reproduction ». Il lui montre, épinglés dans deux boîtes, deux insectes énormes en lui énonçant la quadrature du cercle des entomologistes : quel est le mâle, quelle est la femelle ? Surtout, comment deux « individus » d'espèces, de « races » différentes, un reptile et un insecte, peuvent-ils s'accoupler ? « Ils ont une chose en commun » explique le professeur à son élève ébahi. « C'est quoi ? », demande Alain curieux. « Le cul. Pense à ça comme il faut, hein (p. 95) ? » Le moins qu'on puisse dire, ça ne vole pas très haut...

Ces coléoptères mis en boîte, leçon de sciences naturelles pour Alain, constituent en quelque sorte la « mise en abîme » générale de ce groupe de huit personnages et de leur centre de gravité de *con-*

*verge*nce « idéologique » : le cul. C'est ça qui accouple, de façon éphémère, les couples les plus dépareillés. Déjà, Alain se met au niveau, en rappelant ce que lui disait un gars de la Nouvelle-Orléans : "Honey, a hole is a hole (p. 77)." Et à la fin il peut compter sur les « travaux pratiques » avec Dominique, qui avec ses 46 ans, a bien besoin aussi d'un peu de sang frais. « Touche-moi. Touche-moi, bébé (p. 167) », lui susurre-t-elle après une veillée révélatrice au bord du lac. Et ils s'embrassent longuement... Coupez !

Voilà pour les hommes. Les femmes, nous les connaissons déjà presque toutes. Dominique, la plus âgée, est célibataire, seule à publier, à écrire encore des livres. Diane est chargée de cours au département d'histoire. Du même âge que Pierre et Rémy, elle a materné ses deux enfants, alors que ses deux collègues ont terminé leurs doctorats à Princeton et à Berkeley. Divorcée, elle est frustrée de voir les deux mâles « gras durs », certainement pas plus intelligents qu'elle, monopoliser tous les privilèges. « Aujourd'hui, je peux pas être autre chose que chargée de cours au cinquième de votre salaire, sans sécurité d'emploi. Je suis pas protégée, moi, par la meilleure convention collective en Amérique du Nord. J'ai pas le droit, moi, à des années sabbatiques au Brésil (p. 114) ! » On comprend l'indignation de Diane devant cette injustice sociale. Hélàs ! elle n'est pas seule. Il y a des centaines, des milliers de Diane au Québec : quarante pour cent des cours d'université sont assurés par des chargés de cours. C'est pourquoi, Diane doit accepter des *job in* comme faire des interviews pour Radio-Canada, alors que d'autres font de la pige dans les journaux. Encore, elle est chanceuse, car souvent ces emplois, avec le prestige grandissant de la « médiacratie », et le déclin de l'« empire universitaire », les permanents de l'université, sans vergogne, se les accaparent aussi.

Louise, la seule femme encore mariée du groupe, mère de deux enfants, donne des leçons de piano à temps partiel. Danielle, étudiante de 23 ans, maîtresse de Pierre, a gardé, tel Alain, des rêves (ou illusions ?) d'amour. On dirait que c'est elle la moins entamée par l'ambiance décadente du groupe. Certes, elle gagne ses études en massant des clients aux pulsions souvent inavouables. Impassible, une mécanique « plaquée sur du vivant », elle masse des hommes, comme d'autres sont caissières chez Steinberg. Parmi ces « bolles » d'histoire devenus fonctionnaires et ronds-de-cuir, c'est elle, la seule à en avoir gardé la passion. Du moins, c'est elle la seule à en parler avec enthousiasme, lors justement de la séance de massage fatidique. Pourtant, paradoxalement, pour Danielle, l'histoire, loin d'être un excitant, se trouve être un calmant. « Moi, c'est ça que j'aime de l'histoire : c'est calmant (p. 139). » Pour elle seule aussi, depuis qu'elle a rencontré Pierre, le mot et la chose « amour » semblent avoir encore un sens. Ainsi tout au début, elle profite du coup de téléphone de Louise pour le faire savoir à Pierre. « Je voulais juste te dire que je t'aime (p. 19). » À la fin, au lit avec Pierre, elle lui demande : « Veux-tu faire l'amour avec moi (p. 153) ? » Avec un mélange de goujaterie et de cynisme, Pierre la renvoie aux « services » des plus jeunes comme Alain. « Si tu veux faire l'amour le soir, il va falloir que tu demandes à un jeune, comme Alain. Je suis sûr qu'il demanderait pas mieux (p. 153). » À quoi Danielle rétorque, indignée : « J'ai pas envie de baiser, vieux concombre. J'ai envie de faire l'amour avec toi. Tu comprends jamais rien (p. 153). » Pierre, aussi obtus, revient à la charge : « Je sais que tu m'aimes uniquement pour mon corps. » En lui donnant un coup de coude amical dans son estomac, Danielle rappelle à Pierre la « dure » réalité : « T'as une petite queue puis tu bandes mal ! » Or elle l'aime vraiment, malgré « ça ». Et Pierre le sait.

Pendant la première partie du film, ces quatre hommes et ces quatre femmes sont séparés par des lieux distincts qui marquent leur non-communication foncière. Lieux qui inversent paradoxalement les activités des stéréotypes féminins et masculins : les hommes sont à la maison, préparent à manger, tandis que les femmes se trouvent au centre sportif de l'Université en passant de la grande salle d'exercices pour les *sit-ups,* au terrain de football pour le jogging, à la salle de musculation pour former les biceps et les triceps, au sauna pour évacuer les toxines, à la piscine et au bain tourbillon pour se rafraîchir et se relaxer.

Décidément, elles sont les adeptes de plus en plus nombreuses de la « nouvelle » culture du Québec qui ne s'acquiert plus dans les livres ou dans des salles de cours, mais chez Nautilus sur des bicyclettes d'exercices et dans les bains tourbillons. « Culture physique » du « culturisme » qui se bombe le torse, fait jouer les muscles, se bronze la peau, s'enduit d'huile pour faire ressortir le galbe. Si nécessaire — c'est pas encore le cas de *ces* femmes —, elles s'injectent des stéroïdes anabolisants pour se gonfler les pectoraux pour « mieux performer ». Culture barbare, donc anticulture puisque acéphale, produisant des corps sans tête.

Pendant que les quatre femmes relaxent et bichonnent leur corps, les hommes travaillent à la cuisine, en battant des œufs dans un

mélangeur, en montant une sauce veloutée, en mijotant un fond de volaille, en faisant de la pâtisserie, toutes des activités traditionnellement féminines. Il est vrai, Claude, le « gai », s'y connaît mieux que les autres.

Alors que ces hommes cuisinent et que ces femmes musclent leurs chairs devenues molles, ils parlent, ils discourent. Le discours, le langage de façon générale, rend présent ce qui en réalité manque, fait défaut. En effet, ces hommes et ces femmes conjurent par le discours leur absence, leur manque : le sexe. Le *sexe*, le mot, à l'origine, ne signifie-t-il pas, *couper, sectionner, séparer*? Rappelons que les sociétés « primitives », et celles dites traditionnelles, séparent, différencient les activités, les domaines des hommes et des femmes en fonction de leur différence sexuelle. La situation de ce groupe d'hommes et de femmes québécois a donc à la fois un caractère archaïque et moderne. D'un côté, tout au moins dans un premier temps, ils s'assemblent et se séparent suivant leurs sexes, discutent de leurs expériences sexuelles ; de l'autre, de manière « unisexe », ils inversent, comme nous l'avons vu, leurs activités traditionnelles : les hommes cuisinent, les femmes gagnent de la force musculaire. Ce mélange d'ancien et de moderne fait que la situation de ces hommes et ces femmes est « postmoderne ».

Ce qui réunit ainsi localement ces personnages, c'est *leur* sexe, ce qui les sépare, c'est le sexe de l'*Autre*. Le sexe, dans ces conditions, étant foncièrement manque, absence, devient *fantasme*. Ainsi donc, le sexe de l'Autre est évoqué de façon fantasmatique, en son absence, par des mots : par des discours. Comme il le sera de façon plus intime dans le premier film vraiment « postsidatique » *Sex, Lies and Videotape* de l'Américain Steven Soderbergh, grâce au nouveau média vidéo, média « condom » qui, tout en permettant le maximum de « pénétrations visuelles » dans la personne désirée, protège finalement contre tout contact physique dangereux.

Dans *Le déclin,* ce fantasme sexuel de l'Autre apparaît sous deux modes contradictoires comme moyen d'accueil et de « connaissance » (au sens biblique) de l'Autre et comme menace, pouvant aller jusqu'à la menace de mort.

En effet, après une longue fermeture quasi raciste à l'Autre dont *Le matou* — avec Ratablavasky l'immigrant incarnant le Mal, l'Autre par excellence, le Diable — constitue un bastion imaginaire, le Québec s'ouvre au monde. Ouverture qui passe, nous l'avons vu, par la cuisine dans *Un zoo la nuit.* Alors que le « grand sujet » du *Matou* est de savoir comment garder la bonne cuisine de « chez-nous » — les bines, les fèves au lard —, racialement pure, sans que ce « maudit Anglâs » de Slipskin — nom révélateur : en anglais *to slip one's skin* signifie « jeter, changer de peau », pour les reptiles, serpents, et autres gentils animaux rampants, autrement dit : on veut sa peau —, puisse l'acheter et donc l'altérer de sa présence menaçante, vicieuse. De là le sens symboliquement raciste de ces rats lâchés dans la cave de la *Binerie* lorsque Slipskin s'en est emparé. L'Autre associé a de la vermine : les nazis ne disaient rien d'autre des Juifs...

Dans *Le déclin,* l'ouverture québécoise atteint le sexe. Elle témoigne d'une sorte d'œcuménisme pansexuel : oui, on fait l'amour avec l'Autre, avec d'autres nationalités, d'autres races, d'autres couleurs de peau... presque par « charité chrétienne (p. 26) » comme le dit Pierre à propos de Rémy qui « charitablement » a offert de payer la chambre d'hôtel à deux jeunes Américaines. « Charité » qui est souvent récompensée : « Elles m'ont offert de coucher toutes les deux ensemble avec moi (p. 26). » Signe de cette ouverture sur l'Autre, ce film commence, nous l'avons vu, avec un zoom sur un visage d'une étudiante asiatique. En bons « samaritains » donc, ces Québécois, sans discrimination de peau et de race, « accueillent » leurs consœurs. La « petite Vietnamienne » de ses cours, celle même qu'on a vue dans le « cours inaugural », « une splendeur », s'exclame Rémy, ravi. « Le problème avec les Asiatiques, c'est que j'ai toujours l'impression qu'elles s'en vont porter mon argent à leur jeune frère malade. J'arrive jamais à les imaginer ontologiquement vicieuses (p. 16-17) » rétorque Pierre, plus sélectif dans ses choix parce qu'il pense que charité bien ordonnée commence par soi-même.

Les colloques internationaux sont évidemment les prétextes rêvés pour les métissages culturo-sexuels de ces universitaires québécois. Ainsi Rémy fait la « connaissance » de Barbara Michalski, une autre Américaine, lors du colloque de San Diego. La séduction s'opère d'abord comme toujours dans ce milieu par la tête, par le discours. Entendre parler cette Américaine de Ronald Laing et d'antipsychiatrie, donne à ce prof d'histoire « indiscipliné » des orgasmes intellectuels indicibles.

C'est d'ailleurs Rémy le plus érotiquement, le plus exotiquement, le plus juanesquement ouvert... tout au moins dans ses fantasmes. Les femmes de nations, de races différentes : un parfum de l'Ailleurs qu'on varie selon les circonstances, les saisons. *Odor di femmina !* « Une Française quand t'as le goût du champagne... Et puis les odeurs ! Humm... les Juives, les Arabes qui sentent le camphre ! Les Vietnamiennes qui sentent la fleur d'oranger (p. 91) ! »

Jusqu'à pratiquer la charité tiers-mondiste pour le bénéfice de Mustapha, cet historien africain brillant, spécialiste de la culture Mossi. « S'il y a quelqu'un qui se dévoue pour les nègres, c'est bien moi (p. 86). » Ce n'est tout de même pas de sa faute si les étudiantes québécoises actuelles sont moins « ouvertes » au Tiers monde que celles du temps de Rémy, nourries aux râteliers de Frantz Fanon et d'Albert Memmi. Alors le prof emmène l'étudiant africain sur la rue Saint-Laurent, jusqu'à paternellement (ou paternalistement ?) lui négocier le prix avec une « super fille blonde (p. 87). » Hélas « elle » s'avère être un travesti !

Mais si l'*ouverture,* l'*accueil* ont un sens, ce sont bien ces quatre femmes québécoises qui le lui confèrent. Les hommes québécois ont tendance à sous-estimer leurs capacités de dévouement à l'Autre, leurs facultés d'accueil. Justement, dans la salle de musculation, il est question des hommes africains, en général, et de Mustapha en particulier que ces femmes ont « connus ». Le jugement de Diane est péremptoire, sans appel : « Dans les Noirs finalement, c'est les Africains qui sont les meilleurs (p. 66). » Hélas ! son « expérience » avec Mustapha n'a pas été concluante. « Les hommes qui courent après moi la langue pendante... Ceci dit, en général les Africains sont... chaleureux. Évidemment, ils sont polygames, mais ça... (p. 67) »

Après l'Afrique, les Caraïbes. Décidément, l'exotisme sexuel de ces femmes québécoises n'a pas de limites ! Justement, Dominique s'est « dévouée » à un Martiniquais. Hélas ! « ç'a été la catastrophe » dès que le Martiniquais ouvrait la bouche. Ces dames et ces messieurs universitaires, en guise de préliminaires sexuels, ont besoin de « discours intelligents » pour pouvoir jouir !

On passe rapidement sur l'expérience outremontaise de Louise parce que pas encore assez œcuménique. Ces partouzes de professionnels où des Québécois pure laine pelotent, font l'amour avec des Québécoises plus pure laine vierge. Pour insister davantage sur l'exotisme sexuel de Dominique qui a été ravie par la *romania,* les Italiens surtout. Qui l'eût cru ! « Finalement, moi je reviens toujours aux Italiens. Ils sont insupportables, mais... (p. 70) » C'est dans les trois points de suspension que réside leur pouvoir de séduction... Peu importe si la rencontre avec le carabinier sur les plages chaudes de la Sicile s'est terminée en fiasco sexuel. Dans la grisaille quotidienne québécoise, on en garde malgré tout un souvenir lumineux.

Justement, il s'agit là pour ces Québécois et ces Québécoises de discours, de fantasmes, au plus, de souvenirs sur le sexe. Car la *réalité* du sexe, dans ces *eighties* est tout autre. Finis les temps insouciants de l'« opéra cul », *Oh ! Calcutta !*, du *poursuit of happiness through sex*. Le sexe, tel un boomerang qui revient, frappe dangereusement, mortellement celui qui voudrait en jouir spontanément. Claude résume la situation actuelle du sexe : « Puis de toute façon le sexe, ça rend malade (p. 72) ! » Les MTS, le sida. Justement, Claude, l'homosexuel du groupe est inquiet : on le voit uriner du sang, il a des faiblesses. Certes, il fait partie du « groupe à risques », d'autant plus qu'il a dragué dans des saunas de Los Angeles, dans des « bars effrayants » du quartier de Sankt Pauli à Hambourg *(Auf der Reeperbahn...)*.

Mais la situation réelle du sida, aujourd'hui, est plus inquiétante que celle « imaginaire », exposée dans ce film. Il y a de moins en moins de « groupes à risques ». Le sida commence aussi à faire des ravages parmi les femmes, surtout au Québec. Ce dernier détient un triste record : 80% des femmes et 85% des enfants atteints au Canada du sida résident au Québec où l'épidémie est hétérosexuelle à près de 22% contre 1,6% ailleurs[4]. Preuve du « bilinguisme » d'un bon nombre d'homosexuels masculins qui sciemment ou inconsciemment ont transmis le virus à l'autre sexe. D'ailleurs, le Québec peut se flatter d'un autre « record ». Tout au moins attribué « généreusement » par les Américains qui lors d'un *60 Minutes* retentissant ont traqué le « porteur zéro » au Québec : Gaétan Dugas, agent de bord d'Air Canada, aurait disséminé le virus *urbi et orbi, from coast to coast*. Un « coureur de bois » postmoderne, sidatique. Depuis l'apparition de la syphilis, cette projection de l'origine de la maladie vénérienne sur l'Autre, l'autre nation (« mal de Naples », « mal français », etc.) est devenue classique.

Dans ce contexte, l'Autre, l'autre sexe, loin d'être un foyer d'attraction, d'aimantation, se mue en objet d'abjection, de répulsion, presque d'horreur. De là une régression — notamment en ce qui concerne la perception qu'ont les hommes du sexe de la femme — à des âges archaïques. Archaïsme modernisé, postmoderne. Les vagins dentés, munis de sabres, de haches et de herses des temps archaïques, se transforment aujourd'hui en bouillons de culture où prolifèrent virus, bactéries invisibles, alors que c'est par le sperme et le sang que le sida se transmet. Raison de plus de mettre en cause *d'abord* la sexualité masculine. C'est le contraire qui se passe, tout au moins dans ce film. C'est Claude, l'homosexuel, qui ouvre le bal des « calamités » du ventre féminin : fibromes, vaginites, salpingites, chlamydia, spirochète, herpès, chancre mou, staphylocoque doré... et quoi encore ! « Quand je pense que vous trempez la queue là-dedans ! Horreur ! », s'exclame Claude avec dégoût. Et Rémy de renchérir : « La queue ? La langue ! » J'avais donc raison de parler du « bilinguisme » sexuel à la québécoise...

Jusqu'aux menstruations qui, dans ce nouveau contexte, de naturelles, deviennent « monstreuses ». Rémy ne se plaint-il pas que « Louise se transforme en monstre à peu près quatre ou cinq jours par mois (p. 78) ? »

Où qu'on regarde, le sexe s'entoure de barbelés. Les parties de plaisir de jadis se transforment en dur labeur, en corvées. Le « flirt », la « cour », la « séduction », multiples et variés du « parfait amant », du Don Juan d'antan, à l'affût des moindres « occases », deviennent l'unique et la monotone drague pesante aux filets de plomb. « Et t'es obligé de draguer, ça c'est épouvantable : traîner dans des bars, payer des repas, danser dans des discothèques (p. 91) ! »

La danse, cette première rencontre rythmique des corps aux sons ensorcelants d'un orchestre, se métamorphose en *Rocky Horror Show*. « J'ai toujours eu horreur, mais alors, horreur de ça (danser) ! Les heures d'enfer que j'ai passées sur des pistes de danse juste pour faire plaisir à des femmes (p. 91) ! », se rappelle Rémy avec des frissons d'horreur dans le dos. Après quoi, dans une satire désopilante des danses dans les bars et les discothèques, ces hommes se trémoussent tout en « discutant » des « grands sujets du temps » : centrales nucléaires, pluies acides, films de Woody Allen, etc.

Comme si cette drague n'était déjà pas assez fatigante, il faut faire jouir en sus la femme... la corvée la plus harassante. « Puis c'est pas tout il faut la faire jouir ! C'est pas de la tarte, ça, hein (p. 93) ? »

Les rapports sexuels excitants, spontanés d'antan qui se faisaient naturellement, au gré de la libido, se transforment chez ces intellectuels mâles en cours et examens stressants d'anatomie féminine du bas ventre avec en tête « toutes les notes, appendices et chapitres de Masters and Johnson, le rapport Hite, la controverse du G *spot,* Germaine Greer, Nancy Friday (p. 93) ».

Mais l'« entreprise » la plus « délicate », la plus laborieuse et la plus stressante, c'est de trouver le clitoris. « C'est pire que de chercher une chenille dans un damier (p. 93). » Le clitoris, Freud l'a dit — sa parole a-t-elle encore cours dans notre monde décadant postsidatique ? —, a toujours été, malgré sa petitesse, une grosse pierre d'achop-

pement pour l'homme, faisant par contre la fierté de certaines féministes, puisqu'il est le « petit pénis » de la femme. Ces hommes qui rabaissent, dénigrent la femme, ont tout intérêt à minimiser, à miniaturiser le clitoris, à tel point qu'il devient introuvable, inexistant. Ni vu, ni connu, Freud dirait : déni *(Verleugnung)*.

De leur côté, les femmes, dans leur salle de musculation et leur sauna, miniaturisent ce que les hommes ont tendance à voir sous le « macroscope », prenant à leurs yeux des proportions gigantesques : leur pénis. Nous avons déjà entendu Danielle jaugeant celui de Pierre à sa juste valeur. Dominique raconte la « débandade » du carabinier italien, incarnation du Pouvoir de l'Autorité. Strip-tease long et prometteur. « Finalement, il enlève son slip... ». « Le coup d'œil fatal ! » « Oui. Un pénis minuscule... Je vous mens pas ! Comme un bébé (p. 97-98). » L'homme phallique tenant le sceptre investi du pouvoir, dépouillé de son uniforme, est lamentablement réduit en enfant, son « petit bonhomme » qui prétend être grand, adulte, ridiculement régressé à l'âge et la taille de bébé. « Alors, je sais pas si c'est le vin blanc ou le bizarre de la situation d'être là avec un policier sicilien, je suis partie à rire, tu sais, un fou rire incontrôlable. Je pleurais tellement je riais (p. 98). »

Le fétiche sacro-saint, l'« obsession fondamentale (p. 99) » de l'homme dégonflé dans le fou rire attentatoire de ces quatre femmes. Toutes les faiblesses de cette « mécanique » mâle délicate sont mises à nu et ridiculisées sans merci : l'éjaculation précoce et toujours et encore petitesse du pénis. « Ambiance un peu morne, les... les proportions manquent de générosité... Vieux moulin restauré, mais la meule est uniquement décorative... Jardin bien aménagé mais... la fontaine est en panne (p. 102-103). »

Au milieu du film, ces hommes et ces femmes se rencontrent au chalet après avoir aiguisé, séparés par leurs discours, leurs armes les uns contre les autres. Les directives du scénario traduites dans la mise en scène de Denys Arcand ne laissent pas de doute sur le rapport fondamental entre ces hommes et ces femmes, caché sous les gentillesses et les sourires de la convivialité. Avant qu'ils ne viennent à la rencontre les uns des autres, « il y a une seconde de silence et d'immobilité, comme dans un western avant un duel (p. 108). » Non guerre des sexes, mais duel des sexes où le premier qui tire (les paroles blessent autant, parfois plus que les revolvers) abat l'autre. Les rapports entre les sexes ont tendance à régresser au stade précivilisé du *Far West* : droit du plus fort, loi de la jungle.

Far West dans l'Est, l'Est du Canada, dans les Cantons de l'Est. « Spaghetti-Western » à la québécoise. « Coulibiac-western ». Ce coulibiac que les hommes ont préparé avec application, devient l'expression culinaire symbolique de la situation psychologique de ces huit hommes et femmes québécois. Le coulibiac, c'est un « pâté au saumon », mais ici exceptionnellement fourré aux truites. Poissons cachés par une pâte, comme les *vraies* relations entre ces hommes et ces femmes le sont sous le couvert des conventions et la convivialité de commande. Donc le coulibiac qui aurait pu devenir le repas d'union, l'*agapè*, le banquet de réconciliation des hommes et femmes divisés, coupés en deux littéralement par le sexe, s'avère être un « repas totémique » où le dernier couple marié est déchiqueté dans le « jeu de massacre » verbal auquel le groupe se livre.

D'ailleurs, les femmes font tout de suite le nez à cette offre culinaire mâle. « C'est un péché mortel... Faut pas trop compter les calories ! Moi qui ai déjà pris un kilo la semaine dernière (p. 109). » Quelles gratifications pour une cuisinière ou un cuisinier, comme c'est le cas ici, qui a passé la demi-journée à préparer le repas !

Coulibiac, — le contraire des « bines » du *Matou*, bastion bestial, félin fermé à l'Autre, Québec « pure laine », de sa cuisine jusqu'à son sexe —, qui s'ouvre au monde, se métisse avec lui. Car, en fait, ce coulibiac est en principe la traditionnelle tourtière québécoise métissée avec la cuisine russe. Le Québec des *eighties* mange et fait l'amour ailleurs...

Voilà, le terrain de ce film fourmillant de sens est suffisamment préparé pour que nous reprenions le fil conducteur de cet essai : le « roman familial » dans l'imaginaire cinématographique québécois. Avec ce qui a été dit précédemment, il devrait être évident que le « roman familial », comme tout le reste dans ce film, est en déclin. C'est normal, puisque étant lié constitutivement et génétiquement à la famille, si cette dernière vient à se dissoudre, le « roman familial » se disloque aussi. Le « sujet » — dans le sens premier de celui qui le subit — du « roman familial », nous l'avons vu, épouse le point de vue de l'enfant abandonné par ses parents biologiques et de ce fait se cherche de meilleurs parents d'adoption.

Dans ce sens, *Le déclin de l'empire américain*, est un film résolument d'adultes qui fait voir le monde de leur prisme à eux. Le Québec devenu adulte, certes, mais qui a perdu son Nord, son orientation, son idéal avec le référendum. Idéal d'amour de soi et d'autrui.

Car c'est seulement quand on s'aime *vraiment* (non narcissiquement) soi-même qu'on peut aimer autrui. C'est-à-dire, le véritable amour de soi commence par l'amour d'autrui. Pour les personnages du *Déclin de l'empire américain,* cet idéal est à tout jamais brisé. C'est le prochain film de Denys Arcand, *Jésus de Montréal,* nous le verrons, qui fera luire sur sa pellicule cet idéal, celui du Christ qui s'est sacrifié pour donner un exemple unique d'un Amour de l'Autre. *Le déclin de l'empire américain,* comme celui jadis de l'empire romain — présent ici en filigrane — appelle presque le christianisme comme sa « relève » : « Comme sur le plan privé, à moins d'être un mystique ou un saint, il est presque impossible de modeler sa vie sur aucun exemple autour de nous (p. 143). » Il faut être saint, chrétien, qui modèle sa vie d'après celle du Christ, ou périr dans la tourmente, les chicanes et la complication de l'empire romain ou américain. « Dès l'instant où l'on ne pense plus à soi, mais où l'on se demande comment aider les autres, la vie devient parfaitement simple », dira un des personnages de *Jésus de Montréal.*

C'est justement parce que ces Québécois ont perdu leur modèle d'amour qui aurait pu faire aimer leur « ici », le Québec, qu'ils regardent, voyagent, mangent, font l'amour ailleurs. C'est parce que ces Québécois ont cessé de (s')aimer qu'ils « baisent », qu'ils confondent amitié et sexe, amour et « baise », qu'ils sont devenus des *sex machines.* Dans la braderie générale où tout a été bazardé à vil prix au Québec depuis vingt ans, du pape jusqu'à Marx, de Freud jusqu'à Ronald Laing, il ne reste plus que... le cul. « Tout ce qui me reste, dit Pierre, désabusé, au jeune Alain, rappelons-le, c'est le sexe ou l'amour (p. 62). » Ce qui les « mêle », c'est la confusion des deux, du sexe et de l'amour. Le corps, le sexe, comme alpha et oméga, comme *cogito* douteux, comme certitude en débandade. « C'est comme dans les derniers carnets de Wittgenstein : *De la certitude* : la seule certitude qui nous reste c'est la capacité d'agir de nos corps. Si j'aime, je bande. Si je bande pas, j'aime pas. C'est la seule façon de pas se conter d'histoire (p. 64-65). » Nous l'avons déjà vu, son comportement sexuel est à l'opposé de ces « certitudes » qu'il vient d'énoncer. La vérité est : si j'aime, je ne bande pas !

Ces intellectuels québécois en débandade cherchent leur salut dans la *cul*-ture. Ils tentent, désespérément, de lui donner un enduit théorique, la cohérence d'une *Weltanschauung.* Marx, Freud, voire même le pape, sont menés à ce « fondement » pan*cul*turel. « Freud, à moitié homosexuel, incapable de baiser sa femme après quarante ans, excité à mort par ses patientes. Ses querelles avec Jung au fond, c'est des histoires de femme, des histoires de cul (p. 128). »

Dans ce monde d'adultes d'âge moyen, les jeunes, les enfants et ceux d'âge avancé, les parents des huit personnes sont exclus. On ne les voit pas. Une fois seulement, la mère de Pierre lui téléphone pour constater qu'il est avec une autre femme. On n'entend même pas sa voix. La « mère » est tellement absente de cet univers qu'elle devient un fantasme, un exotisme, les deux à la fois. Fantasmes sexuels comme le reste. La raison pour laquelle Dominique adore, malgré tout, les Italiens, c'est que ce sont « des âmes simples qui crient *maman* quand ils jouissent (p. 70). » Les Québécois(es) devenu(e)s adultes rêvent du temps, où, mêmes adultes, ils/elles pouvaient être « simples », c'est-à-dire enfants, ou agir en enfants. Ces temps sont révolus, pas définitivement. On y régresse de temps en temps.

Comme ces personnages excluent leurs parents, ils excluent aussi leurs enfants, *l*'enfant. L'enfant, un dérangement existentiel qui perturbe les projets des parents. Un « luxe » inutile dont on peut se passer. Les enfants sont en effet aussi physiquement absents de ce film, sauf une fois, où la fille de Diane fait intrusion dans sa chambre, où elle est justement couchée avec Rémy, le « donneur universel ». Elle fait une crise d'hystérie pour que l'étranger décampe. Illustration ironique des mots de Louise : « Ces enfants-là, c'est une richesse (p. 116). » « Richesse mon œil », dit le regard de Diane, selon les directives de mise en scène du scénario. Ensuite, Louise, elle-même, donne des preuves de la « richesse » que constituent ses enfants, lorsqu'elle renseigne Rémy que « Sébastien a cassé la vitre de la porte de la cuisine en jouant au base-ball (p. 17) ».

Les enfants, une « richesse » qui coûte de plus en plus cher aux familles, mais une richesse aussi pour les nations qui ne vivent, ne survivent que par un renouvellement permanent de son bassin de population, par ses naissances, par ses enfants. À ce propos, la « leçon inaugurale » de Rémy du début du film par le regard de la caméra fixant une étudiante asiatique qui dit : « Il y a trois choses importantes en histoire. Premièrement, le nombre. Deuxièmement, le nombre. Troisièmement, le nombre » s'adresse directement au Québec. Ce dernier a déjà su qu'il survivait en tant que nation seulement par le nombre : grâce à ce qui a été appelé la « revanche des berceaux ». Revanche contre la défaite militaire anglaise par les Québécoises qui prêtaient généreusement leurs ventres — autres « champs de bataille » pacifiques, regénérateurs — à leurs maris pour quinze et même vingt maternités. Le temps n'est plus à ces *potlatchs* de naissances. Mais le Québec sait sourdement, parfois plus clairement, que sa survie sur le continent est liée aux courbes démographiques : de ses natalités, du nombre d'immigrants, du taux d'assimilation de ces derniers, etc.

Nous touchons ici la cause la plus grave, parce que la plus mortelle, du déclin de l'univers de ces huit Québécois : leur négation de la vie, de l'enfant, comme expression individuelle et collective de cette vie. Paradoxalement, le seul à voir dans l'enfant une valeur, un acquis, une affirmation de la vie, non une peste, un parasite qui gruge le parent de son énergie, c'est bien Claude, l'homosexuel. « Il me semble qu'un enfant, c'est la vie. L'affirmation de la vie (p. 118). » Il a même commencé à faire des démarches pour une adoption d'un enfant cambodgien. Évidemment l'enquête des services sociaux a vite mis le holà à ces velléités d'adoption... D'ailleurs, l'orphelin, le bâtard, au centre de *Tit-Coq,* devient ici un souvenir lointain, un fait d'histoire, qui n'arrive qu'aux autres, tellement ce passé, pourtant proche de l'origine orpheline du Québécois, est éloigné, refoulé. « C'est vrai, quand tu regardes ces textes, c'est toujours rempli de veufs, de veuves, d'orphelins, d'enfants du deuxième lit. Tout ça a complètement disparu en ce siècle. C'est incroyable (p. 123). » Oui, c'est incroyable...

Pourtant, le « roman familial », devenu inavouable dans ce milieu qui répudie la famille et tout ce qui y est associé, s'insinue à pas de loups par la porte arrière. Pierre, inconsciemment, raisonne comme un enfant du « roman familial ». Il rabaisse, éloigne, rejette, répudie ses parents biologiques pour mettre en valeur, peut-être pas idolâtrer — il reste critique — mais adorer ses nouveaux « parents » d'adoption. Ces derniers ce ne sont plus *une* mère et *un* père mais un groupe, une commune, le groupe présent convivial, réuni autour d'une table. La communauté lâche, intellectuelle, professionnelle et *cul*turelle s'est substituée à la famille biologique traditionnelle québécoise, communauté de sang tricotée serré dont rêve Tit-Coq, parce qu'il ne l'a pas connue.

> Mais j'en ai une famille, elle est ici, autour de la table. C'est une famille que j'aime, et qui est beaucoup plus proche de moi que mon père qui est courtier d'assurances ou même que mes parents qui n'ont jamais réussi à comprendre exactement ce que je fais dans la vie, et qui chialent tout le temps que je vais pas à la messe... C'est vous autres ma famille.(p. 118)

Pierre se méfie tellement de *sa* famille biologique qu'il en a attrapé une allergie, qu'il se méfie de *la* famille biologique en général.

Au point de ne pas vouloir retomber lui-même dans le moule de cette communauté de sang. « Familles, je vous hais », dirait-il volontiers avec André Gide. En effet, à Danielle qui désire un enfant de lui, non pas pour former une communauté, « mais en souvenir, pour après », après la rupture, il lui refuse carrément cet enfant. Il a plusieurs « justifications ». « Les intellectuels font rarement de bons parents. » Il cite en exemple les enfants de Diane et de Rémy : « C'est un désastre (p. 152). » Et puis le *heavy metal,* fort en décibels des jeunes, risque de casser les oreilles sensibles de l'intellectuel à l'écoute des « voix intérieures » de ses lectures. Enfin, il donne *la* raison principale qui explique les préventions, la perte de disponibilité de ce groupe, des Québécois de façon générale, face à l'enfance, face à la maternité : « Faut avoir une assez bonne opinion de soi-même pour vouloir se reproduire. Moi, je m'aime pas tellement. Je suis pas assez optimiste non plus (p. 151). »

Encore une fois, le pessimisme, la « mauvaise opinion » d'eux-mêmes sont venus hanter le Québécois, individuellement et collectivement, depuis le référendum. Ce qui est grave, ici, au Québec — il faut le répéter —, aux raisons générales, globales du pessimisme des autres nations (menace nucléaire, pollution, réchauffement de l'atmosphère, pollution, pluies acides, MTS, sida, etc.) s'ajoutent celles de l'incertitude, du désarroi de la situation politique, linguistique, culturelle. C'est là *le* fond de la question de la dénatalité au Québec, auquel hélas l'émission de télévision *Disparaître* de Radio-Canada — qui a fait beaucoup de bruit médiatique sans provoquer de véritables réflexions —, n'a pas touché. Tant que les individus, insécurisés déjà par les aléas, les risques de leur vie privée (chômage, recyclage professionnel, professionnalisation de plus en plus poussée des femmes, etc.) doivent aussi, en permanence, affronter l'horizon sombre de leur viabilité collective, nationale, les parents québécois d'aujourd'hui, non par irresponsabilité, mais, au contraire, par une hyperresponsabilité, une trop grande conscience qui coupe court à toute insouciance, à toute spontanéité dans les « rapports », hésiteront à vouloir se reproduire comme l'ont fait leurs propres parents, leurs ancêtres, plus inconscients.

Certes, l'épée de Damoclès est suspendue au-dessus du Québec depuis la Conquête. Mais ce qui sauvait, justement, les ancêtres des Québécois, les Canadiens français, qu'on a tendance à regarder par-dessus l'épaule avec du dédain, c'est leur foi, foi inébranlable dans la *mission* de leur peuple sur ce continent, foi dans leur peuple, foi tout court. Le Québec est né, nous l'avons vu, à la suite de la mort de cette foi. *Le déclin de l'empire américain,* c'est l'empire du Canada français, devenu Québec, rongé par le doute, dans les affres d'une crise de foi, d'une crise de soi. Un Québec qui a cessé d'aimer, de s'aimer.

Enfin il reste un dernier personnage que nous avons gardé pour la fin, parce qu'il est un « étranger », un *outsider* du groupe, Mario (Gabriel Arcand) qui renoue avec l'autre aspect, typiquement québécois, du « roman familial ». En effet, Mario est le « demeuré », dans tous les sens du mot, tel que nous l'avons rencontré déjà dans la personne de Guy des *Bons débarras,* poussé à l'extrême dans *Mario,* le film de Jean Beaudin, où l'enfant-*infans* reste muet.

Demeuré d'abord, Mario l'est, parce qu'il est, peut-être pas tout à fait *infans,* sans paroles, du moins, de peu de paroles, une personne qui s'exprime de façon monosyllabique. Il se comporte comme un enfant mal élevé à table. D'abord, Diane la « mouman » qui l'introduit dans « le monde », lui donne des instructions sur quoi faire, comment bien se comporter à table. « Fais-moi plaisir, enlève tes lunettes (p. 119). » Lunettes de soleil. Naturellement, elles s'enlèvent à table. Et puis, n'aimant pas ce qui est servi, faisant le nez sur le coulibiac, il veut quitter la table. Diane le réprimande comme une mère un enfant : « On a pas fini de manger (p. 124) ! »

Enfin Mario est « demeuré »... québécois. Alors que les autres, « Québécois » pourtant aussi, papillonnent culinairement et sexuellement dans le monde en mangeant du coulibiac à la place de la tourtière, du stilton au lieu du cheddar Kraft « Cracker Barrel » et du « P'tit Québec », en buvant du vin français ou de la Pilsner Urquell à la place d'une Bleu « bonne rare », du Contrexéville en maxi-bouteilles à la place de l'eau de la « champlure », en conduisant une BMW noire au lieu de « chauffer » une jeep à quatre roues tractrices décapotable, Mario est le « gars d'icitte », qui parle « joual », caricature d'un Québec d'antan « simple », « enfantin », qui va droit au but, qui agit parce que « y a pas de problèmes ». Caricature d'un Québec « bandant » plutôt qu'en « débandade » comme celui de ces huit intellectuels.

Certes, Mario devient le pendant évident — trop évident peut-être —, caricatural de ces intellectuels, des intellectuels. Mario se lève de table parce qu'« il se passe rien ici (p. 125) ». « Des intellectuels, ça parle » dit Louise, pour les excuser, pour s'excuser. « C'est rien que ça que vous faites, parler ! Après-midi, les gars ont passé leur temps à parler de cul. Je pensais arriver dans une orgie. Ben non, le gros fun, c'est une tarte au poisson (p. 125). » Ces intellectuels font et défont le monde avec leurs discours. Le monde est devenu discours. Non plus verbe qui s'incarne, qui prend corps, parole, qui devient acte (*speech act,* Austin) mais des paroles, du vent, *flatus vocis,* des mots en l'air, de la masturbation intellectuelle.

Évidemment, ces intellectuels parlent toute une nuit de sexe, d'« amour », sans le faire, tandis que Mario le fait. Pas besoin d'avoir lu du Wittgenstein, comme Pierre, pour en arriver aux « certitudes » dures en érection de Mario. Ainsi donc au « si j'aime, je bande » de Pierre fait pendant le « elle, quand a me fait bander (en indiquant Diane), je la fourre. Je me pose pas de questions. Qu'est-ce que tu en penses de ça, toi (p. 125) ? » Encore une fois, Mario, l'enfant de-meuré, le demeuré enfant, met les pieds dans les plats. Décidément, ces choses là se *font* tout naturellement dans les sous-sols d'Outre-mont, mais ne se *disent* pas ! Diane doit donc le mettre à l'ordre. « Mario, s'il vous plaît (p. 125) ! » Et voilà qu'il commence une séance de pelotage à table, devant les autres. À Outremont, on faisait aussi du pelotage, on se « baisait » même en groupe, mais avec la complicité entière du groupe, entre « nous autres », des intellectuels, profession-nels, tandis qu'ici un « corps étranger », un « idiot de la famille » (*idiot* au sens premier, presque dostoïevskien) détraque la mécanique huilée du discours vide, sème l'embarras, la gêne. Là où ces Québécois, qui se sont frottés au « grand monde », mangent du coulibiac fourré au poisson, Mario « fourre » tout simplement, sans se « poser des ques-tions ». Il est l'idiot simple en face de la complication (non complexité !) de ces intellectuels qui, Hamlets québécois, à force de *ne* se poser *que* des questions, n'agissent plus, ne « bandent » plus, ne font plus l'amour.

Mario, par son sadisme qui n'est pas sans rappeler celui, plus pervers, du « maudit Anglâs », George d'*Un zoo la nuit,* incarne la régression de l'érotisme oral (parler, manger, etc.) des autres, en érotisme anal chez lui. Il bat, flagelle Diane avec une « ceinture de cuir (p. 31) » qui fait penser à la *strap* avec laquelle la « petite Au-rore » se faisait martyriser. Mais le « martyre » de Diane est consenti, accompagné de jouissances inouïes. « J'ai jamais joui comme ça dans ma vie (p. 32). » Le Québec jouit aujourd'hui de ce dont il souffrait hier ! Mais la perversion ne s'arrête pas en si bon chemin. « Il m'a toujours prise par en arrière. Comme un homme (p. 31). » Ce sadique anal s'acharne sur la femme, la bat, la ligote, l'« humilie » (p. 32) pour la punir de sa différence, de son altérité. Mario dénie la femme, l'Autre dans son Altérité : ce Québécois « demeuré » québécois est une brute épaisse.

Paradoxalement, cet adulte-enfant *donne* quelque chose, symbolisant ce qui manque cruellement à ces universitaires : un ballon et un livre. Ce ballon figure un cœur. Emblème de ces discours creux sur l'«amour», sur le cœur qui monte en «balloune», devenu le cœur *réel* dans *Jésus de Montréal*. Le livre, centre autour duquel *devrait* graviter cet univers universitaire, est tristement absent aussi. Une seule en écrit encore, Dominique. Bien sûr, comme souvent en de pareilles occasions au Québec dans le monde intellectuel, le vide et le silence se font parmi les collègues autour de ceux qui publient et ont du succès. Loi du silence... du succès. On redevient *infans* quand l'Autre est bon. Donc, au Québec, le succès d'un ouvrage (universitaire) est inversement proportionnel aux paroles des collègues à son propos.

Les chères collègues de Dominique avaient bien «critiqué», dénigré (sans probablement l'avoir lu) son livre dans son dos, en son absence, sans lui avoir jamais soufflé mot une fois en face d'elle. «Vous m'avez toujours pas dit ce que vous pensiez de mon livre (p. 146)» dit Dominique, indignée. L'envie est la triste loi qui régit cet univers du manque, du déficit. *Penisneid* (envie du pénis) : on envie celui qui «en a», homme ou femme.

Évidemment, on l'a compris, ce film sonne le glas de l'université en «débandade», en déclin. Il n'est qu'à rappeler ce long *travelling* qui accompagne le générique : un étudiant en jeans qui fait du patin à roulettes dans le vaste hall dépeuplé de l'université aux sons majesteux du Concerto grosso, opus 5, n° 6 de Georg-Friedrich Haendel. Tout est dé-placé ici : la musique — réduite tout à la fin à une version de piano à quatre mains déglinguée, cahotante — censée annoncer une entrée royale, alors qu'il aurait fallu une musique de *requiem* pour une université défunte ; le patineur qui, mécaniquement, avance sans but, aurait mieux été à sa place dans un aréna. Tout marche comme sur des roulettes ! En apparence les professeurs «professent», les étudiants «étudient», les administrateurs «administrent»... comme des fonctionnaires, comme des mécaniques.

Des professeurs qui ont perdu la foi en ce qu'ils professent, que peuvent-ils professer ? Qui éduquera les éducateurs ? La vieille question ! La seule qui ait gardé la foi, la passion de l'histoire, est une étudiante, Danielle. Il en est de la production à l'université comme de la reproduction de la famille. Comme le notait Pierre, il faut avoir une bonne opinion de soi pour pouvoir (se) (re)produire. Comme la famille, les nations, qui ne se reproduisent plus, déclinent, périssent. L'universitaire qui ne produit pas périt : *publish or perish,* disent les

Anglo-Saxons. Tous ces universitaires, sauf Dominique, périssent, « déclinent », parce qu'ils ne (se re)produisent pas. Des raisons de cette stérilité, il y en a par centaines. Pierre, justement, en donne une : la pléthore d'articles et de livres publiés par jour. « Il se publie dans le monde dix-sept mille articles scientifiques tous les jours... Un de plus ou un de moins (p. 124)... » Qu'ajoute une goutte d'eau à la mer ? N'est-elle pas formée elle-même par des gouttes d'eau ? Si les dix-sept mille tenaient le raisonnement de Pierre, il n'y aurait pas de recherche, il n'y aurait pas d'université, il n'y aurait jamais de culture. L'homme croupirait toujours dans des cavernes...

Le seul livre que l'on *voie* dans cet univers universitaire en déclin, c'est celui que Mario offre à Diane. Le comprend-il, sait-il seulement lire ? Peu importe. Il l'offre, il en fait cadeau. C'est justement — le contraire nous aurait étonnés vu l'« idéologie » de Mario —, un livre « d'ici », livre d'histoire de Michel Brunet *Notre passé présent et nous*.

Là encore, Mario constitue un pendant à ces professeurs « tiers-mondistes », « internationalistes » qui, à force de ne voir que les Autres, non seulement s'oublient, oublient le « nous autres », mais méprisent *leur* histoire (encore un manque d'amour de soi), jusqu'à affirmer par la bouche de Rémy que « les mandements de Monseigneur Bourget, il peut se les rouler très serrés et les fourrer... lentement... dans le cul (p. 34) ». Origine même de la *cul*ture...

Certes, il y a de la part de Denys Arcand, qui lui-même a une formation d'historien, une satire de l'histoire nationaliste et de ses excès pour laquelle il *n*'existe *que* le « nous autres », comme l'indique bien le titre du livre.

Les personnages de ce film, Mario et les huit « intellectuels », illustrent, au fond, deux excès qui, à cause de leur « isolement splendide », n'arrivent jamais à se « relever », à se modérer, par une dialectique, par un métissage mutuels : l'excès narcissique, nombriliste, provincial de Mario qui, à force de s'enfermer au « nous autres », dans le Même qui rejette l'Autre (Femme, Étranger, etc.), devient ou plutôt reste un « idiot » québécois ; l'excès de ces universitaires qui, à force de s'ouvrir sur le monde, sur le passé de l'Autre, deviennent des « idiots internationaux », coupés complètement de leurs origines.

Il faut donc conjuguer les deux excès pour dépasser justement les excès de l'un par celui de l'autre : s'ouvrir au monde tout en restant hermétiquement fermé quant à l'essentiel, à savoir la langue française.

C'est là le vrai défi du Québec d'aujourd'hui, de demain.

DEUXIÈME PARTIE

Jésus de Montréal
(1989)

la Passion de Montréal
selon Denys Arcand

Heureux celui qui ne se scandalisera pas à mon sujet.

Jésus
Luc (7, 23)

Et beaucoup de ceux qui donnent au pays de la poussière se réveilleront, ceux-ci pour la vie éternelle et ceux-là pour l'opprobre, pour l'horreur éternelle.

Daniel
Livre de Daniel (12,2)

S'il n'y a pas de résurrection des morts, Christ non plus n'a pas été relevé. Et si Christ n'a pas été relevé, vide alors est notre proclamation, vide aussi notre foi.

Saint Paul
Épître aux Corinthiens, I (15, 13-14)

J'ai cherché pendant trois ans l'attribut de ma divinité, et je l'ai trouvé, l'attribut de ma divinité, c'est l'indépendance.

Dostoïevsky
Les Démons

I

La comédie vaut bien une messe

Les révolutions, à force de tourner, re-tournent sur elles-mêmes, se mordent la queue, aspirant aux conditions prérévolutionnaires. Voyez l'Union soviétique de la *perestroïka* gorbatchevienne, la Chine de la place Tienanmen jusqu'au 4 juin 1989, la Hongrie qui le 2 mai abat le rideau de fer, la RDA qui le 9 novembre ouvre le « mur de la honte », le gouvernement de Prague qui le 25 novembre démissionne en bloc, et Ceausescu fusillé le 25 décembre, au cours d'une contre-révolution sanglante. Même la France qui fête avec l'éclat le bicentenaire de sa Révolution ne revient qu'aux « bons » débuts des Droits de l'homme, oubliant sa triste fin, la Terreur.

Les révolutions tel Cronos/Saturne dévorent ses propres enfants. Un jour, les « révolutionnaires » se réveillent orphelins. Sans parents, sans passé, parce que, résolument « modernes », ils ont voulu faire table rase de l'Ancien régime, de tout ce qui fait « vieux jeu ».

Le Québec a eu aussi sa Révolution tranquille, non sanglante, il est vrai, comme l'Europe de l'Est actuellement, triste exception faite de la Roumanie. Cela n'empêche pas que le Québec, comme les autres pays qui ont connu une révolution, a coupé la branche sur laquelle il a été assis, a jeté le bébé avec le bain du « renouveau », de la « modernité ». C'est là évidemment le sens profond de la « bâtardise », de l'état d'orphelin que nous avons vu apparaître avec *Tit-Coq*, prodrome, signe avant-coureur d'un « nouvel être », avec une nouvelle identité, baptisé sous peu *Québec*.

Nous avons vu venir ce Québec « révolutionnaire » à son tour, à son « déclin », précisément dans *Le déclin de l'empire américain*, parce le Québec en jouant à plein et quasi exclusivement la carte de sa

« nord-américanité », a « oublié », évacué, dénié, scotomisé son *propre* passé, sa *propre* généalogie, ce dont justement le Canada français « se souvenait » : « de mon origine française ».

Dans son dernier film, *Jésus de Montréal* qui lui a valu le Prix du Jury et le Prix œcuménique du Festival de Cannes, le Grand Prix du Festival d'Abitibi-Témiscamingue, le prix d'Hydro-Québec, le Grand Prix du public du Festival international de Chicago, une nomination pour l'Oscar du meilleur film étranger, et enfin douze « génies » et la « bobine d'or », Denys Arcand revient sur son propre passé se trouvant être aussi le passé collectif des Québécois, d'avant la « Révolution tranquille ». Temps où le Québec, qui vivait dans une société traditionnelle, n'avait pas encore « perdu le Nord ». Époque surtout où le Québec, régi certes monolithiquement et de façon contraignante par la religion catholique, se sentait une société homogène, guidée par des « valeurs », « phares » pour les individus et la collectivité.

Rétrospectivement, dans l'après-coup de l'échec de cette « révolution » sanctionnée par le référendum perdu, pour la génération de Denys Arcand qui a aujourd'hui cinquante ans, ce temps pouvait apparaître, nostalgiquement, comme celui de l'enfance croyante, inentamé par les doutes qui assaillent la société québécoise contemporaine. « Vert paradis des amours enfantines » (Baudelaire). « J'aurai toujours la nostalgie de cette époque de ma vie où la religion fournissait une réponse apaisante aux problèmes les plus insolubles » confie Denys Arcand dans l'avant-propos de son *Jésus de Montréal* en précisant qu'il évoque dans ce film, transposés, métamorphosés dans le cadre d'une grande métropole « mes souvenirs d'enfant de chœur dans un village perdu, catholique depuis des siècles, et mon expérience quotidienne de cinéaste dans une grande ville cosmopolite[1] ».

Mémoire de l'enfance qui reste irrémédiablement perdue, accessible seulement sur le mode du souvenir et de la nostalgie, puisque le monde de l'adulte sceptique, ratiocinateur, cynique, dans lequel il vit aujourd'hui, demande continuellement ses dus, des « preuves » de l'existence de Dieu pour pouvoir croire, du confort matériel pour pouvoir vivre. Cet univers *naïf* — au sens premier de *natif* — de l'enfance, s'il veut exister, doit coexister *avec, à côté* de l'univers sceptique de l'adulte qui juge les « solutions » de la foi chrétienne comme « fausses » parce qu'issues de l'« obscurantisme » et de la « démagogie ». Si bien que la situation contradictoire d'un acteur qui, la veille, jouait le Chemin de la croix de Jésus sur le mont Royal et le lendemain se présente à une audition pour un « film érotique » (*Le déclin de l'empire américain*) a pu devenir pour Denys Arcand le déclic, le point de départ de *Jésus de Montréal*.

C'est de cette contradiction qu'est né *Jésus de Montréal*. Contradiction qui avait fait coexister de façon simultanée et donc complexe la foi naïve de l'enfance *et* la foi de charbonnier de l'adulte ; la pureté, la foi de l'enfance *et* la souillure sexuelle, la débauche de l'adulte, l'idéal sacré, adoré de l'enfance *et* l'idole déchue, banalisée de l'adulte. Denys Arcand trouve que cette cohabitation des contrastes et des contraires, jamais « relevés », se matérialise, se vit quotidiennement dans nos supermarchés modernes où l'on peut trouver « dans un rayon de dix mètres des romans de Dostoïevski, des eaux de toilette, la Bible, des vidéocassettes pornos, l'œuvre de Shakespeare, des photos de la terre prises depuis la Lune, des prédictions astrologiques et des posters de comédien ou de Jésus (p. 8) ». Il s'agit donc de prendre acte de ces contradictions irréconciliables et de les faire « éclater » dans un film tout en ruptures, allant de « la comédie la plus loufoque au drame le plus absurde, à l'image de la vie autour de nous, éclatée, banalisée, contradictoire (p. 8) ».

Mais le brouhaha des sollicitations publicitaires contradictoires ne réussit pas à couvrir complètement une voix qui y perce, devenant ainsi authentique *vocation* qui, à l'origine, est *appel* d'un Autre, d'un Ailleurs : la voix de Jésus. « À travers l'épaisseur des hommes du passé, il y a l'écho d'une voix profondément troublante (p. 8). » Voix qui vient de loin, de très loin, faiblement, à des années de lumière de distance, comme cet écho du « rayonnement fossile » du Big bang, mais qui risque de nous guider dans ces « années de plomb » qui tuent dans le germe toute « radioactivité », tout rayonnement de l'esprit. Cette voix nous trouble parce qu'elle nous atteint, nous touche lorsqu'elle nous dit : « Là où est votre trésor, là aussi est votre cœur » ou « Si vous aimez ceux qui vous aiment, quel mérite avez-vous ? », « Celui qui gagnera sa vie la perdra (p. 7-8). »

Un moment, il fallait répondre à l'appel de cette voix, à cette *vocation*. C'est ce que Denys Arcand a fait, en tant que cinéaste. Il a donc trouvé là véritablement sa *vocation*. À d'autres d'y répondre dans *leur* champ professionnel, dans *leur* situation existentielle, de trouver *leur* vocation.

Ce qui est « troublant » également pour l'historien qui a essayé de regarder l'évolution du Québec à travers le « macroscope » de ses rythmes vitaux de longue durée, c'est que Denys Arcand répond à cette voix précisément vingt ans après que le Québec, collectivement, a refusé de répondre à la voix de son patron, saint Jean-Baptiste, cousin justement de Jésus. En effet, le 24 juin 1969 constitue la dernière des parades de la Saint-Jean-Baptiste commencées en 1843, marquant ainsi spectaculairement la fin du Canada français, moribond, nous l'avons vu, dans l'imaginaire québécois depuis les années cinquante de notre siècle.

Nous nous sommes attachés à montrer dans la dernière partie de *Du Canada au Québec*[2] la fonction d'identification qui incombait à saint Jean-Baptiste comme patron national dans un Canada français « en déclin » après la défaite des insurrections de 1837-1838 et surtout après l'instauration du régime de l'Union appelé à fondre le Canada français dans la masse anglaise, autrement dit, à le faire *disparaître*. Il s'agissait encore de faire fond sur des valeurs irrémédiablement disparues du Régime français et de ses habitants que Philippe Aubert de Gaspé père appellera sous peu les « Anciens Canadiens », pour les intégrer dans un monde contemporain qui n'en avait cure : la « mission » matérielle et spirituelle, la médiation dont le Canada français se sentait jadis investi, il la reconnaissait dans la vie de ce médiateur, précurseur par excellence, qui n'est rien par lui-même, voix qui appelle dans le désert, annonçant la venue d'un Autre, Jésus le « Messie ». Saint Jean-Baptiste, médiateur entre l'Ancien et le Nouveau Testament, devient ainsi au Canada français le médiateur entre l'Ancien Canada et le Nouveau Canada en train de se dessiner. Plus, saint Jean-Baptiste allait montrer aux Canadiens (français) comment une nation deux fois vaincue — 1759-60 et 1837-38 —, pouvait être gagnante, malgré tout... ailleurs, dans un autre Royaume. Le patronage de saint Jean-Baptiste, habilement prôné par les autorités ecclésiastiques et civiles, allait enseigner au Canadien français le renoncement au monde, l'esprit de pénitence, enfin, le refus de toute velléité de vengeance ou de *reconquista* après les deux défaites de 1760 et de 1838. Car ne répond-il pas aux soldats qui demandent à Jean-Baptiste « que faire » dans leur état de guerriers : « Ne faites ni violence, ni tort à personne, et contentez-vous de votre solde » (Luc, 3,14).

Si le Canadien français choisit en fin de compte de façonner, parmi les nombreux avatars de ce saint hypercomplexe, sa propre image, c'est pour l'adapter à son « roman familial », c'est-à-dire, l'adapter à sa situation d'enfant abandonné. À l'encontre de toute l'iconographie qui représente Jean, jeune bambin avec sa mère Élisabeth, sa tante Marie et son cousin Jésus, le Canadien, lors de ses parades du 24 juin, le montre tout seul, *hilflos,* « perdu », « démuni » comme Freud a justement défini la situation psychologique de l'enfant dépendant de ses parents. Précisément, comme nous l'avons déjà souligné à propos de *La petite Aurore,* en fixant son regard sur l'enfance du Baptiseur, le Canadien se voilait la face horrible, longtemps tabou, irreprésentable du Jean-Baptiste adulte, décapité. Tabou de sa propre décapitation sur les instigations d'une femme... sa propre mère. Image de son propre sacrifice.

C'est justement cette face sacrificielle, restée inconsciente dans la psyché canadienne, qui ne cesse de percer dans sa conscience depuis les critiques acerbes d'Olivar Asselin du « Saint-Jean-baptisme » au début du siècle jusqu'aux « décristallisations » opérées par des œuvres de fiction populaires comme *La petite Aurore.* Ce n'est donc pas un hasard si, lors de cette parade mémorable du 24 juin 1969, l'effigie du saint Jean-Baptiste enfant est décapitée. Preuve irréfutable que l'imago sacrifielle longtemps refoulée a rejoint sa représentation consciente. En devenant ainsi conscient de son inconscient, le Canadien rejette radicalement son patron car il découvre qu'il l'a vénéré sous de « fausses représentations » : l'enfant insouciant lui a caché le martyr supplicié.

Le Canadien français devenu Québécois répudie saint Jean-Baptiste, puisqu'il représente justement l'image de son moi qu'il s'agit de répudier : celle du Canadien français missionnaire spirituel qui renonce au monde matériel, politique d'ici, du médiateur au service d'un Autre (France, Angleterre, Église catholique). Se disant adulte, le Québécois rejette toute idée de dépendance, de filiation qui rappelle son ancien état d'enfance l'ayant amené à s'identifier pendant près de cent vingt ans à l'enfant Jean-Baptiste.

Depuis qu'il s'appelle *Québécois,* ce dernier n'a plus qu'une seule *vocation* : l'auto-appellation, l'auto-référence, l'auto-adoration, bref, l'Auto-Québec (*autos* : « le même, lui-même, de lui-même »). Nous le savons, tout nationalisme — Arnold Toynbee l'a montré —, opère un transfert du sentiment religieux, du sacré sur *sa* nation, la particularisant parmi toutes les autres. Kirilov des *Démons* de Dostoïevski exprime bien cette idée de transfert du tout Autre sur le Soi. « J'élève le peuple jusqu'à Dieu. Et quand en a-t-il été autrement ? Le peuple, c'est le corps de Dieu. Une nation ne mérite ce nom qu'aussi longtemps qu'elle a son *dieu particulier* et qu'elle repousse obstinément les autres » (nous soulignons).

Ne nous y trompons pas. Il vibre dans la quête de l'Indépendance *absolue* de tout nationalisme un je-ne-sais-quoi de cet orgueil sacrilège du Kirilov dostoïevskien qui voit dans l'indépendance l'attribut le plus fondamental de la divinité. D'ailleurs, le Québec *se* veut indépendant au moment même où il rejette la religion, *sa* religion, Dieu, où il croit ne plus dépendre de Dieu. Résurgence tardive au Québec de ce que le psychanalyste allemand H.E. Richter a appelé le « complexe divin », transfert progressif, depuis la Renaissance — trouvant son paroxysme chez Nietzsche — du sentiment de toute-puissance divine sur l'Homme.

Ainsi, par une *hybris* digne des personnages tragiques, le Québec se veut autonome, indépendant, plus, né de ses propres œuvres. Il n'a plus besoin d'un Autre, du tout Autre, Dieu, Jésus, les saints présents, omniprésents jusque dans sa toponymie. *Eros*, qui n'aime que soi, son propre corps, son propre désir, règne en maître sur ce Québec auto-érotique, comme nous l'avons vu dans *Le déclin de l'empire américain*. Ce que Jésus reproche aux pharisiens, devient vrai aussi pour les Québécois : « Vous n'avez jamais entendu sa voix [du Père], ni vu son visage, et sa parole, vous ne l'avez pas qui demeure en vous, parce que celui qu'Il a envoyé, vous, vous le ne croyez pas » (Jean, 5, 37-38). » Le Québec, un pays qui a perdu sa *vocation* originelle, parce que, n'écoutant plus que lui-même, il n'entend pas l'appel du tout Autre, Dieu.

Le Québec, collectivement, n'a plus que faire de Dieu, de ses commandements, de l'Église. Alors que le Canada français, pendant près de cent ans, a connu une véritable ruée sur les voiles, sur les autels des églises, sur les confessionaux, l'avènement du Québec est marqué par une désaffection du sacré. Les prêtres et les moines défroquent, les « bonnes sœurs » en quittant le voile se « dévoilent », les églises sont désertées, les trésors de son patrimoine vendus à vil prix. Les prêtres qui tiennent bon font des « compromis » avec le « monde », avec *Mammon*, se cassent la tête pour faire retourner les « fidèles » aux églises, ne serait-ce qu'à leurs sous-sols. Ces derniers, nouvelles « catacombes » québécoises où l'on se cache pour sacrifier à l'Antéchrist *Mammon* en jouant au bingo.

Aujourd'hui, les six « bingos » de Loto-Québec — la Quotidienne 3, 4, la Mini, l'Inter plus, la Sélect 42, la 649 et maintenant la dernière, au nom suggestif *Roue de fortune* —, qui se pratiquent « à ciel ouvert », sous la tutelle de l'État québécois, du coup, rendent les églises « inutiles ». Le Québécois peut gagner plus vite, avec plus de chances ailleurs qu'aux sous-sols des églises. Toute une nation coche frénétiquement les petites cases rectangulaires des bulletins de Loto-

Québec ou gratte les bons des stations-service, des magasins. Les Québécois : un peuple de chercheurs de trésors « cocheux » et « gratteux ». Les émissions de télévision, par des « jeux » et des « quiz » aux questions à la hauteur du quotient d'intelligence simien, distribuent des cadeaux en masse, devenant — tout en trahissant leur vocation culturelle — des rivales redoutables de Loto-Québec. Non, les trésors ne sont plus cachés dans le sein de la Terre, il ne faut plus les en extraire laborieusement, ils sont là, à la surface, à portée de la main, accessibles sans effort, il suffit de cocher et de gratter la surface.

Mammon et *Hasard* sont devenus les deux veaux d'or que les Québécois adorent en s'inclinant révérencieusement devant leurs décrets aléatoires. Le goût du lucre et du gain ne connaît pas de limites. « Gagner à coup sûr, vite et sans effort » dans tous les domaines est la nouvelle devise du Québec sous la coupe de *Mammon* qui remplace ainsi le « je me souviens » oublié. En 1986, 81% de la population de Montréal a joué à la loterie. Le dernier rapport annuel de Loto-Québec déclare un chiffre d'affaires de 1 036 000 000 $, un chiffre record.

Or, le référendum perdu du 20 mai 1980 et la crise économique de 1981-82 ont été de durs coups, traumatisants pour ce Québec qui se croyait assuré contre tout risque politique, matériel et spirituel, assuré de tirer en permanence le numéro gagnant. Ce Québec qui se pensait invincible, promis à un avenir, à un progrès façonné à l'image de ses désirs, de ses rêves, a dû s'avouer vaincu dans le domaine précisément où il a investi *toutes* ses ambitions depuis vingt ans : dans celui du politique, de la *polis,* dans son confort matériel.

Justement, Denys Arcand, dans *Le déclin de l'empire américain,* pousse jusqu'à l'excès, jusqu'à la décadence, ce Québec auto-érotique des satisfactions physiques immédiates régi par *Éros,* « gras dur », enfoncé dans le « confort et l'indifférence ». Ce film a voulu illustrer l'impasse dans laquelle est arrivé un certain Québec « déclinant ».

Dans la tourmente de ce Québec déliquescent, Denys Arcand a entendu la « voix profondément troublante » de celui qui prenait le contre-pied du credo des gains immodérés matériels et érotiques : la voix de Jésus. Cette voix, ne disait-elle justement pas : « Si quelqu'un veut venir à ma suite, qu'il se renie lui-même, et qu'il prenne sa croix, et qu'il me suive. Car celui qui veut sauver sa vie la perdra, mais celui qui perdra sa vie à cause de moi la trouvera » (Mt 16, 24-25) ? Dans sa situation de « perdant » depuis le référendum, le Québec écoutait de nouveau cette voix qui, à lui et à toute l'humanité, enseignait depuis deux mille ans comment une perte pouvait être aussi un gain, comment en perdant sa vie, on pouvait encore la gagner.

Mais le Québec n'est pas le seul à l'avoir entendue. Les médias l'ont relayée internationalement, mass-médiatiquement. Tout d'abord accompagnée des sons et des rythmes rock dans l'opéra rock *Jésus Superstar*. Jésus, une superstar chantant, rockant, qui a jeté sa croix aux orties parce que trop encombrante pour les rythmes endiablés de *heavy metal*. Plus récemment, Martin Scorsese, dans *La dernière tentation du Christ* a fait entendre cette voix altérée, viciée encore par des tentations d'*Éros* au moment même de sa crucifixion. Il a fait de son Jésus hollywoodien un *sugar daddy* américain.

Même un cinéaste comme Jean-Luc Godard, qu'on croyait imperméable aux quêtes spirituelles, nous a surpris — ou scandalisés, comme Scorsese —, avec un *Je vous salue Marie* où Marie se présente comme une mère-porteuse du Saint-Esprit et Joseph comme un chauffeur de taxi qui roule en Toyota. On comprend. Quel sacrilège ! Le *fiat* de Marie aurait mieux « roulé » dans une Fiat italienne ! Sauve qui peut (la Vie) ! Laquelle ?

Enfin, le journaliste et romancier Gérald Messadié, dans un roman saisissant, *L'homme qui devint Dieu*[3], a cristallisé cette fascination des différents médias pour l'*homme* Jésus. Car, en effet, le titre du roman de Messadié l'indique bien, ce qui a préoccupé les divers créateurs « appelés » par la vie de Jésus, ce n'est pas l'enseignement religieux traditionnel, « orthodoxe » d'un Dieu qui devint homme, mais à l'inverse, la tentation gnostique d'un homme qui, par une vie, certes exemplaire, mais tout à fait humaine, devint Dieu. Vieille querelle du portage de la « divinité » et de l'« humanité », ou de la fusion des deux dans le personnage de Jésus, qui remonte aux fondements de l'Église, querelle tranchée définitivement par le concile de Nicée (325) en faveur de la divinité de Jésus.

Quoi qu'il en soit, Jésus a été un personnage historique imprégné par les idées de son époque, vivant, mangeant, comme ses contemporains juifs. Il fallait donc cesser de le voir simplement « parachuté » du Ciel, envoyé par son Père sur une terre quelconque, anonyme en quelque sorte, pour le rachat des hommes. Dans le Jésus de ce roman, comme souvent, le plus local et le plus universel se sont conjugués. Juif, né à Nazareth, Jésus est mort — comme on l'expliquera après coup — pour avoir voulu ouvrir la Loi de Yahvé et de Moïse au genre humain, non plus réservée égoïstement, génocentriquement, nationalement à un *seul* peuple. Mais ce message universel de Jésus ne doit pas occulter son message local de Juif, de Judéen. G. Messadié comme d'autres avant lui, s'est mis à l'écoute de ce message historique.

Dans une postface autant passionnée que passionnante, l'auteur, catholique pratiquant, se montre impatient devant la lenteur avec laquelle moudent les moulins de l'Église pour intégrer dans son enseignement et ses prédications la récolte de renseignements sur le temps de Jésus que les fouilles archéologiques ont découverts, notamment depuis la découverte des célèbres manuscrits de la mer Morte en 1949 à Quoumrân et de l'Évangile de Thomas, retrouvé en Egypte, en 1945. Seulement vingt pour cent de ces manuscrits ont été publiés depuis quarante ans. Devant ces lenteurs qui dénotent de fortes résistances à modifier l'imagerie traditionnelle d'un Jésus vivant au-delà de son temps, G. Messadié s'est fait théologien *free lance,* franc-tireur théologique qui tire à hue et à dia les idées reçues « orthodoxes » de Jésus. Ainsi il montre, entre autres, Jésus imprégné par les idées de son cousin Jokanaan, installé à Quoumrân chez les sectes des Esséniens qui croyaient imminente la venue d'un « messie ». Fortement gnostiques, pour lesquels « fils de l'homme », seul qualificatif par lequel Jésus se présente, signifie l'« homme primordial » l'« Adam originel » auquel son avatar corporel retourne. En accord avec ces idées, le Jésus « gnostique » de Messadié ne meurt pas sur la croix, son enterrement n'étant qu'une simulation d'un « complot » ourdi par Joseph d'Arimathie et Nicomède. Enfin, la « résurrection » de Jésus, ce n'est que le retour d'un convalescent émacié que les proches ont de la difficulté à reconnaître parce qu'il s'est coupé la barbe ! On comprend pourquoi l'Église catholique a voulu tenir en laisse les « francs-tireurs » théologiques : il n'y aurait pas eu d'Église catholique (universelle).

Cela n'empêche que l'histoire sainte, comme toute histoire, est un « champ archéologique » que les hommes du présent ne doivent cesser de fouiller afin de ré-interpréter, de se ré-approprier leurs trouvailles. C'est là le sens des archéologues dans le film d'Arcand. « Il y a beaucoup de nouvelles découvertes récentes en archéologie, surtout depuis qu'Israël a annexé les nouveaux territoires (p. 34). » Il s'agit donc de confronter en permanence, de façon critique, la tradition évangélique avec ces « découvertes récentes ». Voilà la tâche même de la postmodernité dans tous les domaines des « sciences humaines ».

Malgré les critiques qu'on peut lui faire, le roman de G. Messadié nous montre que Jésus, figure exemplaire d'un temps historique, fait historique, doit être ré-actualisé, réapproprié par chaque génération, par chaque époque. Or, Jésus a été *plus* qu'un personnage historique : il a fondé une re-ligion qui re-lie chaque chrétien à sa personne, en lui demandant de l'imiter, de suivre le chemin qu'il a tracé de sa vie, de sa mort, « Chemin de la croix », de porter comme lui sa croix. Le christianisme ne devient re-ligion authentique, vivante qu'à condition que ce passé christique historique, lointain, est réincarné, réactualisé dans chaque chrétien, dans chaque ville, dans chaque nation.

C'est précisément ce que Denys Arcand a voulu faire : ré-actualiser, ré-incarner Jésus dans une métropole nord-américaine, québécoise : à Montréal. De là le titre *Jésus de Montréal*. Ainsi chaque ville, chaque village devrait avoir *son* Jésus : Jésus de Québec, Jésus de Rouyn-Noranda, Jésus de Chicoutimi...

Nous avons vu que la vocation de ce film sur Jésus est venue à Denys Arcand par un acteur qui jouait lui-même le « Chemin de la croix » sur le mont Royal. En fait, *Jésus de Montréal* se réactualise à partir d'un jeu d'acteurs, de comédiens qui jouent le « Chemin de la croix » du Sanctuaire de saint Joseph.

Ici les hasards de l'inspiration — soufflée par le Saint-Esprit ? — ont bien fait les choses. Car à l'origine, le théâtre *est* une religion, un rite sacré, re-présenté à certains moments de l'année, pour commémorer un événement religieusement inaugural. Ce théâtre originel est aussi *la vocation* par excellence, parce qu'y résonne, à travers le masque de l'acteur, la voix de l'Autre, de la divinité. Justement, les Romains, à la suite des Étrusques, appelaient *persona* ce masque, parce qu'à travers lui soufflait, résonnait la vive voix de l'acteur, incarnation de cet Autre.

À l'origine, le jeu théâtral n'est donc pas « jeu » au sens moderne du mot : illusion, fiction, « rigolade » (comédie) qui suspend les lois de la « réalité » par opposition au « sérieux » de la réalité avec ses sanctions tranchantes comme un couteau. Le théâtre originel est ce que l'homme a toujours estimé de plus sérieux, de plus réel, de plus essentiel : re-présenter ce lien qui se tisse entre le divin et l'humain, faire écouter la voix du tout Autre qui chante, récite sous les masques.

Ce n'est donc pas un hasard si le premier théâtre grec, origine de notre théâtre occidental, est associé aux rites, aux liturgies entourant les fêtes de Dionysos. *Tragédie* : le saut du bouc, du *tragos* consacré à Dionysos. En fait, les *liturgies,* le mot et la chose, dérivée du grec *liturgeia* (« service public ») ont été les contributions, services que les habitants de la *polis* rendaient, entre autres, pour pouvoir assister aux représentations théâtrales. Mais très vite, le théâtre grec se sécularise, avec un public fatigué des « vieux sujets » qui ressassent toujours une « même histoire », avec des auteurs qui ne cessent d'écrire de nouvelles pièces pour satisfaire la curiosité du public et des acteurs professionnels qui les jouent. Eschyle constitue ce passage du rite religieux, de la « liturgie » au jeu « politique » de la *polis*. C'est pourquoi la tragédie grecque constitue le champ de bataille où les divinités du premier théâtre religieux livrent une lutte (*agôn* disent les Grecs) acharnée contre les hommes qui défient leur suprématie. Ce pouvoir des dieux, rogné chez Sophocle, se défait dans le théâtre d'Euripide aux éclats d'un rire sarcastique où les dieux apparaissent avec leurs travers humains, trop humains.

Enfin, lorsque, après une longue éclipse, le théâtre renaît au cours du Moyen Âge, c'est encore sous la forme d'un théâtre religieux. Les *mystères* moyenâgeux, pendants scéniques de l'Eucharistie, mettaient en scène le « Chemin de la croix », la Passion de Jésus sur les parvis des églises. Lorsque ce premier théâtre commence à vouloir se séculariser, traiter des sujets non religieux, l'Église catholique sera une des forces de résistance les plus puissantes, jusqu'à empêcher longtemps l'établissement de lieux théâtraux dans la cité chrétienne. On connaît assez les excommunications dont ont été frappés les acteurs jusqu'au temps de Molière pour qu'il soit nécessaire d'y insister. Cette hostilité fondamentale de l'Église catholique à l'institution théâtrale s'explique par la rivalité farouche de leurs *vocations,* qui, *au fond*, obéissaient au même mode de fonctionnement : le jeu théâtral et la liturgie eucharistique font parler la voix d'un Autre. Voix du personnage, voix de Dieu. L'un et l'autre font exister l'Autre grâce à une incarnation par un acteur : le comédien, le prêtre.

On pourrait dire sans trop risquer de se tromper que la liturgie eucharistique perpétue le premier théâtre d'origine religieuse, pour lequel le jeu *est* réalité, révélation d'une vérité, d'un mystère religieux, tandis que le théâtre sécularisé se « dégrade » en illusion, en simulation, en faux-semblant, en trompe-l'œil, « divertissement » (Pascal) du monde sérieux, « réel ».

Justement, ces deux versants du théâtre, appelons-les *théâtre liturgique* et *théâtre d'illusion,* non seulement sont omniprésents dans *Jésus de Montréal,* mais constituent les deux points focaux autour desquels gravite ce film. Ils sont incarnés, en effet, par deux comédiens, Pascal Berger (Cédric Noël) qui ouvre le jeu, parce que dans le feu de la rampe, de la « gloire » médiatique, et Daniel Coulombe

(Lothaire Bluteau, ancien étudiant, soit dit en passant, du Collège de Rosemont), premier prix du Conservatoire mais chômeur inconnu des médias, qui a entendu l'appel de Jésus l'invitant à sa suite, à porter sa croix, à gagner sa vie en la perdant.

Ce n'est pas un hasard si, d'entrée du jeu, Pascal Berger — au nom démoniaquement trompeur — joue une scène adaptée des *Frères Karamazov,* dernier roman de Dostoïevski — qui reprend en les modulant quelques-uns des grands thèmes des *Démons,* mais tourne autour d'*un* sujet central : celui de l'existence de Dieu, comme l'auteur le note lui-même dans sa correspondance. « La question qui sera poursuivie dans toutes les parties de ce livre est celle dont j'ai souffert consciemment ou inconsciemment toute ma vie : l'existence de Dieu ! »

On l'aura reconnu, Ivan Karamazov est, en quelque sorte, le « frère spirituel » de Kirilov qui, par un acte de désespoir, pour nier Dieu et affirmer son indépendance de Dieu, se suicide. Sa devise, comme celle de Kirilov : « Si Dieu n'existe pas, il n'y a pas de vertu, et elle est inutile. » Frère abâtardi de Kirilov plutôt, « singe » de Kirilov parce que, plus lâche, pour prouver son indépendance, pour « détruire l'idée de Dieu dans l'esprit de l'homme (p. 16) », il *fait tuer* un autre, son père, incarnation biologique, familiale de Dieu, appelé aussi familialement et familièrement « Dieu le Père ». Comme l'a admirablement montré André Gide dans son *Dostoïevski* — qui reste encore aujourd'hui une bonne introduction au romancier russe —, certains personnages dostoïevskiens se dédoublent schizophréniquement en cerveau, en tête pensante et en bras exécutant, en bourreau sadique, écervelé. Dans *les Démons,* Stavroguine est la « tête » du « bras » Pierre Stepanovitch, appelé justement par le premier son « singe », comme Smerdiakov est le « bras » du « cerveau » Ivan Karamazov. Qui a vraiment tué le père Karamazov : le bras Smerdiakov ou le cerveau Ivan Karamazov ? Une question « casuistiquement » philosophique, digne d'un pharisien ! L'un rejette la responsabilité sur l'autre. « C'est toi qui l'a tué ! », dit Ivan, « C'est vous qui l'avez tué », répond Smerdiakov (p. 16).

Ivan a un alibi parfaitement légal : il n'était pas sur le lieu du crime lorsque celui-ci fut commis. À quoi répond encore Smerdiakov : « C'est moi qui ai frappé, mais c'est vous qui êtes l'assassin ! Souvenez-vous de ce que vous disiez (p. 16) ! » C'est Ivan Karamazov qui lui a mis l'idée dans la tête. « Légalement, vous êtes assassin », lance Smerdiakov dans *Les frères Karamazov.*

Pour Dostoïevski, pas de doute, c'est l'intellectuel, le pharisien, le « philosophe » qui a semé ces idées impies, le grand responsable. Il doit les récolter au risque de sa propre mort, pis, de sa damnation, perdition spirituelle. Pas de doute non plus que les Ivan Karamazov — Smerdiakov et les Stavroguine-Stepanovitch — sont les pendants abjects, orduriers abominables — « l'abomination de la désolation » — des personnages sublimes, christiques comme le jeune Aliocha et le starets Zossima, ou le prince Muichkine, l'« Idiot », le « Jésus de Saint-Pétersbourg », qui plutôt que de prendre égoïstement la vie des autres — ou la leur — *se* donne par amour aux autres, qui gagnent leur vie en la sacrifiant, en la perdant. Le sacrifice du Christ, sa crucifixion, a été pour Dostoïevski le modèle de tout sacrifice volontaire, non exception, mais « loi de la nature ». Comme il note encore dans sa correspondance : « Sacrifier volontairement sa vie pour les autres, se crucifier pour tous, monter sur le bûcher, tout cela n'est possible qu'avec un puissant développement de la personnalité ».

Ivan Karamazov, un de ces faibles qui se croient forts, incarnation même du « complexe de Dieu » dont il a été question plus haut. Ils tuent Dieu, car lorsque Dieu est mort, tout est permis. Sans but autre que lui-même, l'homme, sans espoir, jouit avec désespoir de chaque instant, comme les personnages du *Déclin*. « Chacun saura qu'il est mortel, sans aucun espoir de résurrection, et chacun se résignera à la mort avec une fierté tranquille (p. 15-16). » Smerdiakov a « cru » le « credo » diabolique d'Ivan qui lui a susurré à l'oreille comme le Malin : « Mais qu'en attendant il était promis à tout individu conscient de la vérité de régler sa vie comme il lui plaisait. Je vous ai cru, moi (p. 16) ! »

Smerdiakov s'est rendu surtout aux « arguments » sonnants et trébuchants d'Ivan, il s'est rendu à Mammon. Ainsi s'expliquent les premières images supprimées, sacrifiées finalement à Chronos du scénario originel de *Jésus de Montréal*. On aperçoit d'abord un « vieux livre » qui se trouve être *Les Saints Évangiles,* comme le révèle son titre quelque peu effacé. Une main anonyme ouvre les Évangiles et en retire une liasse de billets de banque. Cette première prise de vue qui va s'élargir sur une scène de théâtre, montre maintenant le « propriétaire » de la main : Smerdiakov. C'est lui qui n'est que main exécutante, c'est-à-dire le bourreau qui retire les billets de la Bible.

Cette première séquence, dans sa brièveté muette, lapidaire, illustre l'en-jeu de ce jeu, de cette pièce jouée, « mise en abîme », à son tour, de celui du film même. Elle illustre, justement, la parole de Jésus sur le choix *exclusif* que l'homme doit faire entre deux maîtres : Dieu *ou* Mammon. *Mammon* étant un mot d'origine babylonienne dérivé de *Man-man*, dieu des enfers, démon, diable. Comme l'a bien montré Freud, dans beaucoup de mythologies, chez les Aztèques entre autres, « l'or est l'excrément de l'enfer[4] ». Donc on ne peut servir *à la fois* Dieu et le Diable, l'Esprit et la Matière, Dieu et Argent-Pouvoir. « Nul ne peut s'asservir à deux maîtres : ou bien en effet il haïra l'un et aimera l'autre, ou bien il s'attachera à l'un et méprisera l'autre. Vous ne pouvez vous asservir à Dieu et à Mammon (Matthieu 6, 24). » L'alternative est claire : il ne doit pas y avoir de compromis, de confusion possibles, comme ceux suggérés par l'image des billets de banque retirés de la Bible. En effet, le dénuement, l'abandon des richesses, des trésors est une, sinon *la* condition la plus fondamentale exigée par Jésus pour le suivre, pour l'imiter. « Ne vous amassez pas de trésors sur la terre, où mite et ver anéantissent, et où les voleurs percent les murs et volent. Amassez-vous des trésors dans le ciel[...] Car là où est ton trésor, là sera aussi ton cœur » (Matthieu 6, 19-21). Voilà située cette dernière phrase de Jésus qui est, nous le verrons, au « cœur » de ce film. Enfin, les marchands chassés du temple, la parabole de Lazare et du « mauvais riche » (Luc 16, 19-31) et l'image saisissante sur laquelle nous reviendrons plus loin, selon laquelle il est plus facile à un chameau (animal le plus grand de l'Orient) de passer par un trou d'aiguille à coudre qu'à un riche d'entrer au royaume des cieux, nous montrent la radicale exclusion de l'Un *et* de l'Autre, de Dieu et de Mammon, de Dieu et de Diable.

Pascal Berger est donc l'acteur québécois qui joue ce Smerdiakov vendu à Mammon. Smerdiakov qui, en servant l'Autre, le Malin, tue son prochain, tue Dieu, se tue finalement. Prenant le contre-pied de l'enseignement de Jésus qui demande que nous perdions notre vie pour la gagner, Smerdiakov, en voulant gagner sa vie avec de l'argent, perd celle d'un autre comme également la sienne en se suicidant. C'est pourquoi sur terre déjà il vit dans l'enfer, étant un suppôt du Malin. Car l'enfer, « c'est la souffrance de ne plus pouvoir aimer (p. 17) ». Sans amour, sans cœur, Smerdiakov a rejeté l'Amour de celui qui a placé son trésor dans son cœur, dans l'Amour pour le prochain, pour son sacrifice. « Une fois, dans l'infini de l'espace et du temps, un être spirituel est apparu sur la terre, et a eu la possibilité de dire : "Je suis et j'aime" [...]. J'ai repoussé ce don inestimable. Je ne l'ai ni apprécié, ni aimé (p. 17). »

En maudissant les suicidés, parce qu'ils « se maudissent eux-mêmes, en maudissant Dieu et la Vie », il tire une corde d'un coffre, la fixe à une poutre, passe le nœud coulant autour de son cou, repousse le tabouret sur lequel il se tient pour laisser tomber son corps dans le vide.

Rideau et applaudissements frénétiques de la salle.

Tout n'a été qu'un jeu, une illusion, de la simulation, du *fake*.

Pascal Berger est, « incarne » l'illusion, la tromperie, le mensonge. Dans *illusion,* il y a la racine latine *ludus* (jeu). Or la plupart des mots composés de *ludus* et du verbe *ludere* (jouer) ont un sens péjoratif en latin : *illusio,* « raillerie », « lésion infligée par les paroles », *delusio,* « tromperie », « faux-semblant ».

Pascal Berger ne représente pas seulement Judas, le mauvais disciple, le traître qui se vend pour de l'argent, qui joue le Malin dans la scène des *Frères Karamazov,* il *est* une des expressions du Mal, du Malin dans *Jésus de Montréal.* Le Malin n'a-t-il pas été le premier simulateur, le premier « illusionniste », le premier séducteur qui, par son jeu, par ses paroles trompantes a induit Adam et Ève en erreur ? « Vous serez *comme* des Dieux ? » C'est ce *comme* qui incite Adam et Ève à quitter leur être, ce qu'ils *sont,* des humains, pour jouer le rôle de Dieu, *comme* des acteurs.

Pascal Berger, un comédien « illusionniste », diabolique, qui se vend corps sans âme (puisqu'il n'en a pas) à l'empire de la simulation, du faux-semblant, de la séduction subliminale, de la fausse représentation, du « comme si » : l'empire de la pub, incarnation du Malin, de Mammon dans le *Jésus de Montréal.*

Berger, après avoir nié vouloir faire de la publicité, se fait acheter par Denise Quintal (Monique Miller), directrice de production d'une grande agence de pub montréalaise, comme le personnage qu'il a incarné, Smerdiakov s'est fait acheter par Ivan Karamazov. « Je veux sa tête », s'exclame-t-elle après avoir vu la pièce de théâtre. La tête de Berger pour la campagne de « l'Homme sauvage ». À la fin du film, on constate, justement, que Denise Quintal a eu sa tête, lorsqu'on voit dans le métro l'affiche gigantesque de Pascal Berger, « l'Homme sauvage ». Sa tête et peut-être aussi autre chose... Puisque Denise Quintal semble être aussi bien portée sur les « fesses » de ses clients, lorsqu'elle dit en aparté à l'« homme élégant » qui nous fait découvrir Mireille : « C'était parfait, trésor. C'est juste dommage qu'on puisse pas filmer tes fesses (p. 47). » Et elle lui pince une fesse avec un sourire sous-entendu. La fesse, l'endroit où est évacué le « mammon originel », la merde. Comme pour confirmer cette filière freudienne de l'érotisme anal et de l'argent-Mammon, Pascal Berger, lorsque Denise Quintal l'incite à parler à Daniel et à ses amis après les avoir vus jouer, se refuse avec ces mots : « Ah non, ça m'emmerde, moi (p.89). »

Au théâtre de l'illusion et de la désillusion, Pascal Berger s'oppose le théâtre liturgique, théâtre de la foi, de la vérité, dans la mesure où l'on y joue ce qu'on vit et que l'on y vit ce que l'on joue. Jeu et existence, être et paraître, scène théâtrale et scène du monde, de *toute* la ville de Montréal, se confondent de façon telle que les suppôts du Malin, illusion, supercherie, simulation, perfidie, ne trouvent pas le moindre interstice pour s'insinuer.

Tout d'abord, Daniel *est* ce que son nom dit être : Daniel Coulombe, tandis que la supercherie du démoniaque Pascal Berger commençait déjà avec son nom. Imitation fallacieuse et dérisoire de celui qui a voulu être le « bon berger » de tous les hommes : Jésus. Le Diable, le « singe » de Dieu, comme Smerdiakov a été le « singe » d'Ivan Karamazov.

En effet, Daniel porte le prénom du prophète Daniel, l'auteur d'un des plus beaux, des plus visionnaires livres de l'Ancien Testament. « Daniel dans la fosse aux lions », « Daniel dans la fournaise ardente » sont entrés dans l'imagination populaire de la chrétienté. C'est pourquoi Daniel dans le film rugit comme un lion en jouant avec Rosalie (Andréavine Deneault), la fille de Constance Lazure (Johanne-Marie Tremblay).

Mais Daniel est surtout le visionnaire de la fin d'Israël, de la fin des temps. C'est lui qui introduit la formule devenue célèbre dans le Nouveau Testament : « Abomination de la désolation » (Daniel, 9, 27), terme de mépris, synonyme d'« ordure », appliqué aux idoles de l'Autre, de Mammon. Précisément, lorsque Daniel Coulombe, le Jésus de Montréal, sent sa/la fin proche dans le métro de Montréal, il se rappelle les paroles de son patron reprises par le Nouveau Testament : « Quand vous verrez l'abomination de la désolation, si vous êtes dans les plaines, il faut vous enfuir dans les montagnes. » (Matthieu 24, 15-16 ; p. 175)

Enfin, Daniel est le premier à laisser entendre une résurrection générale des corps après la mort, dans la citation que nous avons mise en exergue : « Et beaucoup de ceux qui donnent au pays de la poussière se réveilleront, ceux-ci pour la vie éternelle, et ceux-là pour l'opprobre, pour l'horreur éternelle. » (Daniel 12, 2)

C'est justement parce que Jésus a vaincu, le premier, l'abomination de la désolation de la mort, qu'il est ressuscité d'entre les morts, que son « Chemin de la croix » est plus que du théâtre de l'illusion, de la simulation, que Daniel et ses « copains » croient, incarnent ce qu'ils jouent, comme Jésus incarné dans la liturgie de l'Eucharistie. « Ils (les martyrs) demeuraient inébranlables : Jésus avait vaincu la mort, et il les attendait dans son royaume [...] Jésus est vivant, nous l'avons rencontré (p. 82-83). »

Certes, le corps de Daniel Coulombe, l'acteur québécois qui commence par jouer la vie et la mort de Jésus de Nazareth et qui finit par incarner Jésus à Montréal, ne ressuscite pas, mais aussi précieux, il fait vivre par le don d'organes, d'autres hommes et femmes qui, sans cela, mourraient. La mort de Daniel comme celle de Jésus produit de la Vie. Certes, sa vie se termine avec sa mort. Mais d'autres vivront, grâce à sa mort.

Le nom de famille *Coulombe* évoque la « douceur », non d'un Jésus fadasse, lénifiant, mais la « force tranquille » de quelqu'un qui sait que les idées qu'il défend finiront par triompher. Se référant aux prophéties d'Isaïe qui annoncent Jésus, ce dernier dit :

> Il ne disputera ni ne criera, et on n'entendra pas sa voix sur les places ; il ne brisera pas le roseau froissé, et il n'éteindra pas la mèche qui fume encore, jusqu'à ce qu'il ait mené le jugement à la victoire. Et c'est en son Nom que les nations mettront leur esprit (Matthieu 12, 18-21).

Daniel Coulombe, par sa vie en accord avec son nom de famille, est d'emblée ce que Jésus demande que ses disciples soient : « Montrez-vous donc [...] simples comme les colombes » (Matthieu 10,16).

Mais l'opposition manichéenne centrale, certes, des acteurs Daniel Coulombe et Pascal Berger ne doit pas nous faire oublier les compagnons de Daniel ou plutôt ses *copains* avec lesquels il partage littéralement le pain, fût-ce du pain pita oriental ou de la pizza italienne — tous aussi des acteurs. Comme Jésus de Nazareth, celui de Montréal arrache ses disciples à leur condition de vie instable. Les « publicains » du temps de Jésus sont devenus les « pigistes », travailleurs temporaires, « chargés de cours », bref des gens avec des « jobs pas *steady* ». La première, appelée par Daniel pour jouer le « Chemin de la croix » à l'oratoire Saint-Joseph, travaille bénévolement au Centre d'accueil Bonneau où on nourrit les clochards, les robineux, les sans-abri, les chômeurs dont les rangs se gonflent dans une société québécoise à idéologie « néo-libérale » où la rentabilité et le profit règnent en maîtres et qui, de ce fait, considère ces marginaux comme des déchets « non recyclables ». Donc celle qui jouera Marie donne évangéliquement de sa personne aux pauvres. Comme Marie, Constance est fille mère, mère monoparentale selon la formule maintenant médiatiquement consacrée. Elle a porté un enfant dont on ne connaît pas le père. Elle habite dans un endroit élevé, dans un *loft*. Terme qui, en vieil anglais, signifie « ciel », « air », proche de l'allemand *Luft* (air). Sans hésiter, Constance accueille Daniel chez elle. « Tu peux venir chez moi, il y a de la place (p. 26). » Évidemment, l'Immaculée Conception est un problème théologique sur lequel Denys Arcand ne s'est pas cassé la tête ! Elle a déjà conçu sexuellement sa fille et continue de « se donner » à Raymond Leclerc (Gilles Pelletier), religieux de la communauté du Sanctuaire. Non par concupiscence, plutôt par « charité ». « Oh, ça lui donne tellement de plaisir, et puis ça me fait si peu de mal (p. 40) ! » Phrase qui vient droit des Frères Karamazov : de la bouche de la fille qui, lors de sa confession, n'arrive pas à se repentir de ses multiples « péchés de la chair ». Donnant donnant, Constance Lazure est engagée tous les ans au Chemin de la croix traditionnel du père Leclerc et recommandée pour un réengagement du Chemin de la croix « revampé », modernisé, de Daniel Coulombe. « C'est une fille qui a une sensibilité exceptionnelle » (p. 25).

Puis, Martin Durocher (Rémy Girard), le seul rescapé avec Yves Jacques du *Déclin de l'empire américain,* qui croupit dans un studio de postsynchronisation en train de prêter sa voix à des films pornos étrangers de très bas étage : deux lesbiennes se pourléchant « cunilinguistiquement » prises en flagrant délit par un « mari » joué par Martin. Pas d'hésitation pour Martin. Il suit tout simplement Daniel en laissant tout tomber, sans même finir sa scène. Il agit comme ce scribe : « Maître, je te suivrai où que tu ailles » (Matthieu 8,19).

De son côté, René Sylvestre (Robert Lepage) travaille dans un studio de mixage où il lit un texte de vulgarisation sur le big bang alors que défilent devant les spectateurs ébahis, Daniel et Constance, les images cosmiques plein écran.

Un point incandescent, le cosmos « crunché » en miniature, en implosant explose, dissémine sa lumière, son énergie et ses particules partout dans ce que deviendra dans quelques milliards d'années le « cosmos ». L'énergie des photons, des neutrinos, des électrons, en refroidissant, se cristallise en morceaux de matière informe, de plus en plus gros, se façonnant en planètes, en étoiles « arrondies ». Les matières se sédimentent, se forment, se métamorphosent sous le coup d'anamorphoses époustouflantes. Sur une planète, dans la « soupe origi-nelle » tiède, agitée par des orages électriques sauvages où l'énergie survoltée se décharge, naît une première matière organique ayant la possibilité de s'auto-organiser. La vie apparaît sur terre. Le dernier venu, l'homme « descendu » des singes, est le seul des habitants ter-restres qui puisse ré-fléchir sur son passé cosmique, lui-même « pous-sières d'étoiles », comme le lui a rappelé Hubert Reeves. Ces humains sont là sur la scène cosmique, spectateurs émerveillés de leur propre passé lointain.

La caméra passant alternativement derrière et devant l'écran, ces personnages, perdus dans l'espace, illustrent parfaitement *hic et nunc* que l'homme n'est qu'un épiphénomène, nullement nécessaire dans la cosmogenèse. « Le monde a commencé sans l'humanité et il s'achèvera sans elle[...] la durée de la vie telle que nous la connaissons n'aura été qu'un minuscule instant, pendant lequel nous aurons existé et, à la disparition du dernier esprit sur la terre, l'univers n'aura même pas senti sur lui le passage d'une ombre furtive (p. 43). »

Ces images cosmiques, produites d'ailleurs par l'ONF, en plus d'être plastiquement très belles, associées au commentaire qui l'ac-compagne, mettent dans une perspective cosmique la mission quasi impossible de Dieu d'envoyer son fils unique sur une planète de ban-lieue située elle-même dans une galaxie périphérique. Comme nous l'a rappelé récemment Stephen Hawking dans son livre passionnant *Une brève histoire du temps* (Flammarion, 1989), nous savons aujourd'hui que notre galaxie, loin d'être centrale dans le cosmos, n'est qu'une parmi les plus de cent millions observables à l'aide de nos télescopes modernes, que notre galaxie a une étendue d'environ cent mille années de lumière et que notre soleil est une étoile jaune ordinaire, de taille moyenne, située à l'intérieur d'un des bras de notre galaxie. Depuis Copernic, le géocentrisme d'abord, puis l'héliocen-trique prennent des coups de plus en plus durs.

Tant que nous croyions notre terre, notre soleil, notre galaxie au centre de l'univers, le projet de Dieu de faire naître son fils précisément sur *cette* planète terre confirmait pour ainsi dire après coup la centra-lité, tout du moins la place privilégiée de ses habitants, les hommes, dans l'ordre cosmique. Mais maintenant que nous savons que la terre est une infime poussière dans la vastitude d'un cosmos en constante expansion, le plan de Dieu d'envoyer son fils Jésus sur cette planète « insignifiante » pour sauver ses habitants paraît encore plus extraor-dinaire, plus incroyable. Si nous n'avons plus besoin de « l'hypothèse de Dieu » pour expliquer la « création » du monde, de l'univers, nous avons, par contre, vitalement besoin de l'« hypothèse de Jésus » qui, par sa mort et sa résurrection, nous a délivrés de la mort.

Pourtant, celui qui est appelé là par Daniel dans le studio de mixage, René, qui lit les commentaires de l'astrophysicien, dépassé par le progrès des connaissances de la physique (« dans cinq ans, ça risque d'être complètement autre chose ») n'accepte pas d'emblée l'« hypothèse de Jésus ». Il n'embarque pas tout de go comme Martin, sans (se) poser des questions. La foi rend aveugle et muette. Le doute ne rend peut-être pas lucide, mais loquace. René justement incarne Thomas, l'intellectuel de la « bande à douze », le ratiocineur, le « criticailleur » qui reste sceptique tant qu'il n'a pas lu, touché de ses doigts, le texte, écrit noir sur blanc. « J'aime ça pouvoir lire le texte avant de décider (p. 44). » L'idée d'un « texte collectif », d'une création collective qu'est nécessairement l'histoire de Daniel-Jésus — contrairement à l'unicité narcissique de Pascal Berger — Mammon qui se fige en *une* image —, cette idée donc du texte collectif lui répugne et il dit « non » dans un premier temps.

Par contre, il donne le « tuyau » d'une fille « probablement intéressée », mais « peut-être pas tout à fait le genre que vous cherchez (p. 45) », Mireille Fontaine (Catherine Wilkening), jeune actrice vendue corps et âme à la pub-Mammon. Nous la découvrons en tournant un *spot* publicitaire qui fait la promotion d'un parfum au nom évocateur « Esprit, numéro sept ». Mireille, de voiles vêtue qui dévoilent plus qu'ils ne voilent son anatomie avantageuse, marchant dans un bassin de marbre où jaillissent des jets d'eau, s'avance vers la caméra tout en s'approchant d'un homme dit « élégant » qui séduit les femmes grâce à « son » « Esprit, numéro sept ». Mireille, aimantée par l'« Esprit » de l'homme élégant, frôle sa joue d'un baiser furtif.

La mise en scène de ce *spot* est assurée par Jerzy Strelisky (Boris Bergmann) réalisateur de films publicitaires. Il se trouve être aussi le « mec », ou plutôt le « mac » avec lequel Mireille est « accotée ». Car le trésor, le « talent » de Mireille, il ne le voit pas placé dans son « cœur », mais dans son « cul ». Rendu dans leur appartement hypermoderne du centre-ville, en soulevant le chandail de Mireille sur ses fesses Jerzy s'exclame : « Regarde. Tu ferais bander un paraplégique ! Ton plus grand talent, ma petite puce, ça reste ton cul (p. 48). » Encore la filière cul-Mammon, merde-or. Hypothèse osée ? Jerzy la confirme par ses propres mots. Lorsque Mireille, offusquée, dégoûtée s'échappe, Jerzy rapplique : « Mais je te dis ça parce que je t'aime, ma puce ! Tu vas te couvrir de ridicule dans cette histoire [celle de Jésus] ! Enfin merde (p. 48) ! »

Sans aucun doute, Mireille figure Marie-Madeleine appelée ainsi parce que Magdaléenne, venue de Magdala sur la rive occidentale du lac de Gennésareth. Madeleine, une « fille légère », dans le « pub » de l'époque ? Seul Luc l'appelle une « pécheresse ». Lui seul aussi mentionne qu'elle était « possédée », puisque « sept — chiffre saint, accolé par dérision aussi à l'"Esprit, numéro sept" —, démons (en) étaient sortis » (Luc 8,2). Alors Madeleine, une « nymphomane » et une « hystérique » comme le pensent G. Messadié et d'autres exégètes mâles ? Marie-Madeleine plutôt symbole du don, du don total, corps et âme à la cause de Jésus, de la sublimation du corps en « âme », en « esprit » par les effluves du parfum. Ainsi lorsque Mireille-Madeleine rencontre Jésus, elle laisse tomber les « Jerzy » pour prouver qu'elle a d'autres « talents » que son corps, son « cul ». Si bien que Mireille-Madeleine fait partie des rares « disciples » courageux — des femmes uniquement qui accompagnent Jésus, de loin, il est vrai —, jusqu'à la croix, jusqu'à son enterrement. À Marie qui pleure « comme une Madeleine », lorsqu'elle découvre que la tombe de Jésus est vide, Jésus est le premier à se manifester, transfiguré, après sa mort. C'est elle la première à annoncer la bonne nouvelle de sa résurrection. « J'ai vu le Seigneur, et voilà ce qu'il m'a dit » (Jean 20,18).

Jésus, un « homme qui aimait les femmes ». Pour cause. Parce qu'elles écoutent plus attentivement, parce qu'elles suivent plus fidèlement, parce qu'elles sont séduites plus facilement par son « charme » que les hommes. Voyez la scène de Jésus avec Marie-Madeleine, la « pécheresse pardonnée » qui inonde les pieds de Jésus de larmes, les essuyant avec ses cheveux, les couvrant de ses baisers, les frottant, frictionnant de parfum (marque « Esprit, numéro sept » ?). Scandale ! À cause de la dépense inconsidérée, du prix du parfum, trois cents deniers dont s'offusque Judas Iscariote (Jean 12, 5-6) qui vendra Jésus pour seulement le dixième du prix du parfum. Offense à la pudeur, à la moralité ! Jésus qui prend littéralement son pied avec une pécheresse ! Le pharisien de service prêt à appeler l'« escouade de la moralité » ! Mais Jésus lui rabat vite son caquet. Que m'as-tu comparé à cette femme ?

> Je suis entré dans cette maison (Jésus est invité à dîner chez le pharisien), tu ne m'as pas donné d'eau pour mes pieds ; elle, au contraire, m'a arrosé les pieds de ses larmes,

et avec ses cheveux elle les a essuyés. Tu ne m'as pas donné de baiser ; elle, au contraire, depuis que je suis entré, n'a cessé de me couvrir les pieds de baisers. Tu ne m'a pas oint la tête d'huile ; elle, au contraire, m'a oint les pieds de parfum. À cause de cela, je te le dis, ses péchés, ses nombreux péchés, lui sont remis, puisqu'elle a beaucoup aimé. (Luc 7, 44-47).

« Elle a beaucoup aimé. » Clarifions, car les débauches de confusions qui se font avec le mot et la chose « amour » ont quelque chose de démoniaque, de l'œuvre de Mammon. La « pécheresse » a jadis « aimé » érotiquement, sous l'empire d'*Éros*. Elle aime aujourd'hui sous les signes d'*agapè,* de *caritas,* d'un amour qui ne prend pas seulement égoïstement, mais (se) donne généreusement. Le parfum qui devait aimanter les amants, elle le verse avec prodigalité sur les pieds de Jésus. Potlatch d'amour, geste d'humilité non d'humiliation, à l'image de celui de Jésus qui n'est pas monté sur ses grands chevaux, comme un roi, mais sur un âne, qui n'est pas venu en maître mais en serviteur. Madeleine-Mireille sert Jésus jusqu'après sa mort...

Certes, Mireille a une petite déprime lorsqu'elle se regarde dans le miroir pour la première fois, sans masque, sans fard. « Tu as pas vu la gueule que j'ai (p. 57) ? » Mais en « travaillant sa passion » (Constance), Mireille saura se passer de fard, d'anti-cernes, de rimmels, de lunettes de soleil, de tous ces masques qui cachent son vrai visage, pour être elle-même.

Enfin, même le père Leclerc a déjà été un acteur, plus, un « fou du théâtre » comme il s'appelle. Piqué par le virus, il avait monté jadis de Brecht *La vie de Galilée* au grand séminaire : ça sent le soufre et le roussi ! Il voyageait un peu partout pour voir jouer les grands acteurs : Alec Guiness dans *Richard III* et Gérard Philipe dans *Lorenzaccio.* Mais finalement, la vocation de Jésus s'est substituée à la vocation du théâtre : il s'est fait ordonner prêtre. En montant le Chemin de la croix à l'oratoire Saint-Joseph, il concilie en quelque sorte ses deux vocations, il fait un compromis.

On pourrait penser que dorénavant, même dans sa vie, le *théâtre liturgique* aurait pris la place du *théâtre de l'illusion,* la sincérité celle du mensonge, le visage celle du masque. Or il n'en est rien. Le *théâtre de l'illusion* qu'il a refoulé en tant que vocation, comme profession, revient en force — retour du refoulé — dans sa vie. Moins courageux que le comédien qui se brûle, s'« offre » tous les soirs au public sur les planches, et qui sait faire la part entre les «planches» et le «monde», entre le «jeu» et la «vie», le père Leclerc est un comédien à la petite semaine qui mène une vie de pleutre, de faux-semblants, de compromis entre la liturgie et l'illusion. Célébrer l'Eucharistie ne l'empêche pas de «célébrer» les supercheries, le mensonge.

Survivant, plutôt épave de la «Révolution tranquille», le père Leclerc, sans avoir complètement perdu la foi, a perdu Jésus comme modèle vivant qui ressource la foi, la ré-actualise continuellement. Pendant que ses collègues plus courageux défroquaient, il est resté au sein de la «mère» Église québécoise qui donne un bon gîte, nourrit et blanchit bien ses prébendés. Non par goût de servir Dieu et ses prochains, mais par goût du confort matériel. Il couche bien avec Constance sans oser faire le «saut», quitter la soutane et vivre maritalement avec Constance. Il veut servir deux maîtres : un Maître et une maîtresse. Il n'a pas «le courage, comme remarque Constance, de laisser tout ça : ton bel appartement, avec les religieuses, pour faire le petit déjeuner et tout et tout (p. 38-39) ».

Acteur minable qui veut jouer deux scénarios, deux rôles en même temps, qui joue un double jeu, qui encaisse les prébendes, et vit conjugalement avec Constance, s'empiffre de bons petits déjeuners. Il sait, en donnant sa «démission» qu'il aurait simplement le droit à une «paire de pantalons, une chemise, un blouson en nylon et cinquante dollars *cash*. C'est tout. *Bye, bye* (p. 39) ». Cette peur viscérale de perdre son petit confort matériel se manifeste encore, lorsque Constance et Daniel le supplient de les suivre dans leur entreprise de «rénovation», d'actualisation montréalaise du Chemin de la croix. «De quoi tu as peur, Raymond ? » interpelle Constance ce prêtre pusillanime. «J'ai peur d'être nommé aumônier d'une maison de retraite en banlieue de Winnipeg. Je veux pas passer mes hivers à Winnipeg (p. 155).» On comprend sa peur ! Ah, une nomination dans la banlieue de Fort Lauderdale...

On l'a compris, le père Leclerc figure dans la Passion de Montréal le pharisien du temps de Jésus. La synagogue comme lieu de prière et d'interprétation de la Loi a été la création des pharisiens. Nécessité dans une religion qui connaît une pléthore de commandements et d'interdictions qu'il s'agit d'expliquer. 613 commandements positifs, 365 interdictions et 248 prescriptions diverses. Mais puisque la Loi, selon les pharisiens, incluait non seulement celle écrite, mais également celle non écrite de la «tradition des pères», leur rôle dans leur société s'amplifiait, du fait qu'ils n'avaient pas seulement à interpréter la Loi, mais à ré-interpréter ses exigences là où la « tradition » restait muette. Par exemple, ils devaient décréter ce qui était permis le jour du sabbat et ce qui était interdit.

De par leur fonction, les pharisiens devenaient des casuistes, mariant à merveille la « casuistique ». Plus soucieux de la lettre de la Loi que de son Esprit, ils coupaient les cheveux en quatre, se montraient vétilleux, cauteleux sur des bagatelles, alors qu'ils étaient aveugles aux « grandes choses », essentielles, vitales. Dans sa longue imprécation que Jésus lance « aux scribes et aux pharisiens » — scribes et pharisiens sont mis dans le même sac puisqu'ils s'intéressent plus à la *lettre* qu' à l'*esprit* de la Loi — à la fin de l'évangile de Matthieu (23, 1-36) n'a-t-il pas recours à cette image parlante : « Guides aveugles, qui filtrez le moucheron et engloutissez le chameau » (Matthieu 23, 24). La conscience est un crible, un filtre. Les pharisiens font passer au filtre fin les puces et les moucherons — les plus petites choses, les vétilles —, par contre ils avalent sans hésitation le chameau — animal le plus grand de l'Orient — donc n'ont pas de scrupules à accepter les plus grandes « énormités » en regard de la Loi.

Juifs pourtant comme lui, ces pharisiens deviennent les ennemis de Jésus qui, à la fin de sa vie, ne cessent d'être la cible de ses attaques. Par un jeu de retour naturel, Jésus devient l'*Ennemi* à abattre de l'establishment pharisien. Un mot qui les caractérise qui revient dans les charges et imprécations de Jésus contre les pharisiens : *hypocrite*s.

> Malheur à vous, scribes et pharisiens *hypocrites,* parce que vous purifiez l'extérieur de la coupe et de l'écuelle, alors qu'à l'intérieur ils sont pleins de rapine et d'incontinence. Pharisien aveugle, purifie d'abord le dedans de la coupe, pour que le dehors aussi devienne pur. (Matthieu 23, 25-26).

Hypocrite nous ramène encore au monde théâtral à la scène : *hypokritês* en grec signifie « acteur », *hypokrisis* « jeu ou débit de théâtre ». Sur la scène, l'acteur est naturellement « hypocrite », justement parce qu'il est acteur, parce que pour jouer un personnage, il affuble le cothurne, le socque, le masque, le costume, il se grime, bref, il devient autre tout en restant le même. L'*hypocrisie* est la loi de transformation de l'illusion théâtrale.

Or sous les coups de boutoir de Jésus, l'« hypocrisie » de l'acteur, originellement neutre, se déprécie à un point tel, qu'elle en vient à contenir la charge maximale d'injures contre ses ennemis, les pharisiens. C'est qu'ils sont comédiens dans un domaine où l'« hypocrisie » du masque, du faux-semblant, de l'illusion ne sont dorénavant plus de mise : dans la foi. Nous l'avons vu, Jésus reproche aux pharisiens de ne soigner que les apparences, le paraître, se livrant aux rituels de purification alimentaires et hygiéniques qui ne touchent que l'extérieur, alors qu'il faudrait commencer par purifier l'intérieur, c'est-à-dire le cœur, ce mot christique qui concentre toute une gamme de valeurs : amour, bonté, pardon, etc.

Jésus a mis le cœur à nu. Denys Arcand, à son tour, a admirablement mis à nu ce coeur de Jésus, devenant le cœur de son *Jésus de Montréal*. Dorénavant, le cœur doit se manifester sincèrement, sans masque, sans comédie, sans hypocrisie. Il doit apparaître tel qu'il est. Dans le christianisme, le jeu, la comédie n'ont plus de place. Justement, dans *Jésus de Montréal,* ce qui commence comme un jeu théâtral, comme un rituel vide de sens à force d'avoir été répété depuis deux mille ans — le Chemin de la croix —, se termine au cœur même de la réalité, avec le cœur de Daniel dénudé, arraché à son habitacle charnel, cliniquement mort mais toujours vivant.

Ce « guérillero de la foi » qu'est Jésus taille brutalement dans le « maquis » des commandements, règlements, interdits, prescriptions pharisaïques pour ne retenir qu'une *seule* Loi, la Loi du Cœur, de l'Amour. Interrogé par un pharisien : « Quel commandement est le plus grand dans la Loi ? », Jésus lui répond sans hésiter : « Tu aimeras le Seigneur ton Dieu avec tout ton cœur, et avec toute ton âme » (Matthieu 22, 37). Le second commandement en découle : « Tu aimeras ton prochain comme toi-même » (Matthieu 22, 39).

L'enseignement de Jésus « miniaturise » la Loi en la réduisant à un seul commandement essentiel, celui de l'Amour-Cœur, tout en le « cosmicisant » parce qu'il régit dorénavant les rapports entre Dieu et les hommes, entre les hommes. L'affiche de *Jésus de Montréal* sans « hypocrisie » va donc droit au cœur du sujet de Jésus-Christ.

Le père Leclerc, le pharisien montréalais, « hypocrite », comédien de la foi, grâce à sa « passion » du théâtre, avait monté voilà trente-cinq ans le spectacle du chemin de la croix. Il le fait voir à Daniel sur un écran de télévision en enregistrement vidéo tout en précisant qu'il l'a « repris ici, chaque été ». Le public s'en désintéresse. Leclerc diagnostique ainsi son échec du spectacle : « Le texte est un peu démodé. Il faudrait moderniser tout ça (p. 22). »

En voyant ce spectacle, nous comprenons la désaffection du public pour ce spectacle : il manque de cœur. En effet, les comédiens jouent, au mauvais sens du terme : plein d'emphase, leur jeu manque de sincérité puisqu'ils ne font que réciter des formules creuses. Le scénario précise : « leur jeu est exagérément théâtral. » En effet, le père Leclerc a produit un spectacle à l'image de sa vie : pharisaïque, hypocrite, faux. Mauvais acteur, mauvais prêtre, Leclerc échoue lamentablement à réaliser jusqu'à l'idéal du comédien selon Diderot pour lequel le comédien devient un monstre sans cœur régi uniquement par sa tête. « Ce n'est pas son cœur, c'est sa tête qui fait tout[5]. » Depuis Jésus, nous savons que la tête ne peut pas jouer au cœur, les deux s'excluant comme les deux maîtres évangéliques.

L'hypocrisie d'un ministre de Dieu pèse plus lourd que celle du « monde ordinaire ». Pourtant, *Jésus de Montréal* s'attaque avec une virulence encore plus grande à l'« hypocrisie » de l'univers médiatique, particulièrement à celle de la pub qui pousse son « hypocrisie » à des excès paroxystiques. C'est elle qui figure dans le Montréal de la fin des années quatre-vingt de cette fin de millénaire ce qu'étaient du temps de Jésus les marchands et des changeurs d'argent (nos « cambistes »). Les marchands vendaient aux fidèles dans le parvis du temple des bœufs, des brebis, des colombes, animaux sacrificiels immolés sur l'autel. Les « cambistes » changeaient des devises étrangères en devises juives, seules acceptées comme offrandes au temple. Connaissant l'intransigeance de Jésus sur le choix exclusif à faire entre les deux maîtres, Dieu et Mammon, nous ne sommes pas surpris de la violence avec laquelle il s'en prend à eux. C'est la seule fois de sa vie où Jésus dans une « colère sainte » use de la violence physique. Selon la loi de « César », il fait du vandalisme. Saint Jean (Jean 2, 13-17) a raconté l'incident avec la vivacité digne d'un scénario de cinéma. Jésus se fait un fouet avec des cordes pour chasser les animaux, et la monnaie des changeurs, il les envoie promener, et leurs tables, il les renverse. Et à ceux qui vendaient les colombes il dit : « Enlevez ça d'ici, cessez de faire de la Maison de mon Père une maison de commerce. »

Les publicitaires, les nouveaux marchands du temple du Seigneur ? Notons d'abord que Daniel est encore plus radical que Jésus. Car Jésus chasse les marchands du lieu du culte de Dieu, alors que Daniel les chasse de leurs propres studios. Comme Jésus, Daniel se métamorphose complètement. En l'occurrence, le doux Coulombe se change en Daniel félin qui casse l'instrument qui diffuse *urbi et orbi* l'«hypocrisie» publicitaire, la caméra vidéo d'où jaillit un bouquet d'étincelles. Colère froide, pire que la colère chaude de Jésus, le lion ne hurle pas. Il ne s'exprime que lapidairement, de façon quasi monosyllabique. Comment expliquer cette colère qui semble exagérée, hors de proportion avec le «mal» que peut représenter la publicité dans notre propre société.

Daniel accompagne Mireille à une audition — la dernière dit-elle — pour une campagne de publicité d'une «bière branchée» *Appalache,* produite par nul autre que l'ex-«mac» de Mireille, Jerzy. L'endroit d'enregistrement se trouve être précisément le théâtre où Daniel a vu jouer Pascal Berger, incarnation de Mammon, le rôle du vil Smerdiakov. En fait, le décor de la pièce où ce dernier s'est pendu est toujours là, seuls les accessoires ont été repoussés pour laisser aux danseurs la place d'évoluer. C'est dire qu'il s'agit du même monde que celui de Berger — Smerdiakov — Ivan Karamazov : monde de la dérision, de l'«hypocrisie», du *carpe diem* immodéré. Théâtre du monde où de jeunes hommes et de jeunes femmes vendent leurs corps pour vendre de la bière. La contralto, qui chantait le *Stabat Mater* lors du Chemin de la croix, danse en bikini avec un danseur-chanteur au torse nu sur une musique *rock heavy,* débitant en *lip-sync* des slogans publicitaires débiles comme :

> *Nous sommes jeunes et fiers*
> *Nous adorons la bière*
> *Y a rien qui nous attache*
> *On boit de l'Appalache (p.129)*

Il faudrait être aveugle pour ne pas voir que les mouvements déhanchés des acteurs simulent sur le mode du rock une «rencontre» érotique de deux corps.

D'ailleurs, Denise Quintal, la directrice de l'agence publicitaire signifie clairement à la jeune soprano — qui pense pouvoir chanter elle-même parce qu'elle a fait le Conservatoire —, ce que vise la publicité, plus particulièrement celle de la bière dans ce film. Pas la tête évidemment, puisque «le buveur de bière a un quotient intellectuel à peu près égal à celui d'un chien savant (p. 125-126)». Elle vise *Eros*, le «cul». «Effectivement, vous seriez mieux de miser sur votre bikini plutôt que sur votre voix (p. 126).»

Lorsque c'est le tour à Mireille de se présenter, Denise Quintal et son complice Jerzy ne la ménagent pas de leurs sarcasmes, parce qu'elle refuse de se montrer nue ou même *topless*. Après tout, Jerzy l'a « connue » parfaitement. « Faudrait peut-être que tu me rafraîchisses la mémoire (p. 127). » Et puis, ce sont ces « messieurs », gros poussahs de la brasserie qui veulent voir, au nom de leurs clients. Ça fait une cascade de voyeurs lubriques ! Quintal met Mireille carrément devant l'alternative, pendant négatif de celle christique des deux maîtres : tes nichons ou *bye bye*. « Et toi, tu nous fais voir tes nichons ou tu t'en vas chez toi, O.K. (p. 128) ? »

Daniel, qui assiste à cette scène de vente à vil prix du corps féminin, exhorte Mireille à trois reprises : « Mireille, ne fais pas ça », « Tu vaux mieux que ça », « Viens-t-en, on s'en va (p. 128). » Lorsque Denise Quintal pose son ultimatum tout en se moquant des deux — « la grande scène intime, vous nous jouerez ça un autre jour » —, Daniel devient livide, sa colère froide éclate. Il y a de quoi ! Ces marchands d'illusion qui vendent du vent, c'est-à-dire des images et des paroles fallacieuses (ou subliminalement « phallusieuses ») pour que le consommateur achète des produits réels, ces simulateurs de sentiments sans cœur, bref ces « hypocrites des hypocrites » font entendre à celui qui n'est qu'Amour-Cœur qu'il joue la comédie. Trop c'est trop !

Entrant dans le « jeu » publicitaire, Daniel répond : « Voulez-vous, je vais vous en jouer, une scène (p. 129) ? » Jouant évidemment sur le double sens de *scène* : « lieu du jeu théâtral » et « querelle violente ». En fait, Daniel retourne contre la publicité même sa violence — violence subliminale — avec laquelle elle « cible » le consommateur. Comme de raison, ces « messieurs dames » de la pub persistent à décoder les déchaînements de violence du doux Daniel comme « des petites crises d'acteur, j'ai déjà vu ça (p. 129) » (Quintal). Le calme joué des publicitaires est gagné vite de panique lorsque Daniel frappe la directrice au visage avec les fils connecteurs du moniteur télé. On l'aura reconnu : c'est la version moderne du fouet de Jésus. Daniel, un « acteur » pour Quintal, carrément un « caractériel », un fou en crise, pour Jerzy. Acteur ou fou, il est « irresponsable », il n'agit pas en son nom propre. C'est vrai.

Imperturbable, Daniel chasse les marchands de leur « temple » publicitaire, répétant seulement un mot : « Dehors ! » La « scène » se termine sur une dernière imprécation de Daniel : « Race de chiens ! » Race de cyniques (dérivé de *kynos*, « chien ») qui, à l'instar des chiens, ne reniflent qu'un endroit anatomique : le cul.

Après s'être débarrassés des suppôts de Mammon, Mireille et Daniel se retrouvent face à face en train de se regarder longuement dans les yeux. Mireille a entendu l'appel, de façon définitive. Il n'y a plus de retour possible. « Quand vous êtes venus me chercher, moi, je montrais mon cul pour faire vendre de la lessive ou de la bière. Et tout le monde était persuadé, y compris et surtout le mec avec qui j'étais que c'était ce que je pouvais faire de mieux étant donné la qualité du cul en question[...]. Je pensais pas que ça existait encore, un homme qui voudrait pas d'abord me sauter (p. 159). »

Daniel-Jésus est cet homme autre. Elle l'aime. « Je t'aime, espèce de fou », dit Mireille. Folie de Jésus, folie de Daniel. Folie de la foi, de l'imitation de Jésus-Daniel.

Si la pub est attaquée de front, directement, les médias sont pris à partie indirectement, par une mise en situation. Au spectateur de tirer ses conclusions. Nous savons que les mass médias créent une enveloppe, une image de rumeurs, de bruits, de commérages *autour* de l'œuvre qui deviennent vite « toxiques ». Donc plutôt que d'oxygéner l'œuvre, ils l'asphyxient. Le bruit parasite étouffe la voix de l'œuvre. Cette dernière n'est que prétexte à fabriquer du bruit médiatique *autour* de l'œuvre.

Ce bruit médiatique *autour* de l'œuvre, en l'occurrence, de la pièce tirée des *Frères Karamazov,* de Pascal Berger et du Chemin de la croix de Daniel Coulombe, *Jésus de Montréal* le fait bien entendre et même voir, s'agissant de cinéma. Rumeur locale, montréalaise, évidemment, puisque ce film est planté dans le décor superbe de la ville de Montréal, son « actrice » naturelle, principale, mise en valeur par les superbes prises de vue de Jacques Leduc. Denys Arcand pour mettre encore plus de « couleur locale », n'a pas craint d'affubler les échotiers médiatiques de noms quasi homophones qui évoquent chez le cinéphile les images et les voix familières des ondes et du petit écran. En France Garibaldi, vedette de radio et de télévision jouée par Pauline Martin, on reconnaît évidemment Francine Grimaldi, l'infatigable « vadrouilleuse » de *CBF-Bonjour,* qui, de sa voix grave et chaude, parle entre six et neuf heures du matin de tout ce que vous avez toujours voulu savoir sans l'avoir demandé sur les *hits* culturels montréalais de la veille... à condition que l'animateur Joël Le Bigot, de façon intempestive, ne coupe pas court à la ferveur de cette « prière culturelle » matinale ou qu'il ne donne la parole à André Croteau, le redoutable rival de la Culture, puisqu'il parle au nom de la Nature... à la québécoise, version *Chasse et pêche* : comment « caller » un orignal et comment pêcher les petits poissons des chenaux à Sainte-Anne-de-la-Pérade...

Évidemment, le nom de Régine Malouin (Véronique Le Flaguais) met en vedette plus qu'il ne cache son sosie en chair et en os de Télé-Métropole : Reine Malo qui anime souverainement, de façon « régalienne » *Bon Dimanche,* la seule (!) émission culturelle de télévision au Québec qui dure. Radio-Canada recommençant sans cesse de « nouvelles » émissions après l'échec ou l'abandon (« La Grande Visite ») des anciennes : maintenant « La bande des six », en rodage avec une « cheftaine de bande » d'une avant-dernière émission...

Enfin, le nom de Roméo Miroir (Jean-Louis Millette), plus vaguement que celui des deux premières « vedettes » médiatiques, grâce à sa calvitie et à ses lunettes fait penser à René Homier-Roy, « critique dramatique », en vérité critique cinématographique, d'abord à Télé-Métropole, puis à Radio-Canada où il fait maintenant partie de « la bande des six ».

La satire, ou plutôt la caricature, dans le sens d'une attaque et d'une exagération des traits que Denys Arcand fait du mode de fonctionnement des médias, est redoutable. C'est que les vedettes médiatiques accueillent avec la *même* ferveur aveugle, dépourvue des moindres discernements critiques, la prestation de Pascal Berger, de Mammon-Démon, dans les *Frères Karamazov* et celle de Daniel Coulombe, Jésus dans le Chemin de la croix. Jusqu'à utiliser les mêmes mots, creux, chevilles, bouche-trous, mots éculés à force d'avoir été « à la mode ». Roméo Miroir : « C'est un spectacle incontournable (p.19-84). » Régine Malouin :« C'est beau. C'est riche. C'est fort. C'est tellement fort... Il faut absolument que vous fassiez mon émission ! Ce spectacle est un *must* je dois le dire (p.19-84,85). » France Garibaldi : aux deux spectacles, elle pleure « du début à la fin » (p.19). Miroir : « Ce n'est pas un critère : elle pleure tout le temps ! » Son enthousiasme larmoyant lui fait découvrir dans chaque spectacle *le* « génie » (c'est pourquoi le Québec est le seul pays au monde où les « génies » poussent « en herbe » !), « le plus grand acteur ». « C'est tellement impliquant, là. Vous êtes le plus grand acteur de votre génération ! Je le pense (p. 20-87) ! »

Tout le monde il est beau, tout le monde il est gentil pour ces « critiques » médiatiques, « soft idéologiques » : Berger-Mammon, le Mal, l'Égoïsme au *même titre* que Daniel-Jésus, le Bien, l'Amour, on les salue, ou les « fête » en termes identiques comme s'il s'agissait des *mêmes* personnes, des *mêmes* idées.

Le persiflage que Denys Arcand fait de la « critique » médiatique dénonce deux choses : d'une part, l'absence quasi obligée de la critique au niveau des mass médias, découlant de leur situation et mode de fonctionnement mêmes. En effet, les mass médias — surtout électroniques qui utilisent l'image, comme la télévision — ont tendance à créer leur propre *star power,* pour les nouvelles — Bernard Derome, Pierre Nadeau, Dan Rather, etc. — pour la culture — Bernard Pivot, *star* malgré lui — qui transforme actualités et culture en spectacle, en jeu, en théâtre. Théâtre qui devient « réel » pour le téléspectateur seulement si ces *stars* médiatiques y tiennent un rôle : Dan Rather sur la place Tienanmen en juin 1989, Bernard Derome qui « crée » le spectacle de la soirée des élections. Marshall McLuhan disait jadis que le médium était le message. Il faut dire aujourd'hui que le médium « crée » l'événement. Autant affirmer qu'il n'y a plus d'événements, puisqu'il n'y a que des pseudo-événements médiatisés. Surtout avec les chaînes d'« informations continues » où l'« événement » est relaté dans une « bouillie » de faits divers.

Or la critique est tout le contraire du spectacle. Ce dernier demande une adhésion, une « fusion » du spectateur avec le jeu, alors que la critique, au contraire, exige du détachement, du discernement. *Critique* vient du grec *krinein,* signifiant concrètement d'abord « passer au crible », « filtrer » un liquide ou une humeur pour le corps, afin d'éliminer les dépôts, les déchets, pour que le liquide, cessant d'être trouble, se clarifie, se purifie. *Discerner* est le terme correspondant en latin : filtrer, séparer deux matières entrées en solution qui ne devraient pas être ensemble.

Le critique ne fait ou ne devrait rien faire d'autre : cribler, discerner, séparer les dépôts, les déchets d'une œuvre afin qu'ils ne la troublent pas, pour la clarifier, pour éclairer enfin le lecteur ou plus généralement le « récepteur ». La « récolte » de dépôts et de déchets après chaque filtrage critique est la preuve du sérieux, du « discernement » du critique.

Nous le savons déjà, Jésus a été le plus grand « critique » de tous les temps, parce que le plus grand trieur, filtreur, cribleur. Il énonce les conditions du « criblage », du « filtrage », du discernement qui rendent possible le passage de la terre au ciel. Saint Jean-Baptiste, son « précurseur », l'annonce crible, la pelle à vanner à la main. « Il a la pelle à vanner dans sa main, et il nettoiera son aire, et il ramassera son blé dans le grenier, quant aux balles, il les consumera dans un feu qui ne s'éteint pas. » (Matthieu 3, 12)

Voyez aussi la parabole du « semeur » (Matthieu 13, 3-23 ; Marc 4, 3-20 ; Luc 8, 5-15) et surtout celle du « bon grain » et de l'ivraie semée par l'« ennemi » où il s'agit lors de la moisson de séparer, de discerner les déchets toxiques — l'ivraie de la famille des graminées a des graines toxiques —, de façon critique, les parasites, l'ivraie du « bon grain ». Voyez la « porte étroite », image aussi d'un « filtrage », au seuil d'un endroit à un autre. Voyez la parabole du « bon pasteur » qui dit « je suis la porte des brebis » (Jean 10,7) et qui contrairement au « mercenaire », sépare les brebis du loup. Revoyez enfin dans ce nouveau contexte critique cette image « parabolique » saisissante du riche, du chameau, et du trou d'aiguille. Ce trou d'aiguille, un crible extra-fin. Il sera donc plus facile à un chameau de se « filtrer » à travers un trou d'aiguille qu'à un riche d'entrer dans le royaume de Dieu. Une litote poétique pour dire : il est impossible à un riche d'entrer dans le royaume de Dieu. Revoyez aussi cette imprécation christique aux pharisiens qui s'éclaire maintenant de façon plus « critique » : « Guides aveugles, qui filtrez le moucheron et engloutissez le chameau ! » Les pharisiens font le contraire d'un bon travail de filtrage, de discernement critique. C'est la dérision même du bon triage, du criblage, de la bonne critique. Ils font des microfiltrages, sont hypocritement hypercritiques pour des bagatelles morales ; par contre, ils sont hypocritiques, enlevant tout crible critique, « gobant » tout, jusqu'à des « chameaux », commettent ou acceptent sans aucun scrupule les plus gros méfaits, dans le domaine fondamental de la religion, en amour.

Deuxième dénonciation de Denys Arcand, non plus universelle touchant à la structure même des mass médias, mais locale, concernant leur mode de fonctionnement au Québec. Ce raccourci entre la Galilée christique et le Québec postchristique et postmoderne, de façon crue, met en perspective le dysfonctionnement de la critique (mass) médiatique au Québec.

Justement, selon les critères de Jésus de Galilée = Jésus de Montréal, nos « critiques » médiatiques sont des pharisiens, donc des « hypocrites » qui ne savent pas séparer le « bon grain » de l'ivraie, le loup appelé frauduleusement (ou freuduleusement ?) Pascal Berger de la douce brebis Daniel qui aurait davantage mérité ce nom, d'autant qu'il rassemble ses brebis comme le « bon berger ». À y regarder de plus près, les « critiques » médiatiques de *Jésus de Montréal* sont même plus « hypocrites » encore que les pharisiens du temps de Jésus, puisqu'ils ne filtrent, ne criblent pas. *Tout* passe, les déchets toxiques,

le « mal » esthétique et moral qui risquent de troubler l'œuvre et le
« bien », les sucs vitalisants. Le Mal, le « Diable », ce n'est rien d'autre
que cette fusion, cette confusion du Bien et du Mal, de l'animalité et
de la spiritualité, de la libido bestiale et de l'Amour-*agapè,* de l'homme
et de Dieu. Diable-Berger-Smerdiakov-Ivan sèment la confusion dans
l'esprit de l'homme en lui susurrant à l'oreille : *eritis sicut dii,* « vous
serez comme des dieux », mettent l'homme sur un pied d'égalité avec
les dieux, avec Dieu. Confusion d'autant plus facile que Lucifer a
déjà été un ancien ange qui connaît les tactiques, les stratégies de
Dieu.

La critique, quelle qu'elle soit — politique, sociale, littéraire —
est donc un processus de clarification, d'élimination des éléments
troubles, des « déchets toxiques » de l'œuvre. La critique est un processus permanent de triage qui doit accompagner l'œuvre tout au long
de sa production, assumé d'abord par l'auteur, l'éditeur, avant sa
publication, ensuite par le critique littéraire, cinématographique,
théâtral, etc., une fois l'œuvre publiée.

Évidemment *clarifier* l'œuvre ne signifie nullement la *purifier,*
éliminer le Mal, le « Diable » de l'œuvre. C'est justement la « part du
Diable », l'ombre qu'il jette sur elle, la coprésence des contraires,
comme chez Dostoïevski, qui font les œuvres les plus complexes, les
plus grouillantes de vie, les plus fascinantes. On l'a dit et redit, la
représentation du Bien, l'angélisme littéraire donnent lieu à des œuvres
éthérées, fades, désincarnées. Les « bons sentiments », André Gide a
raison, font de la mauvaise littérature, parce que « pure », vidée de ses
sucs vitaux. Que serait *La divine comédie* de Dante sans l'Enfer, *La
comédie humaine* de Balzac sans ses Rastignac, ses Vautrin, ses Lady
Dudley, *Les frères Karamazov* sans ses Ivan Karamazov, sans ses
Smerdiakov, *Crimes et châtiment* sans ses Raskolnikov ? Une littérature non plus filtrée, critiquée, mais carrément distillée, à l'eau de
rose, pis, à l'eau distillée : sans couleur, sans odeur, sans saveur.

Autrement dit, il faut discerner de façon métacritique la critique
« éthique », « morale » de l'œuvre et la critique esthétique, seule pertinente parce que ses critères relèvent des seuls éléments intrinsèques
de l'œuvre. La tâche du critique n'est nullement de dénoncer le « Mal »,
la « part d'ombre de l'œuvre », mais au contraire d'en mettre en lumière sa présence, pour que le lecteur les voie aussi. Mais surtout, il
doit cerner, c'est-à-dire faire passer au crible critique, les différents
éléments qui la composent pour savoir si et comment ils se tiennent,
pour éclairer la lanterne du récepteur (lecteur-spectateur-auditeur).

Au-delà de sa place anecdotique dans un film de fiction, cette critique des critiques des médias montréalais doit s'élargir en une critique de la critique (littéraire, cinématographique, artistique, théâtrale, etc.) au Québec de façon générale. Nul besoin d'avoir lu *La critique de la raison pure* de Kant pour savoir que le « stade critique » d'un individu, d'une collectivité est le signe de leur pleine maturité. Se critiquer, se laisser critiquer, c'est dépasser la peur infantile de la blessure narcissique, c'est cesser de craindre la moindre éraflure comme une véritable mise à mort, c'est faire la part entre l'œuvre critiquée et son créateur, puisque, lors du « stade narcissique », les deux se confondent.

Le Québec, resté collectivement enfant — est-ce étonnant puisqu'il a à peine trente ans ! — n'est pas encore arrivé au « stade critique » adulte qui considère la critique — non malveillante et vicieuse évidemment — comme un bienfait, comme une institution non seulement utile mais nécessaire d'une société. Ce n'est pas un des moindres paradoxes du Québec qu'il s'inaugure dès 1948 avec le *Refus global* de Paul-Émile Bordual par une des critiques des plus acerbes de tous ses soubassements idéologiques antérieurs : *sa* religion, *son* histoire, *sa* culture. Comme si cette critique, concentrée en un seul acte inaugural, n'était plus disponible ultérieurement pour d'autres activités. Comme si, ballotté *entre* un *refus global* et une *acceptation globale* radicaux, exclusifs, le Québec ne réussissait pas à trier de façon critique les éléments positifs qu'il s'apprête à refuser globalement et à discerner, parmi les éléments qu'il accepte globalement, les « déchets » à éliminer. Loin donc de s'épuiser en un *seul* geste, en un *seul* acte, la critique est une activité qui doit s'opérer à tout instant, dans toutes les phases de l'élaboration de l'« œuvre » (au sens le plus général : politique, sociale, esthétique).

Au lieu de les sentir dépassés, de les regarder de haut, les Québécois modernes ou postmodernes pourraient même apprendre encore de leurs ancêtres canadiens-français comment manier le crible critique, quelle taille du filtre y mettre afin que les « chameaux » n'y passent pas. Voyez Olivar Asselin critiquer courageusement et sans compromis ses contemporains, les travers de son temps. Olivar Asselin, ce franc-tireur critique du Canada français.

On dirait que la critique pour être acceptée, « validée » au Québec, a besoin de cautions, de pré-cautions idéologiques. On chante solo, mais on critique en chœur. On hurle/critique d'autant plus fort qu'on est parmi d'autres loups. On hurle/critique avec le pouvoir : pouvoir politique, syndical, lilttéraire, etc. Que le pouvoir de René Lévesque s'affaiblisse et « on » s'abat sur lui comme une meute de loups. Qu'il meure et tout le Québec est en pleurs. Le plus « courageux » même des « critiques » qui, aujourd'hui, répond de façon effrontée à l'auto-biographie de René Lévesque, *Attendez que je me rappelle* : « Moi, je m'en souviens », s'enhardit même à l'accuser, alors que son cadavre est à peine refroidi, d'avoir été un « dictateur » (le fantasme inavoué de Bourgault !).

C'est pourquoi dès qu'il se lève au Québec un (ou une) critique qui ne parle pas *au nom* ... (de l'institution, de l'establishment, de la nomenklatura, des pairs, des collègues, du comité de rédaction, du parti, des chapelles, des cliques, des claques), bref qui ose parler en son nom propre comme, par exemple, Robert Lévesque l'a fait et le fait encore dans *Le Devoir*, avec le seul but d'éliminer de façon cri-tique les « déchets toxiques » qui encombrent nos scènes québécoises, il fait face à une levée de boucliers des plus redoutables de la part de nos acteurs qui — comme les autres critiqués — évidemment se sen-tent plus à l'aise dans une atmosphère générale d'encens, à l'image de celle de *Jésus de Montréal* où tout débutant sans distinction qui s'enfarge sur la scène et se marche sur sa langue est accueilli comme « le plus grand acteur de votre génération (p. 20) ». Certains théâtres allant, par mesures de représailles, jusqu'à retirer leur publicité au *Devoir*. C'est dire que le Québec a du chemin à faire pour que la *vraie* critique y ait droit de cité.

Évidemment, dès qu'il y a critique, il y a des « chutes », des déchets, des rejets. Certes, les poubelles ménagères débordent de plus en plus depuis vingt ans au Québec, l'anciennement « Belle Province » détenant le record peu enviable de la plus grande « production » de déchets domestiques au monde. La « Province belle » devenue la « pro-vince poubelle » !

Or, je regarde les poubelles, les corbeilles à papier des maisons d'édition, des écrivains et des écrivaines : elles sont restées quasi vides ! Si le recyclage des déchets ménagers n'est pas encore entré dans les maisons des Québécois, il est pratiqué depuis belle lurette, à jet continu dans la création littéraire, filmique, etc. Il n'y aura jamais un Saint-Basile-le-Grand de la création ! C'est pourquoi un auteur a eu raison de parler, certes, dans un autre contexte, récemment de l'« écologie » de la littérature québécoise.

Le Québec connaît peu les « fonds de tiroir ». Tout ou presque s'y recycle, littérairement s'entend. Le colloque est publié sous forme d'article, ce dernier republié avec d'autres articles dans un livre, le-quel livre est réédité un ou deux ans après en format de livre de poche. De larges extraits de l'article, devenu livre, ensuite livre de poche, sont repris dans une des anthologies qui font florès au Québec depuis quelques années, couronnées par le *Dictionnaire des œuvres littéraires du Québec* qui résume, recense, encense tout ce qui a été publié au Québec depuis le début. Si une anthologie n'en donne pas de larges extraits, il y a grand espoir qu'un des nombreux diction-naires le mentionnera sûrement. Rien ne se perd, tout se crée, tout se recycle. Si bien qu'une œuvre ainsi recyclée à plusieurs reprises est presque plus prisée au Québec qu'une œuvre originale !

Mais comme si cette charge impitoyable que Denys Arcand a faite jusque-là de la critique mass médiatique montréalaise ne suffisait pas, il la double même d'une « surcharge ». En effet, lors de leurs prestations médiatiques, grâce à un montage rapide des studios des trois « critiques » — France Garibaldi, Roméo Miroir et Régine Ma-louin —, leurs commentaires s'alternent comme des litanies. Un « cri-tique » répond à l'autre... en disant tout à fait le contraire de ce que le premier vient d'alléguer. Miroir : « Daniel Coulombe, c'est d'abord un *premier prix de conservatoire...* » Garibaldi : « C'est un autodi-dacte, qui *n'a fait aucune des écoles de théâtre* [...] » Miroir : « Qui a *toujours été ici à Montréal* [...] » Garibaldi « [...] et qui est revenu il y a *seulement quelques mois* [...] » Garibaldi : « [...] à qui on a confié ce spectacle *presque par hasard* [...] » Miroir : « [...] qui *préparait* cette passion *depuis plusieurs années* [...] » (p. 118).

Par le procès que la société (québécoise) lui intente, Daniel Cou-lombe entre en contact avec celui qui tire les ficelles derrière la scène de ce monde médiatique : Richard Cardinal (Yves Jacques), avocat, agent dans les milieux artistiques, dans le showbiz, dans ce qui reste de la littérature, une fois sacrifiée à l'ogre média. Leur rencontre se fait dans le corridor vitré au haut d'un « gratte-ciel » du centre de Montréal : Ville-Marie, précisément. Toute la ville est aux pieds de celui qui domine de haut les médias. Maître Cardinal avec une onc-tion toute cardinalice montre à Daniel du doigt le quartier Hochelaga — première habitation amérindienne de Montréal —, d'où est issue une des actrices qui, grâce à ses « succès », habite aujourd'hui à Ma-libu Beach. Il a en réserve d'autres noms de comédiens qui ont « réussi », venus de Shawinigan, de Saint-Raymond-de-Port-Neuf qui possèdent des hôtels particuliers à Paris ou des *lofts* à New York, le « succès » étant toujours proportionnel au prix et au nombre des possessions. Notons, en passant, que le grand « succès » au Québec signifie toujours : quitter le Québec.

Langage de Mammon, du Diable. Car on l'aura reconnu, il s'agit ici de la transposition montréalaise de « La tentation de Jésus au désert » (Matthieu 4,1-11 ; Marc 1,12-13 ; Luc 4,1-13). Désert médiatique. Oublions ces « diables » des représentations « moyenâgeuses » aux pieds fourchus et à la tête de cornes qu'on ne trouve que sur des tableaux. Ils ressemblent plutôt à ces « Cardinal », séducteurs au sourire engageant, des « gars aimables » qui remuent ciel et terre pour vous « aider ». Saint Marc commence presque son Évangile sur la tentation. Séduction, comme au Paradis. Tentation toujours « hybristique » de l'homme de se croire Dieu (« Vous serez comme des dieux »). Parmi les trois tentations de Jésus, la dernière dévoile le véritable être du Diable : être lui-même dieu, être adoré à l'image de Dieu. Le Diable mène Jésus sur les sommets d'une montagne, comme Cardinal monte avec Daniel au dernier étage d'un gratte-ciel. « De nouveau le diable le (Jésus) prend avec lui dans une montagne très élevée et lui montre tous les royaumes du monde et leur gloire et il lui dit : "Tout cela, je te le donnerai, si tu tombes, prosterné, devant moi" (Matthieu 4, 8-9). » Jésus résiste à la tentation de la « gloire » de *ce* monde.

En jetant un regard vers le bas, sur le boulevard René-Lévesque qui s'engouffre dans un canyon de gratte-ciel, Cardinal, le tentateur (post)moderne, susurre à l'oreille de Daniel : « J'essaie juste de vous faire comprendre qu'avec le talent que vous avez, cette ville-là est à vous. Si vous voulez (p. 145). » Et on aperçoit pendant une fraction de seconde une partie de la construction en croix de Ville-Marie, premier foyer religieux charitable de cette ville qui s'est appelée ensuite Montréal. Comme elle s'est éloignée de ses premières sources ! C'est à ces sources charitables, d'amour, d'entraide, de sacrifice de soi que Daniel se ressource. Bien que parlant français, il ne comprend pas ce que Maître Cardinal veut dire. Car là ou ce dernier parle de « possession », de « pouvoir », de « domination », Daniel répond « abandon de soi », « humilité », « service aux autres ».

Flairant une exploitation médiatique possible avec le personnage de Jésus-Christ, « un personnage tout à fait à la mode (p. 143) », tout à fait *in*, Cardinal propose à Daniel Coulombe un « plan de carrière », définition et gestion de ses rêves. De toute façon, n'importe quel sujet se vend bien comme des « petits pains » avec une bonne pub et un bon marketing : « Il y a davantage d'espace média que des gens qui ont des choses à dire (p. 143). »

Maître Cardinal, ce séducteur québécois à la petite semaine de la gestion médiatique, confirme ce que nous avons déjà inféré du comportement des personnages principaux de ce film. Toute la vie jusqu'au pouvoir, jusqu'à la politique qui en était plus ou moins dépourvue, se « spectacularise », devient comédie. Ronald Reagan, l'acteur de cinéma de seconde zone devenu Président des États-Unis, dès 1980, a marqué de façon « spectaculaire » l'avènement du *starpower* — de la « spectocratie »... en mondovision. Dans tous les pays maintenant, les acteurs sont omniprésents : à la télévision, à la radio, dans les magazines, jusqu'au Vatican, avec la *star* Jean-Paul II qui célèbre des « messmédias ». La comédie vaut bien une messe ... mass médiatique.

Pourtant, pendant un bref instant, Daniel et ses copains, grisés par la gloire médiatique, comme par le vin d'ailleurs, se laissent séduire par les « valeurs » dont Maître Cardinal fait la promotion. D'ailleurs, ils en prennent les mêmes attitudes. Regardant la ville du haut de la plate-forme du mont Royal, ils rêvent de la dominer de haut, comme Cardinal la domine effectivement. Ils tombent surtout dans un piège du « culte des stars », alors qu'on rêve de les toucher ou, à défaut, de toucher des fétiches qui les ont touchés. Les stars sont les « saints » du showbiz dont on collectionne les « reliques ». Constance est tout excitée parce que John Lambert, la supervedette, l'a touchée, l'a embrassée. « Alors moi, John Lambert m'a embrassée (p. 115). » John Lambert, joué par Marc Messier, est un clin d'œil à *Lance et compte*. Ce « hit » québécois du petit écran où Pierre Lambert a été le personnage central et où Marc Messier lui-même a tenu un rôle.

Seulement, Daniel ne fête pas avec les autres. Il reste sombre. Il vient de parler avec le père Leclerc. Il sait que le temps de la comédie est terminé. Ce que René pressentait : « quand on joue une tragédie, il arrive souvent des malheurs (p.55) » est en passe de se réaliser.

La tragédie se noue là où l'on croyait jouer la comédie. La vie, la réalité, implacablement, font intrusion dans le jeu. Le Chemin de la croix descend de sa scène éthérée du haut de la montagne pour s'incarner dans les entrailles de la ville de Montréal. La comédie est terminée : *incipit tragœdia,* ici commence la tragédie, tragédie de la crucifixion.

II

Tragédie et crucifixion

*Si Sophocle avait été témoin de l'histoire de ce
Jésus, il aurait écrit une belle tragédie !*
Gérald Messadié
L'homme qui devint Dieu

*Les gens prennent cette comédie au sérieux,
malgré tout leur esprit. C'est pour eux une
tragédie. Ils souffrent évidemment.*
Fiodor Dostoïevsky
Les frères Karamazov

Jésus de Nazareth a été supplicié et crucifié selon la loi romaine
en vigueur, en Samarie et en Judée, conquises par les Romains, gou-
vernés du temps de Jésus par le procurateur Ponce Pilate. Si Jésus
Christ est exécuté, mis à mort à la romaine, par crucifixion, il est jugé,
accusé suivant la loi juive, par le tribunal juif, le Sanhédrin. Accusé
selon la loi juive du blasphème, il est passible de la peine de mort :
« Celui qui blasphème le nom de Yahvé sera mis à mort » (*Lévitique*,
24,16). En effet, les Juifs lapidèrent leurs condamnés à mort. Jusqu'à
la mort de Jésus qui fait éclater le génocentrisme, combattu par lui
puisqu'elle est « métissée » par le concours de deux « lois ». Lois que
cette mort fera précisément sauter par sa propre Loi d'une mort non
pour *un* seul peuple, pour *son* peuple, mais revendiquée après coup
pour le *génos*, le genre humain, l'humanité toute entière.

Or, le Jésus de Montréal, contrairement à celui de Nazareth, est
jugé, exécuté et crucifié selon une seule loi, loi locale, loi de Montréal, loi du Québec. La crucifixion reste une des mises à mort les plus

« spectaculaires », le supplicié étant obligé de porter lui-même le tasseau transversal de la croix (appelé *patibulum*) jusqu'à son lieu d'exécution. Puis le bourreau lui perfore mains et pieds avec de gros clous qui l'attachent à la croix. Une fois la croix érigée, le condamné attendait désespérément, espérait sa mort, puisqu'elle ne venait que trop lentement, par l'épuisement de ses forces. « Par asphyxie, à cause des bras levés (p. 77). » L'agonie pouvait durer deux jours. « Les plus robustes pouvaient durer jusqu'à une semaine (p. 76). » Tortures indicibles sous une chaleur étouffante moyen-orientale, l'été. Les vautours dans le ciel circulaient attendant leurs proies futures. Chiens errants et rats rôdaient autour des poteaux des croix.

Les foules ne manquaient jamais aux exécutions. L'homme, de tout temps, a été un loup pour l'homme. N'insultons pas les loups qui sont plus « humains » que certains de ces « hommes » in-humains. « Il devait bien y avoir une petite foule, comme ici ce soir. Les exécutions ont toujours été des spectacles populaires (p. 74). »

Pourtant, le supplice par crucifixion peut déjà être considéré comme un « adoucissement des mœurs ». « Les Assyriens, comme nous le rappelle Mireille, préféraient l'empalement. » Ainsi de mode d'exécution en mode d'exécution, au cours des siècles, la mise à mort s'« humanise ». L'exécution capitale « profite » largement du progrès de la technologie ! Ainsi, lors de la Révolution française, la guillotine est précisément inventée pour abréger l'agonie des condamnés à mort[1]. Le Docteur Guillotin, cet ancien Jésuite défroqué, se fait fêter comme philanthrope. La guillotine est fille des Lumières et de la Révolution industrielle. Conçue pour des raisons « humanitaires » dans le but d'abréger l'agonie des condamnés à mort, elle permet la mise à mort en série et devient par là même l'instrument industriel de la terreur. Grande déception des spectateurs qui assistèrent à la première exécution par la guillotine le 25 avril 1792 : pas d'agonie, pas de rituel de la mort, le supplicié meurt *instantanément*.

Le XXe siècle, le plus barbare de tous, a poussé son « humanité » jusqu'à exécuter sans faire couler le sang des condamnés à mort. La chaise électrique et l'injection létale assurent une mort rapide, « efficace », anonyme, opérée à distance, supprimant par là quasiment l'infamant « métier » de bourreau.

Le Canada et le Québec depuis la Conquête de 1759 ont « bénéficié » du mode d'exécution du conquérant anglais : la pendaison. Cette dernière a certes existé aussi en France, mais a été réservée aux roturiers, aux non-nobles, tandis que la décapitation à genoux, par l'épée a

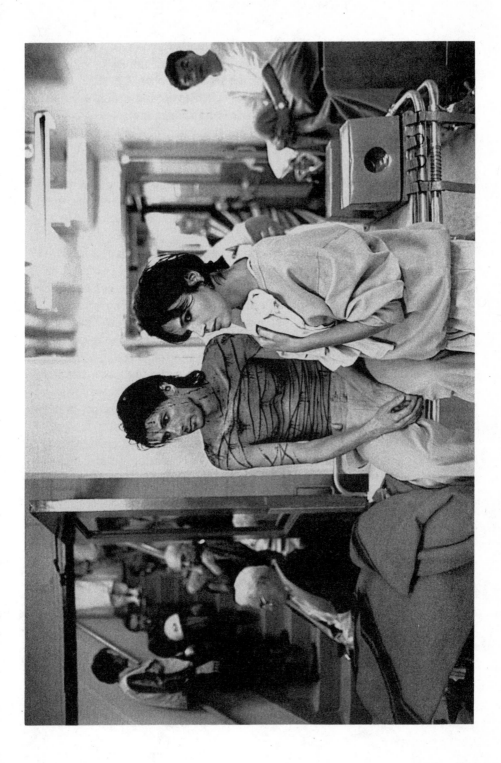

été le « privilège » des aristocrates. On le voit, la Révolution « démocratise » même la mise à mort, puisque roi, ci-devant nobles et gens du peuple sont tous exécutés de la même façon, couchés, « égalisés » par la guillotine. Un des « hauts faits » de la Révolution qu'on a moins « fêté » pendant la commémoration de son bicentenaire...

Les Canadiens sont donc « démocratiquement » pendus selon la loi anglaise. Loi qui a sévi lors de la Révolte des patriotes. Or, la peine de mort a été abolie au Canada, donc aussi au Québec, sous le règne de Pierre Elliott Trudeau dont le nom vient d'ailleurs comme un cheveu sur la soupe dans l'émission de Régine Malo (preuve que Denys Arcand est toujours hanté par le « Prince » depuis *Le confort et l'indifférence*).

Il fallait donc que le metteur en scène cherche dans le Montréal des années quatre-vingt de notre siècle l'équivalent de la crucifixion du temps de Jésus. Il eut l'embarras des choix ! En effet, ces lieux de la flagellation, du supplice, du crucifiement, nous les avons à Montréal, partout où il y a des hôpitaux dans la jadis « belle province » de Québec : les salles d'urgence. Comme Berger-Mammon, elles portent un nom qui trompe, qui induit en erreur. L'*urgence* est en effet le dernier souci des salles d'urgence. Non pas parce que les médecins qui y travaillent dans des *conditions infernales* ne veulent pas traiter les malades qui nécessitent des soins d'urgence, mais puisque, matériellement et « structurellement », ils ne le peuvent pas. Car les « urgences » du Québec sont devenues des lieux infernaux d'entassement, d'engorgement de la misère humaine, de la confusion quasi « démoniaque » où se mélangent effectivement des agonisants, des hypocondriaques, des simulateurs qui ont juste besoin d'une aspirine comme placebo et des malades chroniques.

Grand « dépotoir inhumain » de malades que l'hôpital — défiant les règles élémentaires d'hygiène et de la dignité humaine souffrante jetée en pâture aux regards des spectateurs —, est obligé de rejeter « temporairement » dans ses couloirs lugubres, non pas parce qu'il n'y a pas de lits, mais parce que les gouvernements successifs ne décrochent pas suffisamment de crédits pour soigner nos malades de façon digne, *humaine*. Ainsi, tous les ans, meurent cinq cents personnes dans nos « urgences » québécoises par manque d'équipement, par l'absence d'une véritable médecine d'urgence avec des « traumatologues », présents dans la plupart des hôpitaux modernes dignes de ce nom.

Mais avant d'être « crucifié » à la québécoise, c'est-à-dire avant de passer par l'« urgence », il faut que Daniel Coulombe, le Jésus montréalais, à l'instar du galiléen, doit passer par les deux « justices », justice de César et « justice de l'Église », *tertium non datur,* puisqu'il n'y a pas de « justice de Dieu » sur terre. Justement, R. Lepage qui, au début, joue Ponce Pilate, est placé en face de la statue de Jésus qui a les yeux bandés par un tissu rouge. La justice est aveugle.

Dans *Jésus de Montréal,* ces deux justices se manifestent deux soirs successifs lors de la représentation du Chemin de la croix. Le premier soir, c'est la « justice de César » qui intervient sur le lieu du crucifiement, empêchant par là la « résurrection » de Daniel-Jésus dont ses disciples attendent vainement l'« apparition » dans leurs catacombes. Après une brève comparution devant un juge, Daniel Coulombe, relâché, peut reprendre son Chemin de la croix.

Le deuxième soir, c'est la « justice de l'Église » par l'intermédiaire du « grand prêtre » Leclerc qui frappe plus durement, voulant carrément interdire le Chemin de la croix sous sa forme modernisée, réincarnée par Daniel et ses copains.

Denys Arcand suit donc non seulement à la *lettre,* mais aussi dans l'*esprit* le jugement de deux instances — temporelle et ecclésiastique — du procès de Jésus. Seulement dans *Jésus de Montréal,* les deux instances de justice se situent à l'intérieur d'un *même* peuple, canadien-français/québécois.

Comme dans les récits évangéliques, la « justice de César » du film est moins aveugle que la justice « synago-ecclésiastique ». En effet, Caïphe, le grand prêtre et les membres du Sanhédrin, cherchaient désespérément des accusations justifiant sa mise à mort de ce « trublion » qui sapait l'autorité de la Synagogue. « Les grands prêtres et tout le Sanhédrin cherchaient contre Jésus un témoignage en vue de le mettre à mort et ils n'en trouvaient pas ; car beaucoup témoignaient à faux contre lui, et les témoignages n'étaient pas concordants »(Marc 14, 55-57). Autrement dit, il s'agit d'une comédie, de la caricature d'un procès. Le procès de Jésus, modèle de *tous* les faux procès, intentés par les institutions, par les « tribunaux d'exception » du Québec, partout dans le monde.

Qui veut tuer son chien, l'accuse de la rage. Qui veut tuer Jésus l'accuse de blasphème de Yahvé. Les faux témoins ne manquent jamais, nulle part. Ce sont les lâches, les envieux achetés à vil prix par tous les systèmes. Le Sanhédrin n'a pas donc de peine à les ameuter et à leur faire dire ce qu'on doit dire pour que Jésus soit exécuté. « Nous l'avons, nous, entendu dire : Moi je détruirai ce sanctuaire qui est fait à la main, et au bout de trois jours j'en bâtirai un autre non fait à la main » (Marc 14, 58). Ils déforment, en les tirant de leur contexte, les paroles de Jésus (Jean 2, 19-21). « Et même ainsi, leur témoignage n'était pas concordant » (Marc 14, 59).

La tactique de défense de Jésus est le silence. Opposer son silence aux mensonges de ses ennemis. Mais devant les questions, les harcèlements et les provocations du grand prêtre, Jésus, malgré lui, répond à sa question de :« C'est toi, le Christ, le fils du Béni ? » « C'est moi et vous verrez le *Fils de l'homme assis à la droite* de la Puissance et *venant avec les nuées du Ciel* » (Marc 14, 62 ; les citations en italique sont du Psaume 110,1 et de Daniel 7, 13). Le grand prêtre a *sa* preuve. De façon spectaculaire, il déchire sa tunique : « Qu'avons-nous encore besoin de témoins ! Vous avez entendu le blasphème. Que vous en semble ? Tous prononcèrent qu'il était passible de mort » (Marc 14, 63).

Exit la justice des « fonctionnaires » de Dieu, voici venir la « justice de César », celle de Ponce Pilate. Jean, seul témoin oculaire des évangélistes, raconte dans le détail ce passage de Jésus devant le procurateur romain. Le Jésus muet — poursuivant la tactique du silence — des autres évangélistes trouve ici sa parole. Ponce Pilate, d'emblée, ne veut pas de Jésus, puisque ses infractions supposément commises ne tombent par sous les juridictions romaines. « Prenez-le, vous, et jugez-le selon votre loi », leur répond-il.

Mais les grands prêtres insistent pour que Jésus soit *aussi* jugé selon la loi romaine. Double condamnation qui précipitera sa mort plus sûrement. Jésus se déclarant « roi des Juifs », n'est-ce pas là un grief suffisamment grave pour que la justice romaine sévisse ? Ponce Pilate, à contrecœur, interroge Jésus. Suit un dialogue de sourds sur l'interprétation du sens à donner au « royaume » de Jésus. Dialogue qui se termine sur ce mot lourd de sens de la bouche de Jésus sur lequel tous les philosophes — à commencer par ceux de la Grèce — se sont cassé la tête et au nom duquel d'innombrables guerres ont éclaté, mot devenu par dérision même, le titre d'un célèbre journal soviétique *(Pravda)* : la *vérité* ! « C'est pour cela que je suis venu dans le monde : pour rendre témoignage à la vérité ; quiconque est de la vérité écoute ma voix » (Jean 18, 37).

Question pertinente de Ponce Pilate, qui, jusqu'à nos jours, retentit dans les têtes des hommes et des femmes dans le monde : « Qu'est-ce que la vérité ? » Question qui restera à tout jamais ouverte... Ponce Pilate trouve Jésus innocent. « Pour moi, je ne trouve en lui aucun motif de condamnation » (Jean 18, 38). Le voulant libérer, les Juifs vociférèrent : « Si tu relâches cet homme, tu n'es pas ami de César ; quiconque se fait roi se déclare contre César » (Jean 19, 12). Les pharisiens, d'habitude les ennemis jurés du pouvoir romain, conquérant haï, en l'occurrence, se montrent plus impériaux que l'Empereur. Dans *Jésus de Montréal,* Martin, qui joue le grand prêtre, précise davantage les insinuations des pharisiens : « Les prêtres sont du côté de Rome. Vous ne voudriez pas que certains bruits circulent ! Tibère Auguste est un empereur soupçonneux. Nous voulons vous aider à gouverner le pays sans problème, mais... Il faut faire un exemple de temps en temps (p. 63). »

Pris dans un *double bind* inextricable, Ponce Pilate livre finalement Jésus à la foule : « Voilà votre roi », non sans poser la question qui montre son désarroi : « Crucifierai-je votre roi ? » Réponse des Juifs : « Nous n'avons de roi que César » (Jean 19, 15). Ils préfèrent donc vivre sous la botte du « roi » conquérant haï plutôt que d'accueillir ce « roi » annonçant le règne d'un royaume céleste. Autrement dit, ils préfèrent l'aliénation politique à une libération spirituelle à laquelle ils ne croient pas. Car l'aliénation qu'est-elle sinon cette soumission servile aux diktats d'un Autre ?

Dans *Jésus de Montréal,* l'ordre d'intervention des deux justices est inversé par rapport à celui des Évangiles : la « justice de César » précède celle de l'establishment ecclésiastique, pour ne pas dire de l'Église. En effet, la justice est mobilisée à la suite des plaintes déposées par les publicitaires scandalisés par le « vandalisme » de Daniel-Jésus. « Malheur au monde à cause des scandales ! » (Matthieu 18, 7). Mais il faut que les scandales arrivent ! « Mais malheur à l'homme par qui le scandale arrive » (Matthieu 18, 7). Le *scandale* vient du grec *skandalon, piège,* plus précisément le petit bâton qui tient ouvert le piège, lequel se referme sur la proie lorsque le « scandale » saute. L'origine grecque du *scandale* éclaire mieux la suite du texte évangélique qui, autrement, reste obscur. « Si ta main ou ton pied te scandalise, retranche-le et jette-le loin de toi » (Matthieu 18, 8). Si ton pied et ta main sont pris au piège du règne de Mammon, encombrant ta marche, bloquant ton chemin vers le royaume de Dieu, alors coupe ta main, coupe ton pied, car « mieux vaut pour toi entrer dans la vie estropié ou boiteux qu'être jeté avec les deux mains ou les deux pieds au feu éternel » (Matthieu 18, 8).

Daniel-Jésus, l'homme par qui le scandale est arrivé à Jérusalem, à Montréal. Malheur à l'homme par qui le scandale arrive ! Malheur à Daniel, à Jésus pris au piège des « justices » terrestres. Ce

piège se referme sur le Jésus de Montréal, au moment même où le
« doux Coulombe » se durcit en Daniel « rugissant », lançant ses imprécations, ses « anathèmes » contre les institutions des deux justices
séculière et ecclésiastique. « Je ne suis pas venu apporter la paix, mais
le glaive » (Matthieu 10, 34). S'en prenant d'abord au serment « Que
votre parole soit oui si c'est oui, non si c'est non » (Matthieu 5, 33-
37), il fustige ensuite les législateurs qui se mettent au-dessus de leurs
propres lois. « Malheur à vous les législateurs parce que vous chargez
le peuple de fardeaux impossibles à porter et vous-mêmes vous ne
touchez à ces fardeaux d'un seul de vos doigts (p.131). » Les lois sont
un « scandale » pour ceux et celles qui doivent les exécuter puisqu'ils
y sont littéralement pris au piège-scandale comme des rats, tandis que
les législateurs se gardent bien d'y toucher d'un seul de leurs doigts
de peur qu'ils ne restent pris dans la « souricière » qu'ils ont si bien
conçue.

Lorsque Daniel prononce ces mots, les agents de police « en
bourgeois » sont déjà sur la scène avec un mandat d'arrêt d'un juge en
poche. Un premier piège s'est fermé sur Daniel sans qu'il s'en
aperçoive. Un autre vient d'être tendu. Il ne reste à Daniel que de
faire sauter le « scandale », le petit bois qui tient ouvert la souricière.
Voilà, c'est chose faite !

En effet, commence là une charge à fond de train contre les
« prêtres », les « ministres » de Dieu, censément au « service de Dieu »,
mais devenus des pharisiens, comme ce père Leclerc présent justement avec deux témoins — comme lors du procès de Jésus —, deux
prêtres en complet gris d'été, représentants du sanctuaire. Ainsi donc
les attaques de Daniel-Jésus ne se font pas « en l'air », mais atteignent
de plein fouet ceux-là qui sont visés. « Méfiez-vous des prêtres qui se
plaisent à circuler en longues robes, à recevoir des salutations sur les
places publiques, à occuper les premiers rangs dans les temples et les
premiers fauteuils dans les banquets, qui dévorent les héritages des
veuves et affectent de longues prières. Ils subiront, ceux-là, une condamnation plus sévère » (Marc 12, 38-40 ; p. 131-132).

Arrivé devant le père Leclerc, Daniel lui adresse ces paroles du
Christ (Matthieu 20, 26-28) : « Celui qui voudra devenir grand parmi
vous devra être votre serviteur, celui qui voudra être le premier parmi
vous devra être l'esclave de tous (p. 132). » « De même que le Fils de
l'homme n'est pas venu pour être servi, mais pour servir et donner sa
vie en rançon pour beaucoup » (Matthieu 20, 28).

Jésus-Daniel sape, renverse la « sociologie », la « politique »,
l'« arithmétique » mondaine de l'« ordre établi » qui ont eu cours depuis

que l'homme est l'homme, et même probablement depuis que le singe est singe. Dans *ce* monde, est maître le plus grand, le plus fort, celui qui est au service de Mammon-Argent-Pouvoir, alors que celui qui est dépourvu de ces « prestiges » reste petit, devient esclave. Or dans l'*autre* monde, inaugurant le règne de Dieu, l'ordre, l'échelle de valeurs, des mesures s'inversent : n'y deviendra grand, ne deviendra maître que celui qui est socialement petit, de la plus basse extraction, l'esclave considéré suivant la loi grecque et romaine comme non-humain, comme un simple ob-jet. Est maître devant Dieu celui qui s'abaisse, qui s'humilie devant les autres, qui devient leur serviteur, leur esclave, comme Jésus s'est donné en *rançon* pour la *rédemption* de tous les hommes (*rançon, rédemption* sont de la même souche latine, *redemptio* ; *rançon* ayant le double sens séculier — argent offert pour racheter un prisonnier — et religieux).

Les mathématiques « complexes » de Jésus « scandalisent » autant que sa sociologie « complexe », suivant lesquelles les premiers seront les derniers et derniers les premiers.

Se tournant maintenant vers les autres spectateurs, Daniel ne s'adresse pas moins à l'establishment de l'Église. À bon entendeur, salut ! Ses paroles sont tirées du grand discours de Jésus contre les pharisiens et les scribes que nous avons eu l'occasion de citer à plusieurs reprises. « Ne vous faites jamais appeler "Rabbin" ou "Mon révérend père" ou "Monseigneur" ou "Éminence", car vous n'avez qu'un maître qui est dans les cieux et vous êtes tous frères ! » (p. 132 ; Matthieu 23, 8). Il va sans dire que les « Mon révérend père », « Monseigneur », « Éminence » sont du cru de Daniel-Arcand, adaptation à une nouvelle situation, globalement chrétienne, localement montréalaise, « Rabbin » étant une apostrophe respectueuse à l'égard des docteurs juifs de la loi.

Car il serait trop facile — ce qu'ont fait, effectivement, le christianisme, l'Église catholique suivant une longue tradition —, de s'abriter derrière le conflit local qui oppose Jésus à l'establishment de la Synagogue et de n'y voir qu'une condamnation de la religion judaïque par Jésus-Christ. On sait, cette interprétation a fait glisser l'Église catholique dangereusement sur la pente du racisme antijudaïque, en faisant la part entre l'*antijudaïsme* (objet de la religion judaïque) et l'*antisémitisme* (rejet, dégradation, et « finalement » élimination de tout homme de « race » juive : glissement du rejet religieux vers le rejet biologique). Au XXe siècle, ces deux racismes se chevauchent de façon inextricable. Aussi l'Église catholique a-t-elle été la complice des pogromes et des « lois raciales ». Voir le « Concordat » conclu par Pie XII avec le régime raciste nazi (Rolf Hochhuth, *Le vicaire*). Le « christianisme » se donnait bonne conscience en laissant « punir » les descendants des « assassins » de Jésus-Christ. Christianisme aussi perverti que le pharisaïsme des pharisiens, parce que aussi éloigné de sa source première que le pharisaïsme pouvait l'être de la première loi mosaïque. N'oublions surtout pas que Jésus-Christ n'a pas déjà été « chrétien ». Cette projection chrétienne rétrospective sur la vie de Jésus fausse largement les données premières de son enseignement. Le film de Denys Arcand, en effet, affirme avec force ce « paradoxe » par la bouche de Constance. « Le paradoxe, c'est que Jésus n'était pas chrétien. Il était circoncis et il observait la loi juive (p. 65). »

Ainsi donc la parole de Jésus, loin de « faire l'autruche » dans son époque, loin de ne viser que les institutions locales, rayonne dans le temps, jusqu'à nous. Elle nous vise, cible nos institutions. Au « César » évangélique se substitue chez nous le pouvoir bicéphale d'« Ottawa » et de « Québec », le titre de « Rabbin » est remplacé par celui de « Mon révérend père », « Monseigneur », « Éminence », « Son Excellence », « Sa Sainteté le Pape »... Et Jésus de continuer : « Ne vous faites plus appeler "Docteur", parce qu'il n'y a pour vous qu'un Docteur, le Christ. Le plus grand d'entre vous sera votre serviteur. Celui qui s'élèvera sera abaissé, et celui qui s'abaissera sera élevé » (Matthieu 23, 10-12). Encore et toujours la sociologie « renversante », « mathématiques complexes » de Jésus qui bouleversent la hiérarchie sociale et politique mondaine, bref l'ordre établi.

Après ces mises en accusation en règle du système judiciaire et synago-ecclésiastique, les deux prêtres qui l'accompagnent jettent au père Leclerc des regards éloquents voulant dire : les « preuves » contre Daniel, nous les tenions là dans les paroles de Jésus-Christ. En amalgamant, en concentrant les paroles de Jésus en trois grandes séries de discours — visant ici l'ordre établi —, Denys Arcand fabrique un « cocktail Molotov », une grenade verbale d'une grande puissance explosive. Le spectateur se rend effectivement compte que Jésus ne débite pas de la guimauve mais est un « guérillero », un « révolutionnaire » de la parole — et une fois dans le temple —, de ses bras qui s'attaque sans ménagement à l'« ordre » existant dont la seule vertu souvent est d'avoir existé déjà pendant des centaines d'années, parfois deux mille ans.

Jésus, un « rebelle » (Messadié), un révolutionnaire au premier sens du mot : il veut faire tourner, renverser, « révolutionner » sans compromis, le plus radicalement possible, ce monde régi par Mammon, donc par l'égoïsme, par la haine, par la loi de la jungle du droit du plus fort, pour instaurer le règne de l'Amour du prochain, du petit, de l'enfant. Jésus ne fait pas de compromis, il est intransigeant : « Qui n'est pas avec moi est contre moi, et qui ne ramasse pas avec moi disperse » (Matthieu 12, 30).

Le christianisme, après avoir désamorcé, pendant deux mille ans, le discours explosif de Jésus, l'ayant édulcoré jusqu'à en faire, comme le père Leclerc, un Chemin de la croix à l'eau de rose, croit se trouver, lorsque tout d'un coup frappé de plein fouet par cette parole christique exigeante, intransigeante, presque en face d'un discours d'un autre, d'un hérétique, d'un malfaiteur de droit commun. Daniel n'est-il pas effectivement accusé de menaces, d'un assaut de coups et de blessures et de vandalisme ? Pour un peu, on mettrait les paroles de Jésus à l'index ! Ce film nous montre l'abîme abyssal qui s'est creusé entre l'enseignement de Jésus et cette civilisation postchristique qui se qualifie toujours de « chrétienne », qui commence son calendrier, son an zéro, avec la naissance de Jésus (né en fait vers 7... avant Jésus-Christ !). Le message profond du film : si Jésus revenait encore à Montréal, à Paris, à Berlin, il ne serait plus crucifié par les Juifs mais par les Montréalais, les Parisiens, les Berlinois... Car déjà un simple comédien qui veut « moderniser » le Chemin de la croix, tout en donnant des « dents » aux discours de Jésus, provoque chez l'establishment un « scandale » aux conséquences similaires à celles déclenchées par le « scandale » de Jésus.

La « justice de César », par la voix du sergent-détective François Bastien, arrête Daniel-Jésus sur la croix, à sa douzième station. Il arrête ainsi le Chemin de la croix, empêchant par là la résurrection de Jésus, pivot de la foi chrétienne, comme saint Paul l'a dit dans le célèbre mot que nous avons mis en exergue de cette partie (Corinthiens I, 15, 13-14). François Bastien, en interpellant Jésus sur sa croix, en appelant « monsieur Coulombe » celui qui incarne en ce moment « Jésus-Christ » à Montréal, a réduit la Passion de Jésus à une simple « comédie ». Daniel sort comme d'un rêve, il tombe du haut de sa « croix ». Tant pis pour ceux qui y ont cru, pour ceux qui ont « marché ». Daniel-Jésus ne sera pas crucifié à la romaine, il le sera à la québécoise. Les autorités l'en empêchant, il ne « ressuscitera » pas à l'ancienne, il se « relèvera » à la « montréalaise », à la moderne.

La justice légaliste voudrait faire connaître ses droits à « monsieur Coulombe » par la bouche de Bastien, mais elle ne fait entendre qu'un sacre typiquement québécois : « christ », replacé ici dans son contexte sacrificiel originel[2]. Bastien oublie les « droits », par contre il a bien sur lui les menottes qui ne tarderont pas à se fermer sur les mains de Daniel : « Mais va falloir suivre le règlement (p. 134). » Daniel descend de la croix en enlevant l'enseigne sur laquelle on lit en hébreux : « Jésus, le Nazaréen, le roi des Juifs. » Il a le temps de se démaquiller. L'acolyte de Bastien, Brochu, « félicite » Daniel pour le « beau spectacle » qu'il dit avoir « beaucoup aimé ». « C'est des choses qui font réfléchir, quand même (p. 135). » Décidément pas assez pour que le « spectacle » ne soit pas interrompu, pour qu'il puisse se terminer. « J'aurais aimé ça voir la fin, moi (p. 135). » Mais en y « réfléchissant », il fallait que le spectacle qui se termine en *happy end* avec la résurrection de Jésus soit au contraire interrompu pour que puisse non plus cette fois se jouer le Chemin de la croix sur une scène dans les enceintes de l'oratoire Saint-Joseph, mais véritablement s'incarner, se vivre la Passion de Montréal dans les rues, dans le métro de cette ville.

Daniel est donc amené au Palais de justice devant le Ponce Pilate montréalais joué par Denys Arcand en personne. Rôle qui lui revenait de plein droit. Cinéaste hanté par l'empire romain déclinant, il a été le juge suprême au-dessus de la mêlée qui, tout en actualisant la tragédie de Jésus, en tendant à nouveau les ressorts de ses péripéties, se lave les mains devant l'innocence de l'homme Daniel Coulombe accusé par la société québécoise, dont il est lui-même à la fois le créateur et l'accusateur.

La justice, comme la médecine à la « castonguette » au Québec est expéditive. Devant l'insuffisance des services, le public se bouscule aux portillons. Le juge a soixante cas à « régler » ce matin. Daniel en est le vingt-cinquième numéro. Daniel refusant toute aide juridique ou « cardinalice », plaide coupable. Il est aussitôt référé à la psychologue Mme de Viliers (Andrée Lachapelle). Cette dernière cherche à expliquer le « malaise », enfin la « révolte » de Daniel par un « complexe d'infériorité », des « frustrations » provoquées par une situation sociale et professionnelle minable, inférieure. La vieille chanson du Québécois « colonisé » ! « Jouer le Chemin de la croix sur la montagne, vous trouvez pas ça un peu ridicule, non (p. 139) ? » « Non, répond Daniel, c'est un bon sujet. » « Comme comédien, insiste la psychologue, c'est un emploi un peu minable, non ? » « Jouer Jésus, pour un acteur, c'est n'importe quoi sauf minable », rétorque sèchement Daniel. Ce dernier, premier prix du Conservatoire, ne ronge-t-il pas son frein à ne jouer que dans des théâtres d'amateurs ? (Les « amateurs », ceux qui aiment *vraiment*). « Vous aimeriez pas faire une belle carrière ? Jouer les grands théâtres ? » Décidément, Daniel Coulombe n'est pas un acteur comme les autres, il ne cherche pas les feux de la rampe, à être *la* star, « Jésus Superstar ». Ne prêchant pas seulement comme certains ministres de Dieu, mais vivant la sociologie « renversante » de Jésus, il répond donc dans son esprit : « J'ai été absent longtemps, alors c'est un peu normal de recommencer au bas de l'échelle (p. 139). »

A-t-il alors une dent particulière contre la pub ? « Ce qui m'a enragé, c'est la manière dont ces gens-là traitaient les acteurs, enfin surtout les actrices. » Ce qui enrage Daniel, c'est le mépris, mépris de la femme, de l'homme, des humains par la pub, par toute institution.

Enfin, toujours dans la même veine d'argumentation, la psychologue demande à Daniel s'il regrette « le fait d'être né ici », au Québec. « Naïf », le Jésus de Montréal ne comprend pas la question. Si on avait posé la même question à Jésus, il aurait été aussi interdit. La question ne se posait pas. Il est né juif, il est mort juif. Visiblement, la psychologue projette ses propres frustrations, comme celles de beaucoup de ses compatriotes, sur Daniel qui, lui, se sent tout à fait bien dans sa peau « ici ». « Enfin, je sais pas, si vous étiez né à ... Santa Barbara en Californie, vous pourriez jouer dans des films à Hollywood. Ou bien si vous étiez né à New York, à Londres, même à Stockholm, vous auriez pu rencontrer Ingmar Bergman. Enfin ici, il n'y a pas grand-chose, non (p. 140) ? »

Filtre là dans le discours de la psychologue le mépris larvé ou apparent qu'avaient affiché les intellectuels québécois du *Déclin* face à leur culture, face à leur état de Québécois. Auto-dépréciation qui les a fait vivre, manger, aimer ailleurs qu'au Québec. La « gloire » ne peut venir que d'Ailleurs...

Daniel ne comprend toujours pas. « Je peux pas y faire grand-chose ? Et puis ça aurait pu être pire : j'aurais pu venir au monde au Berkina-Faso. » La « psychologue », gagnée par la psychologie « renversante », à rebrousse-poil de celle de la majorité des Québécois, de ce « fou » de Daniel, éclate de rire.

Daniel est acquitté. Tout au moins, le juge prend-il la « sentence en délibéré » avec l'injonction de « revenir ici *sans faute* ». Jésus *est* sans faute, innocenté par la « justice de César ».

Voici venir la justice ecclésiastique dont le père Leclerc est l'émissaire et le porte-parole. En effet, pris de panique devant le spectacle nouveau du Chemin de la croix décapé de ses vernis ancestraux, débarrassé de ses rajouts « quétaines », le père Leclerc, toujours aussi « courageux », avertit ses supérieurs : « Je peux pas prendre la responsabilité moi-même. C'est trop risqué (p. 114). » Il se fait fort d'avoir plaidé la cause des acteurs « le plus courageusement possible ». Autant dire : pas du tout !

Alors Leclerc propose un « compromis ». Nous savons déjà que Jésus ne connaît ni le mot ni la chose « compromis » : il demande des choix tranchants, intransigeants entre deux maîtres. Le compromis, c'est souvent le refuge des lâches, des pleutres, trop heureux de nager entre deux eaux. Faire un « compromis », à l'origine, c'est « s'en remettre à la décision d'un arbitre », d'un autre, donc se décharger sur un autre d'une décision qu'on ne saurait prendre soi-même. Il n'est pas loin du compromis à la compromission !

Or, le « compromis » proposé par Leclerc n'en est pas vraiment un, puisqu'il s'agit de revenir au *statu quo ante,* « à l'ancien texte qu'on jouait les années précédentes (p. 148) ». En fait, ce que le père Leclerc demande, ce n'est rien de moins que de revenir au « scénario » de tout repos du catholicisme sous la tutelle thomiste qui a soi-disant « très bien fonctionné pendant quarante ans (P. 114). » Or, lors de sa demande initiale à Daniel, qui a déclenché tous les chambardements, Leclerc avouait, au contraire, que « ces dernières années, ça marchait pas très fort. Le texte est un peu démodé. Il faudrait moderniser tout ça (p. 22) ».

Comme il fallait s'y attendre, il y a eu maldonne sur les mots *moderne, moderniser, modernité.* D'autres se sont pris au piège-scandale de la *modernité.* À se demander si une grande partie des querelles de basse-cour et de ruelle de nos critiques, esthéticiens et artistes « modernes » n'originent pas non plus dans un malentendu foncier sur le sens de *moderne* et de *modernité.* En effet, pour Leclerc, *moderniser* le Chemin de la croix, cela voulait dire de manière pharisienne ne toucher qu'aux apparences, le « rafraîchir » (p. 114), ravaler sa façade, la maquiller, tandis que pour Daniel cela signifiait de la « perestroïka » théologique, une « restructuration » de fond en comble, un ressourcement du texte avec un retour aux sources premières, aux paroles mêmes du Christ et, *plus important,* une vie en conformité avec ces paroles. Daniel de même que Jésus n'est pas « structuraliste » au sens ou Lévi-Strauss avait défini jadis le mot comme relevant du « bricolage », puisqu'il a horreur du « bricolage », du « rafistolage », du *patchwork.* « Et personne n'ajoute à un vieux manteau un ajout d'étoffe *(patch)* non foulée, car son morceau rapporté enlève un bout du manteau, et une déchirure pire se produit » (Matthieu 9, 16).

Il en va de même du vin et de son contenant, les outres, dans lesquelles on gardait le vin du temps de Jésus. « Et personne ne met du vin nouveau dans des outres vieilles, sinon, certes, le vin nouveau crèvera les outres, et il se répandra et les outres seront perdues. Mais un vin nouveau c'est dans des outres neuves qu'il le faut mettre. *Et personne, après avoir bu du vin vieux, ne veut du nouveau. On dit en effet : c'est le vieux qui est le bon* » (Luc 5, 37-39). Luc, en effet, est le seul parmi les évangélistes à ajouter ce que nous avons mis en italique. D'accord avec les autres synoptiques sur le sens général à donner à la parabole — au contenu nouveau (vin), un contenant nouveau (outre), à un fond nouveau, une forme nouvelle, l'idée donc d'un renouvellement, d'une modernisation radicale — Jésus, par la plume de Luc, lance une pointe « moderniste » acérée contre les Anciens, contre les traditionalistes, qui n'aiment le vieux que *parce qu'*il a été vieux : « C'est le vieux qui est le bon », le vin, comme tout le reste. Allusion, bien sûr, à tous ceux de ses contemporains qui préfèrent le vin « millésimé », « cuvé », de l'Ancien Testament au Beaujolais nouveau « vert », trop vert comme les raisins pour d'aucuns d'un Nouveau Testament dont Jésus fait la promotion.

Autrement dit, Jésus est « moderniste » à bloc, pour le nouveau sans compromis, dans toute sa radicalité. Pas de compromis, pas de bricolage, pas de rafistolage avec de l'ancien, compromis que propose justement le père Leclerc qui, à l'encontre de l'enseignement de Jésus, se contente d'abord de mettre du vin nouveau mais frelaté dans de vieilles outres, pour, à la fin, mettre du vin vieux dans de vieilles outres.

La tête chercheuse du nouveau avance implacablement. Pas de retour sur le passé. Ainsi les copains de Daniel et notamment Constance — dont le nom signifie pourtant « continuité » — qui a joué pendant de longues années l'ancien scénario du père Leclerc, ne *peuvent* plus aujourd'hui prendre au sérieux un texte qui hier faisait encore « autorité ». Lorsque le père Leclerc veut en faire une « nouvelle » lecture pour le « débroussailler un peu », les comédiens le démolissent par une parodie désopilante de différents styles d'acteurs : Académie française, le *method acting* de New York, le kabouki japonais, enfin le clou dans le cercueil du scénario de Leclerc, le Chemin de la croix « à la québécoise », « joualisé » : « Sacrement, voici l'Agneau sans tache, hostie ! Yé keloué par nos impurs désirs, tabarnak ! Ça a pas de câlisse de ciboire de bon sens, ça, viarge de bout d'Christ (p. 150) ! »

Les Québécois sont probablement les seuls chrétiens au monde à avoir conçu une conversion des termes associés au sacrifice christique (« sacrifice », « Christ », « hostie ») en sacres, des objets eucharistiques (câlisse, ciboire, tabarnak, hostie, sacrament) en mots de passe pour une messe noire sacrante !

Le texte de Leclerc ne se relèvera jamais de cette désacralisation à la québécoise...

Inutile de dire que le permis de jouer du sanctuaire est retiré pour de bon à Daniel et compagnie. Comme le dit Chalifoux (Gaston Lepage), le gardien de sécurité : « Le Chemin de croix est annulé indéfiniment... Vous pouvez enlever vos costumes. »

Après un moment de déprime, Daniel et ses copains décident de passer outre à l'interdit de jouer. « On a été engagé pour jouer, on va jouer », répond Daniel à l'« agent de sécurité » qui répand l'insécurité. Comme il fallait s'y attendre, Chalifoux, comme Leclerc, ont des « ordres » de leur « supérieur ». Les ordres qui sèment le désordre. Supérieur kafkaïen anonyme, invisible, qui met ses gardes de sécurité à l'entrée de la Loi, comme dans *Le procès*. Contrairement à Joseph K., Daniel ne se laisse pas intimider par la présence du garde d'insécurité ; il n'attend pas toute sa vie devant les portes d'une loi inconnue. Il connaît *sa* loi ; il connaît *son* « supérieur ». Tant pis pour le « supérieur » cachotier de Leclerc et de Chalifoux. « Je le connais pas, moi, le supérieur. Je l'ai jamais vu (p. 161). » « Bien, je travaille pour lui, moi », répond Chalifoux. « Moi aussi », rétorque Daniel. Malentendu savoureux. Ils travaillent tous les deux pour un « supérieur », mais qui ne se trouve pas être le même. Chalifoux pour le supérieur du sanctuaire, Daniel pour le supérieur des supérieurs de Chalifoux.

Donc Martin repousse vertement ce « gardien », gardien des « vieux meubles », de l'Ancien qui l'empêche de représenter le nouveau Chemin de la croix. « Pousse-toi. »

Et le nouveau Chemin de la croix est joué un troisième soir. Daniel monte encore sur sa croix. Il arrive encore à la douzième station. C'est à ce moment précis, tout comme hier, que les gardes de sécurité arrivent sur la scène, une dizaine, appelés cette fois par Chalifoux. Ce dernier, dérision du Christ, lève ses bras en croix. On aperçoit derrière lui Daniel, le crucifié, et plus loin, les lumières de la ville vers laquelle Daniel descendra sous peu. « Mesdames et Monsieur, on est obligé d'interrompre la représentation, pour des raisons de sécurité. » Martin demande vingt minutes à Chalifoux pour terminer : « Donne-nous une chance. » Mais Chalifoux reste intraitable, comme, la veille, Bastien et Brochu. Il doit arrêter non seulement l'acteur principal, Daniel, mais toute cette « comédie » du nouveau Chemin de la croix. Ordre du « supérieur ». Il devient ainsi agent du *fatum* de Daniel, qui trouvera *son* Chemin de la croix, *sa* flagellation, *sa* crucifixion.

Le public mordu, embarqué dans le nouveau spectacle, s'en mêle, veut voir la fin de la représentation. Imagine-t-on *Le Cid, Hamlet, La vie de Galilée* interrompus avant la fin ? Impensable. Les acteurs protestent, suivis par le public qui veut « savoir la fin ». Chalifoux, le garde de sécurité du sanctuaire a évidemment une réponse de fonctionnaire de la foi : « Mais tout le monde la sait, la fin, Madame : il meurt sur la croix puis après il ressuscite ! Voyons donc ? Il y a pas de mystère là-dedans(164) ! » Du déjà vu, du connu, du rabâché, depuis deux mille ans que nous sommes chrétiens. « Crétin », l'injure que lui lance Mireille, convient particulièrement à ce « chrétien » crétinisé. En effet, le *crétin* à l'origine est un *chrétien* mal tourné, en chrétien, comme Chalifoux, comme Leclerc.

Commence alors une mêlée générale, « une bousculade collective plutôt comique », « une échauffourée comme dans un bar western (p. 165) », selon les instructions du scénario. Arrivé à son paroxysme, à la crucifixion, le Chemin de la croix bascule dans le comique le plus délirant. Les jeux idolâtres auxquels le Canada français a tant sacrifié sont appelés, par dérision, sur cette scène, se confondant dans une mêlée tragi-comique. Le hockey surtout, le jeu des jeux qui « mène à tout » au Québec. En effet Pierre Bouchard (Bob Della Serra), ancien joueur de hockey, colosse à la Mad Dog Vachon, s'improvise lutteur de « catch ». Comme souvent nos joueurs de hockey lors de leurs joutes, il saisit d'une prise d'étranglement l'agent contre lequel se débat Mireille. La « joute de hockey », mine de rien, se transforme en match de football américain avec cette fois, une mêlée authentique. Chalifoux qui a assené un coup de lampe de poche sur le crâne chauve hypersensible de Pierre Bouchard est « plaqué » par ce dernier qui, son épaule appuyée dans le ventre de Chalifoux, le fait reculer de force. Jusqu'au point, où ils heurteront le pilier vertical de la croix appelé en latin justement *crux*.

Sous le choc de l'impact, le pilier de la croix sort du sol. Daniel, attaché à sa croix, ne réussit pas à sauter. Il tombe tête la première, sa tête écrasée sous la croix. L'endroit de la crucifixion de Daniel, plus qu'un lieu-dit appelé *Golgotha,* devient son véritable *calvaire,* traduction latine de *calvariae locus* (du latin *calvaria* — crâne), alors que l'hébreux *Golgotha* tiré de *goulgouleth* signifie déjà « crâne ». Le calvaire de Daniel commence donc par un retour à l'origine crânienne, « galgothaenne » du calvaire par l'écrasement de son crâne sous le poteau de la croix.

Les autorités civiles et religieuses ont « arrêté » la crucifixion de Daniel. C'est justement par cet arrêt même qu'elles vont précipiter le calvaire de Daniel qui commence dès le moment où la croix lui défonce son crâne.

La comédie est terminée, une fois pour toutes. *Incipit tragœdia. Incipit calvaria.*

Le silence se fait instantanément.

Deux cris de femmes retentissent. Celui de Mireille : « Daniel ! Daniel ! » Et celui de Fabienne (Sylvie Drapeau), comédienne qui s'est battue pour que le spectacle continue : « Mais faites quelque chose ! »

Daniel est gravement blessé d'un traumatisme crânien qui nécessite sans délai l'intervention d'un spécialiste de la médecine d'urgence, d'un traumatologue. Sa vie ne tient qu'à un fil, fil de temps qui se raccourcit avec chaque seconde, avec chaque battement de cœur. Chaque seconde perdue peut perdre la vie de ces blessés graves.

Constance est la première à « faire quelque chose » : elle téléphone au 911, le numéro de la soi-disant « urgence » de la Communauté urbaine. Réponse d'une voix enregistrée : « Toutes nos lignes sont présentement occupées. » Première d'une chaîne, d'une cascade de pannes de l'« urgence » au Québec. Chaque fois, c'est l'encombrement, l'insuffisance des services qui font perdre le temps précieux, vital. Lorsque arrive enfin l'ambulance conduite par Denis Bouchard, un autre « rescapé » de *Lance et compte,* on apprend que l'urgence la plus proche, celle de l'Hôpital général, est « remplie ». Il faut donc aller plus loin, à Saint-Marc. Encore du temps précieux perdu.

C'est à l'« urgence » de Saint-Marc, lieu d'entassement et d'encombrement, emblème de *toutes* les urgences du Québec, où Daniel perd littéralement son temps et par conséquent sa vie. Le temps est ici plus précieux que l'argent *(time is money),* il *est* Vie. Dans les couloirs de l'urgence, des dizaines de malades assis, debout, des opérés avec leur goutte-à-goutte, tous des *patients* au premier sens du mot, subissant avec résignation et fatalisme leur sort : celui d'une attente douloureuse, interminable dans un lieu infernal d'*abomination de la désolation.*

Il n'y a même plus de couverture pour tenir le corps de Daniel au chaud. « J'ai plus rien ! » dit la préposée excédée. Signe évident de la « tiers-mondisation » vers laquelle le Québec dérive lentement depuis quelque temps. Les « méga-projets » des alumineries avec des investissements par milliards de dollars grugeant le pays de ses matières premières et de son énergie, ne donnant que peu d'emplois, l'exploitation massive d'électricité obligeant Hydro-Québec à mettre en marche ses vieilles centrales thermiques polluantes, vont de pair avec l'indigence des investissements dans les ressources humaines (enseignement, santé, etc.), la première priorité de *tout* gouvernement sensé et responsable. Nos urgences du Québec commencent à ressembler à des « hôpitaux de brousse » d'Afrique, des « républiques de bananes », disait un médecin récemment, le dévouement, l'esprit d'improvisation, les quasi-miracles quotidiens des médecins et des infirmières devant compenser un sous-équipement chronique, une négligence et une gabegie presque criminelles. Les couvertures, c'est ce que les pays dit « développés » envoient en première urgence aux pays « sous-développés », du Tiers monde en cas de crise, de catastrophe. Le Québec a aujourd'hui besoin de couvertures pour ses urgences. La *couverture,* bien sûr, est un symbole criant qui dé-couvre une situation humaine inhumaine, intolérable. « On va vous laisser la civière puis la couverture. On va s'en trouver d'autres ailleurs », dit l'ambulancier résigné. Le « système D » érigé en système de gestion des ressources humaines... « Bonne chance », dit l'ambulancier à Constance avant de partir. Il faut évidemment beaucoup de chance pour s'en sortir, pour en sortir vivant...

Constance, toujours consciente de l'urgence, demande à la préposée de l'urgence : « Est-ce qu'il y a un médecin qui va venir ? » Réponse : « Lui (Daniel), est-ce qu'il a sa carte d'assurance-santé ? » La carte-soleil, soleil dont on « voit » plutôt l'éclipse dans nos « urgences » du Québec.

Avant qu'on puisse voir un médecin dans les « urgences », il faut d'abord passer par l'admission. « *En attendant,* allez à l'admission », dit la préposée à Constance. Une autre attente. Daniel perd encore du temps précieux, vital. Constance traverse le couloir sinistre encombré de patients impatients, enjambant ici et là des malades pour se rendre à l'admission. Constance à la secrétaire qui fait l'« anamnèse » d'un malade âgé (« des maladies contagieuses dans la famille ? ») : « Pardon, Madame, c'est pour une urgence ». Réponse : « Prenez un numéro, attendez votre tour. Il y a tout ce monde-là qui sont avant vous. »

Comme pour le jeu de hasard, c'est le numéro d'arrivée qui décide aveuglément du temps de passage aux soins d'« urgence » du malade. Il faut *attendre* maintenant son tour. Ceux qui sont passés aux « urgences » savent que ce tour — certaines fins de semaine — peut se faire attendre trois, quatre heures. Encore du temps, beaucoup de temps précieux, vital, perdu.

Constance revient enfin là où elle avait laissé attendre Daniel sur sa civière, gardée par Mireille. Daniel, entre-temps, s'est redressé, il dit avoir « juste mal à la tête ». Il commence à s'inquiéter de l'absence de Martin et de René, ses copains, ses « disciples ».

Se bousculant aux portillons au temps des succès, des triomphes, les « disciples » se font rares lors des calvaires, à Montréal, à Jérusalem, partout dans ce monde. Ce ne sont que deux femmes qui accompagnent Daniel à son calvaire, qui montent tout d'abord dans l'ambulance. Mireille se bat même pour pouvoir embarquer, puisque, suivant le « règlement », seule une personne a le droit d'accompagner le malade dans l'ambulance. Alors que le mâle Martin, couard, poule mouillée s'excuse d'avance : « C'est pas nécessaire qu'on y aille ? Vous allez nous téléphoner ? » On prend déjà ses distances. La communication se fera dorénavant par Bell interposé.

L'iconographie chrétienne, depuis le Moyen Âge, nous a habitués à une imagerie idyllique — Jésus sur la croix entouré des trois Marie —, ce qui contraste avec une réalité beaucoup plus dure, cruelle. Jésus seul, abandonné par tout le monde, sa mère, ses disciples, même Jean, son « disciple préféré ». Gérald Messadié, de façon iconoclaste, a démoli cette imagerie de la piété chrétienne. Les femmes — les évangiles de Matthieu, de Marc et de Luc s'accordent là-dessus — ont « assisté » au calvaire, à la crucifixion de Jésus en l'observant *à distance*. « Il y avait beaucoup de femmes qui *de loin* regardaient, celles-là mêmes qui avaient suivi Jésus depuis la Galilée, pour le servir, parmi lesquelles étaient Marie la Magdaléenne, et Marie, mère de Jacques et de Joseph et la mère des fils de Zébédée (Matthieu 27, 55-56). » L'absence de Marie, mère de Jésus, s'expliquerait par les « rebuffades » qu'elle avait reçues de son fils « ingrat » qui, un jour, alors qu'elle veut le voir, lance : « Qui est ma mère ? » (Matthieu 12, 49).

G. Messadié va jusqu'à mettre en doute la présence de Jean sous la croix et de l'accuser de « publicité trompeuse ». On se rappelle ces mots célèbres de l'Évangile de la plume de Jean : « Jésus donc, voyant sa mère et, près d'elle, le disciple qu'il préférait, dit à sa mère : "Femme, voilà ton fils". Ensuite il dit au disciple : "Voilà ta mère" » (Jean 19,

26). « Jean se désigne ainsi comme le successeur direct de Jésus[3] », note Messadié. Comme de raison, ni Matthieu, ni Marc, ni Luc ne font la moindre mention de Marie, mère de Jésus, et encore moins de Jean. La « pub » existait donc déjà du temps de Jésus !

Mais que sont devenus les onze autres disciples, en admettant qu'ils furent douze et non quatorze comme le pense G. Messadié ? De toute façon, peu importe leur nombre, ils manquaient *tous* à l'appel de Jésus au moment *crucial*. Thomas a abandonné la partie bien avant que la tragédie du calvaire ne se noue. Judas l'Iscariote a trahi Jésus. Le couard Simon-Pierre à qui seront confiés les « clefs » du Ciel et qui sera le fondement de pierre, *Petrus,* sur lequel il bâtira l'Église, en une nuit, reniera Jésus trois fois. Et André, le frère de Simon-Pierre, Jacques, le frère de Jean ? Et Philippe, Barthélemy, Matthieu le publicain, Jacques d'Alphée, Thaddée, Simon le Cananéen ? Ces disciples indisciplinés perdent leur *vocation* au moment même où Jésus les appelle le plus désespérément. Comme G. Messadié, « je confesse n'avoir qu'une estime médiocre pour les disciples[4] ».

En fin de compte, Daniel, Jésus de Montréal, est encore mieux « servi » que celui de Jérusalem, puisque les deux femmes Mireille-Madeleine et Constance-Marie ne l'observent pas de loin mais l'accompagnent jusqu'au bout de son calvaire « spécifiquement » montréalais, québécois.

La première chose qu'elles feront, elles sortent Daniel de ce « purgatoire » où souffrent des âmes en peine en attendant... La préposée qui daigne lever un instant ses yeux de ses papiers demande : « Ça va mieux ? » Réponse ironique de Constance : « Oui, ça va beaucoup mieux » voulant dire : ça va déjà beaucoup mieux, lorsqu'on quitte ces lieux. « Parfait ça », de répondre la préposée. Tout va pour le mieux dans le meilleur des mondes ! L'ironie est féroce. Car le seul « soin » que l'« urgence » ait prodigué à Daniel, c'est... l'attente. Attente qui a amenuisé jusqu'au bout le fil auquel restait suspendue la vie frêle de Daniel.

Voici venir la dernière station du calvaire du Jésus de Montréal : la station de métro. C'est l'*enfer* au sens premier du mot, *« infernus »,* « lieu d'en bas », lieu souterrain. La lumière irréelle et la fumée flottant sur la bouche de métro, devenue bouche d'ombre, indiquent que nous entrons là dans un autre règne, règne de l'Autre.

Daniel est au bout de ses forces, sa voix est éteinte. Mireille et Constance précédées de Daniel qui leur fait face, descendent le grand escalier du métro. Arrivés sur le quai, ils tombent sur le grand pan-

neau publicitaire qui montre noir sur blanc le Séducteur, l'Imposteur, le traître Pascal Berger, « l'Homme sauvage ». C'est lui l'image de l'Autre qui règne en maître incontesté sur cet empire infernal d'« en bas ». Lui, Lucifer, l'ange tombé de haut. Très bas en enfer. Pascal Berger, l'Ennemi de Daniel, l'Abjection, l'Abomination. L'*Abjection*, à l'origine ce que le corps rejette, la matière fécale, la merde, Mammon, la vomissure, le rebut, le cadavre. Exprimant corporellement son abjection devant l'Ennemi, Berger-Mammon, Daniel gagné d'un haut-le-cœur, vomit dans une poubelle, là où sont rejetés les rebuts, les immondices.

Commence alors l'annonce de la « *grande affliction, telle qu'il n'en est pas encore arrivé depuis le début du monde jusqu'à maintenant* » (Matthieu 24, 21 : il s'agit d'une citation de Daniel 21,1). Cataclysme apocalyptique qui se fera sous le signe général de l'« *abomination de la désolation* annoncée par le prophète Daniel » (Matthieu 24, 15). Daniel de Montréal, porte-parole de Jésus, porte-parole du prophète Daniel. « Si vous êtes dans les plaines (en Judée), il faut vous enfuir dans les montagnes » (Matthieu 24, 16). « Que celui qui sera sur la terrasse ne descende pas et ne rentre pas pour prendre quelque chose de sa maison et que celui qui sera au champ *ne retourne pas en arrière* (comme la femme de Lot) pour prendre son manteau » (Marc 13, 15-16). Sauve qui peut, la vie, l'âme. On laissera derrière soi tout ce qui encombre, les ob-jets, les propriétés. S'adressant aux passagers de l'autre côté du quai, Daniel lève sa voix : « Malheur à celles qui seront enceintes et à celles qui allaiteront en ces jours-là. Priez pour que cela ne tombe pas en hiver » (Marc 13, 17-18). « Et alors, si quelqu'un vous dit : "Vois, le Christ est ici ! Vois, il est là !" ne le croyez pas. Car il se lèvera de faux Christ et de faux prophètes, qui feront des signes et des prodiges en vue d'égarer, si possible, les élus » (Marc 13, 21-23). Temps de confusions, temps de mensonges, des fausses représentations, de la « pub » des Berger-Mammon.

Évidemment, les voyageurs du métro regardent cet homme « délirant » qui s'approche d'eux, les touche comme un « fou ». Ce qu'il est, en effet, Mireille l'a appelé ainsi. Fou d'une mission impossible.

Daniel est complètement épuisé. Il parle confusément, délire. Délire de l'agonisant. Il chancelle, tombe par terre, s'évanouit.

Mireille tient la tête blessée de Daniel sur ses genoux tandis que Constance va chercher du secours.

Retour de l'ambulancier, étonné de voir le patient qu'il avait transporté tout à l'heure à Saint-Marc rendu au métro. Réponse de Constance : « Ils ont rien fait. Je veux pas retourner là (p. 176). » Ambulancier de Daniel : « On va essayer le Jewish. S'ils veulent nous prendre. » Retour à « Jérusalem » par le Montreal Jewish Hospital interposé.

N'est-il pas déjà trop tard ? Le fil de la vie de Daniel ne s'est-il pas déjà coupé définitivement ? De nouveau du temps vital s'écoule... L'ambulance se faufile dans les rues encombrées de Montréal jusqu'au Montreal Jewish Hospital.

Le contraste, presque caricatural, entre l'attente inhumaine de l'urgence de Saint-Marc et l'accueil chaleureux au Montreal Jewish Hospital n'est que trop criant pour ne pas sauter aux yeux. À l'encombrement chaotique de l'urgence canadienne-française s'oppose le calme, la sérénité du Montreal Jewish Hospital « canadian ». On offre même du « *coffee* » et des « *cookies* » aux « *girls* » et, au lieu de faire attendre le patient, on l'attend. Daniel est tout de suite pris en charge par Sam Rosen, le spécialiste de la médecine d'urgence. Après un examen rapide, il constate l'urgence de la situation du patient. Rosen : « *What are his vital signs ?* » Infirmière : « *Over 9-6. Heart-beat 56* ». Mireille et Constance, s'inquiétant pour la vie de Daniel, oublient même de protester contre l'infraction de la Loi 101 : on ne leur donne pas un service en français. Quel dilemme : sauver la vie ou sauver la langue ? Se faire sauver la vie par un « Anglâs » ? *To be or not to be,* c'est la seule question qui se pose en l'occurrence en anglais...

Le spécialiste de la neurochirurgie, l'anesthésiste sont appelés par intercom. L'opération commence dans les plus brefs délais.

L'opération est tentée. Nous ne voyons Daniel qu'après l'intervention, son visage couvert de tubes, sa tête hérissée d'électrodes. Les aiguilles d'un électro-encéphalographe machinalement tracent des lignes droites. Signe irréfutable de la mort dite cérébrale, expression adoptée à l'unanimité par l'Académie nationale de médecine de France en 1988, à l'initiative du professeur Jean Hamburger. On rejetait ainsi le terme ambigu « coma dépassé », qui laissait entendre que par exemple des prélèvements d'organes pouvaient s'effectuer sur des corps dans le coma donc pas encore « cliniquement » morts. Or, lorsque intervient la *mort cérébrale,* le corps a beau donner l'illusion de la (sur)vie, le cœur a beau encore palpiter « le mort a perdu sans retour ce qui faisait de lui un homme : sa vie mentale » (Jean Hamburger, *Dictionnaire promenade,* Seuil, 1989).

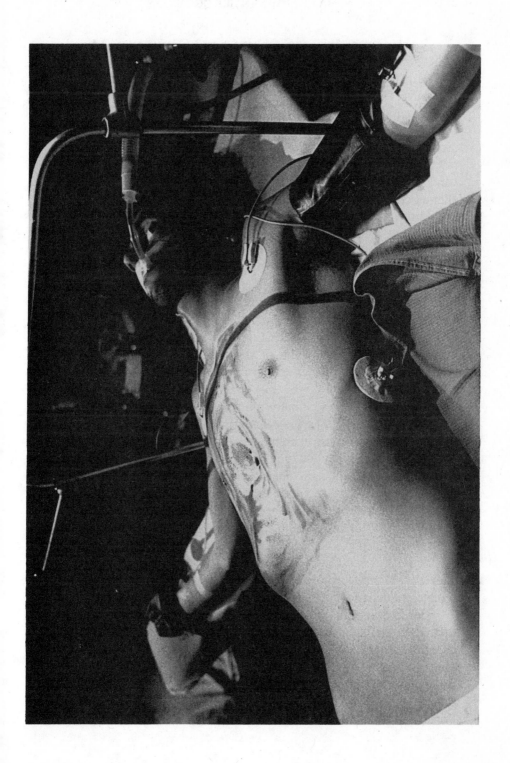

Le chirurgien vient annoncer cette mort à Constance et à Mireille : « *We lost him. You come in half an hour too late* (p. 180). » Confirmation de l'ironie tragique : arrivé une demi-heure plus tôt, il aurait pu être sauvé. Ce qui l'a tué, c'est le temps d'attente accumulé ailleurs, à l'« urgence ».

Si jusqu'à maintenant, le scénario de Jésus de Montréal a suivi grosso modo celui du Jésus de Nazareth, il s'en écarte maintenant radicalement, à partir de sa mort. Leurs trajectoires se séparent dorénavant : celle du Nazaréen quittant, de façon fulgurante, la terre pour aller au ciel ; celle du Montréalais ne décolle pas de la terre, sauf pour une « mini-ascension » de son cœur en avion. La résurrection d'entre les morts de Jésus, à la fois pierre de touche et pierre d'achoppement de la foi du chrétien, ligne de partage radicale entre ceux qui croient et ceux qui ne croient pas. La résurrection, l'épreuve spirituelle, ce « casse-tête » psychologique le plus dur que Jésus ait donné à ses disciples a déjà bien fait des « indisciplinés », nous l'avons vu pendant le calvaire. Les Thomas se multiplient. D'ailleurs le célèbre épisode de Thomas — devenu l'incarnation de l'« incrédule », du « raisonneur », de l'homme du doute —, se situe *après* la résurrection de Jésus. Thomas doit toucher le corps de Jésus, ses plaies pour croire. « Avance ton doigt ici et vois mes mains, avance ta main et mets-la dans mon côté ; et ne te montre plus incrédule, mais croyant », l'exhorte Jésus (Jean 20, 27). Le voilà enfin rassuré. Thomas n'a pas de mérite, Jésus le lui laisse clairement entendre : « Parce que tu m'as vu, tu as cru ; heureux ceux qui croient sans voir » (Jean 20, 29).

Encore une fois, ce sont les femmes, les Marie, Marie la Magdaléenne et Marie, mère de Jacques, qui croient sans avoir vu, qui croient après avoir vu le tombeau de Jésus vide. Ce sont elles qui répandent la « bonne nouvelle », l'« évangile » de la résurrection de Jésus. Mais bien des « disciples » et des « apôtres » de Jésus restent sceptiques, refusent de croire. « Les autres femmes qui étaient avec elles [les Marie] le dirent aussi aux Apôtres, mais ces propos leur semblèrent du radotage et ils refusèrent de les croire » (Luc 24, 10).

Jésus doit donc intervenir en catastrophe pour sauver la foi en débandade de ses chers disciples. Il apparaît donc aux pèlerins incrédules d'Emmaüs, afin qu'en le voyant, ils croient. À Jésus qui s'est joint à eux sans qu'ils le reconnaissent les « pèlerins » désorientés se lamentent : « Quelques-uns des nôtres sont allés au tombeau et ont trouvé les choses tout comme les femmes avaient dit ; mais lui, ils ne l'ont pas vu ! » (Luc 24, 24). *Donc* ils n'ont pas cru. Jésus est impatient devant une foi si récalcitrante, si obtuse : « Ô cœurs insensés et lents à croire à tout ce qu'ont annoncé les Prophètes » (Luc 24, 25). Pour qu'ils re-connaissent Jésus parmi eux, il doit leur donner un signe de reconnaissance palpable, un *symbole* au sens premier du mot, un objet fracturé, divisé, dont deux personnes détiennent chacune une partie, une fraction. Jésus rompt, sépare le pain devant eux. « Leurs yeux s'ouvrirent et ils le reconnurent » (Luc 24, 31).

Mais la foi des onze reste toujours aussi récalcitrante. Encore une fois, Jésus doit se montrer en chair et en os pour se faire palper, afin que les disciples croient. Apparaissant au milieu d'eux, il leur reproche encore leur incrédulité : « Pourquoi êtes-vous troublé et pourquoi des raisonnements montent-ils en votre cœur ? » (Luc 24, 38). Comme toujours, la « tête », les « raisonnements », les doutes pervertissent le « langage du cœur », la foi naïve, enfantine. Et Jésus de continuer : « Voyez mes mains et mes pieds : c'est bien moi ! Palpez-moi, et voyez qu'un esprit n'a ni chair ni os, comme vous constatez que j'en ai » (Luc 24, 39). Presque des « Thomas », les onze « refusaient encore de croire ». Alors Jésus a recours encore au *symbole* qui avait fait merveille à Emmaüs. Seulement, cette fois, il ne rompt plus le pain, il se fait couper un « morceau de poisson ». Le pain et le poisson, les deux *symboles* christiques. « Et l'ayant pris, il le mange devant eux » (Luc 24, 63). Jésus, même ressuscité, est resté un homme ordinaire qui mange comme du « monde ordinaire ».

Devant tant de doutes, de pusillanimité, d'incrédulité de la part des propres disciples face à la résurrection de Jésus, qui ont continué à douter en sa présence, après deux mille ans, ne faut-il pas chercher d'autres *symboles,* d'autres signes de reconnaissance modernes, contemporains, comme le furent ceux de Jésus, afin de rallier la foi de ceux, nombreux, qui doutent ou pis, qui restent indifférents devant la personne de Jésus ? Pour cela Denys Arcand — véritable clou de son film — s'est servi du *symbole* le plus évangélique, le plus eucharistique et le plus moderne : le don d'organes. Il s'agit encore d'une fraction, d'un « morcellement », mais cette fois non d'un pain, d'un poisson qui signifient, *symbolisent,* seulement le corps, mais fraction du corps lui-même. Si le don d'organes avait existé à son époque, Jésus n'y aurait-il pas eu recours ?

Ecce homo : voici mon corps, voici mon sang ! Un corps mort, non ressuscité, certes, mais vivant encore, malgré tout, puisqu'il est susceptible de faire vivre d'autres qui seraient morts sans cela. La médecine moderne nous permet d'envisager le don de soi, le sacrifice de soi christique de façon plus radicale encore qu'à l'époque de Jésus. Plus besoin de transsubstantier, de « végétariser » symboliquement le corps en pain pour le rompre et le donner : le corps, *symbolon* lui-même, est « rompu » littéralement et donné à autrui. Corps mort qui devient ainsi corps de Vie.

C'est de cette manière que Daniel, Jésus de Montréal « ressuscite ». La *résurrection,* un corps qui se relève, qui se *ressource* (de *resurgere,* s'« élever », « jaillir ») dans une nouvelle source de vie, dans une nouvelle *souche* de vie, un *surgeon* de vie, tous des mots de même souche. Le corps « ressuscité » de Daniel est devenu ressource de vie pour autrui.

Donc à la demande du docteur *give us his body,* Constance, dans l'esprit même de la vie de Daniel, donne son « O.K. », car ce corps n'est pas le corps de n'importe qui : « *He's young, he's healthy, and he's got type O blood. That's a godsend* (p. 181). » Daniel est envoyé par Dieu.

Mireille pleure en regardant Daniel. On entend toujours le bruit mécanique du respirateur artificiel. « *It's like he is sleeping.* » « *Yes, répond le Docteur Rosen, but he can't ever wake up again.* » *Ressusciter,* « se réveiller ». Non, il ne *se* réveille plus, mais il fait réveiller d'autres qui seraient morts sans lui.

Une dernière fois, on aperçoit de la douzième station, *cruciale* du Chemin de la croix de l'oratoire, celle de la crucifixion. Un violent orage éclate. Les intempéries qui accompagnaient l'heure de la mort de Jésus. « Et c'était déjà environ la sixième heure et l'obscurité se fit sur toute la terre jusqu'à la neuvième, le soleil s'étant éclipsé » (Luc 23, 44). Dans un éclair, on aperçoit le visage du père Leclerc qui ferme la fenêtre, bien à l'abri, bien « gras dur » dans son confort qu'il a toujours recherché. À l'extérieur, sous une pluie diluvienne, les deux Marie qui ont tout abandonné pour se mettre au service de cet acteur « fou ». Se tenant par la main, elles marchent comme des « somnambules », nous dit le scénario. Elles ont perdu leur orientation, elles dorment, âmes en peine, vivantes-mortes, comme Daniel.

Retour à l'hôpital, à la salle d'opération. Le respirateur artificiel fonctionne toujours. La poitrine de Daniel est dénudée. Par des gestes circulaires s'agrandissant de plus en plus, un infirmier badigeonne la poitrine de Daniel de désinfectant. L'ordre est donné de débrancher la respiration artificielle. Un chirurgien masqué incise avec son scalpel la peau blanche de Daniel. Vite le cœur encore palpitant apparaît.

Ecce cor ! Voici le cœur qui est devenu pour Jésus l'enjeu, *symbole* de son combat sur terre. Jésus se battait pour un monde plus « cordial ». Si le cœur est devenu en Occident le siège du sentiment, de l'affectivité, de l'amour, c'est que les Grecs, les premiers, les y situaient. Or pour les Grecs *kardia* signifiait l'« entrée de l'estomac », « traduit » en latin par *cor*. De là encore en français ces expressions « avoir mal au cœur », « être écœuré », alors qu'on a plutôt « mal à l'estomac ». Malgré cette confusion entre « cœur » et « estomac », nous faisons une distinction entre une personne qui a « de l'estomac » et une qui a « du cœur ». Daniel, Jésus, ont du cœur. Mais le *cœur* christique et toute sa symbolique dense que nous avons essayé de mettre à nu vont-ils survivre à la banalisation, à la manipulation devenue routinière des opérations à cœur ouvert et des transplantations d'organes ? Le cœur enfoncé dans un baquet de cubes de glace, comme une bouteille de champagne, ou une cannette de bière. Le cœur placé ensuite dans une glacière comme un « pique-nique » pour être envoyé dans les plus brefs délais chez les receveurs en attente souvent depuis des mois.

En effet, si Daniel est mort en attendant, par contre, les organes de son corps ne tardent pas à arriver à destination avec les moyens de communication les plus rapides : avion privé et taxi. Le cardiologue qui pratiquera l'opération et son assistant montent précipitamment dans leur Cessna encore masqués et en survêtement de chirurgien. Étrangement, pour ces opérations de prestige, le système médical, la société trouvent des moyens, une efficacité admirable qui sauveraient bien plus de vies encore si elles s'appliquaient au patient ordinaire qui croupit dans les « urgences »... en attendant souvent une simple piqûre. *Jésus de Montréal*, par ce contraste flagrant, met en lumière, tout en dénonçant, l'incurie, la gabegie au Québec (et ailleurs) d'une médecine ordinaire, quotidienne pour le « monde ordinaire », l'hyperefficacité d'une médecine extraordinaire d'éclat dont bénéficient quelques privilégiés triés sur le volet.

Le corps de Daniel est incinéré au Crématorium de la Côte-des-Neiges. Constance, Mireille, René et Martin voient le cercueil disparaître dans la trappe. Ils pleurent. Daniel est mort sans appel. Il n'y a pas de « corps glorieux ».

Le plan suivant nous montre le chirurgien, Docteur Sutton, qui avait transporté le cœur de Daniel en Cessna dans une chambre de soins intensifs. Aucune précision de lieu : Toronto, Boston, New York ? Peu importe. Le cœur de Daniel sera donné à un Autre, autre que sa

« race » canadienne-française, québécoise. La transplantation cardiaque est réussie. Le patient vient de se réveiller. Docteur Sutton : « *Mr Rigby ? You have a beautiful new thirty years old heart. What do you say ?* » Rigby : « *God ! I' am so happy.* »

Dans une chambre d'un hôpital italien. Pas de précision de lieu encore. Sommes-nous à Rome, à Milan, à Turin, dans un hôpital canadien où une immigrante italienne et un ophtalmologue d'origine italienne se retrouvent ? Peu importe, les yeux de Daniel sont donnés à un Autre. La patiente sanglote le mot : « La luce ! » Aveugle, elle voit de nouveau, avec les yeux de Daniel. Ainsi la mort de Daniel donne de nouveau la vie, des ténèbres dans lesquelles elle s'est entourée jaillit la lumière.

On l'aura remarqué, c'est un « maudit Anglâs » que fait vivre dorénavant le cœur de Daniel, une Italienne qui voit avec les yeux de Daniel. *Jésus de Montréal* a choisi le don, le sacrifice le plus radical, le plus total : le don de soi à l'Autre, à l'étranger, à l'ennemi. Nous touchons là à un des fondements de l'enseignement christique le plus exigeant, le plus difficile, resté de ce fait une « utopie », un « mot » dans le monde chrétien : l'amour non seulement du prochain mais de l'Autre, de l'étranger, de l'ennemi.

> Vous avez appris qu'il a été dit : Tu aimeras ton prochain et tu haïras ton ennemi. Et moi, je vous dis : Aimez vos ennemis et priez pour ceux qui vous persécutent, afin de vous montrer fils de votre Père qui est dans les cieux parce qu'il fait lever son soleil sur les mauvais et sur les bons et pleuvoir sur les justes et sur les injustes. Car si vous aimez ceux qui vous aiment, quel mérite avez-vous ? Les publicains n'en font-ils pas autant ? Et si vous ne saluez que vos frères, que faites-vous d'extraordinaire ? Les païens n'en font-ils pas autant ? (Matthieu 5, 43-47)

Mais attention, le grec et le latin faisaient une distinction capitale — en utilisant deux mots différents — entre l'ennemi extérieur, l'ennemi public *(hostis)* et l'ennemi privé *(inimicus)*. Jésus ne demande nullement d'aimer l'ennemi public *(hostis),* mais l'ennemi privé. Il est question seulement de prier pour ceux qui vous persécutent, pour les ennemis publics, pas de les aimer. Nous avons montré[5] quel usage éhonté le clergé canadien-français a fait de cet amalgame des deux ennemis aux lendemains de la Conquête.

Même cette restriction importante faite, l'enseignement du Christ reste, en ce qui concerne l'attitude face à l'Autre, d'une nouveauté révolutionnaire. Jésus casse la spirale inflationnaire de la violence générée par la loi du talion, de l'œil pour œil, dent pour dent, par le pardon, par l'amour de l'Autre, de l'ennemi (intérieur), même celui qui vous donne des coups. Tendre la joue gauche lorsqu'on a reçu une gifle sur la joue droite (Matthieu 5, 39) ? Cette image donne la mesure de la démesure d'amour et de pardon qu'il faut pour combattre en soi le réflexe primaire, primatique de rendre coup sur coup, pour arrêter cette pluie de coups qui va croissante, jusqu'à la fin du monde. C'est à qui finit de rendre les coups. C'est pourquoi Jésus, comme nul autre avant lui — René Girard l'a admirablement montré —, a dénoncé la violence cachée aux fondements mêmes de nos sociétés.

De ce fait, l'enseignement de Jésus insiste particulièrement sur l'ouverture, l'accueil à l'Autre, à l'ennemi, à l'« hostie d'étranger » pour qu'il bénéficie de l'hospitalité[6] qu'on prodiguait traditionnellement à l'ami, au frère, au congénère de la *même* « race », de la *même* religion, de la *même* famille. « Car si vous aimez ceux qui vous aiment, quel mérite avez-vous ? » Saluer les frères, les publicains, collecteurs d'impôts haïs, des Juifs le font aussi, de même que les païens.

La parabole du « bon Samaritain » illustre évidemment le mieux cet idéal d'hospitalité, cet idéal d'accueil — hélas rarement réalisé —, préconisé par Jésus-Christ et par un christianisme digne de ce mot. Les Samaritains, frères ennemis des Juifs, peuple méprisé parce que schismatique, hérétique, « peuple stupide qui demeure à Sichem. » D'ailleurs, Matthieu laisse filtrer ses propres préjugés « racistes » juifs à l'égard des Samaritains. C'est Luc qui raconte l'incident avec le plus de détachement. En effet, le prêtre et le livite, de même race juive, laissent le blessé au bord de la route sans lui porter secours, tandis qu'un « maudit Samaritain » « fut pris de pitié pour lui ». Question de Jésus : « Qui de ces trois te semble s'être montré le prochain de l'homme tombé parmi les brigands ? » (Luc 10, 36). Question qui contient elle-même la réponse sur le sens à donner au commandement christique : « Tu aimeras ton prochain comme toi-même. »

Cette ouverture, cette hospitalité à l'Autre, à l'étranger, au sein d'une nouvelle institution religieuse universelle spirituelle, appelée *Ecclesia* (« assemblée des fidèles »), c'est l'objectif que le cosmopolite saint Paul[7] s'est fixé. Une *Ecclesia* qui coupe à travers les classes sociales, les frontières politiques (de la *polis* grecque) ethniques, raciales, sociales, pour donner droit de cité en une *seule* assemblée aux circoncis et aux incirconcis, aux métèques (*méta-oïkos*, « qui change de résidence ») de la *polis* grecque, aux citoyens romains, aux adeptes du culte d'Artémis et d'Isis, à toute cette macédoine (à l'image de la Macédoine) bigarrée de peuples du Proche-Orient. « C'est pourquoi rappelez-vous que jadis, vous les nations dans la chair [les païens] (...) vous étiez sans Christ, sans droit de cité en Israël, étrangers aux alliances de la Promesse, sans espérance et sans Dieu dans le monde. Mais maintenant, dans le Christ Jésus, vous qui jadis étiez *loin*, vous êtes devenus *proches* par le sang du Christ... Ainsi vous, vous n'êtes plus des étrangers ou des immigrés *(xenoi kai paroikoi)*, de la maison de Dieu » (Éphésiens II, 11-19[8]). À la cité antique et aux religions préchrétiennes qui n'accordaient le droit de cité politique et religieux suivant des critères ethnocentriques qu'aux concitoyens, qu'aux core-ligionnaires, succède l'Église paulinienne qui rapproche, dans une même maison de Dieu, unit dans une même religion, les « peuples » qui jadis avaient été éloignés, divisés par mille frontières de tout genre. L'Église est d'abord un havre pour les étrangers, pour les apa-trides de la religion, parce qu'avant Jésus « patrie » et « religion » allaient toujours de pair.

> Mieux que les solutions juridiques, qui s'adressent à sa névrose, ou que l'immersion orientaliste dans le sein de la déesse mère, l'Église paulinienne prend en compte la divi-sion passionnelle de l'étranger, considérant son écartèle-ment entre deux mondes moins comme une division entre deux pays qu'entre deux ordres psychiques à l'intérieur de sa propre impossible unité. Les étrangers ne peuvent retrou-ver une identité qu'en se reconnaissant tributaires d'une même hétérogénéité qui les divise au-dedans d'eux-mêmes, d'une même errance entre chair et esprit, vie et mort[9].

Les étrangers, métèques, marginaux des autres nations, immon-dices, « rebuts » des autres religions, sont « recyclés », plus, grâce à une « création nouvelle » (Corinthiens II, 5, 17) sont changés en « hommes nouveaux », aux droits égaux, promis à la même rédemp-tion. « Là il n'y a plus de Grec ou de Juif, de Circoncis ou d'Incir-concis, de Barbare, de Scythe, d'esclave, d'homme libre, mais Christ, qui est tout et en tout » (Colossiens 3, 11). Le Christ, par le *symbole* de son corps donné en sacrifice *urbi et orbi* à tous les humains, unit tous ces étrangers dans le « corps » nouveau de l'Église.

Jésus, vivant au sein d'un peuple qui a poussé le génocentrisme jusqu'à se dire le « peuple élu » de son Dieu Yahvé avec lequel il a conclu une alliance, coupe radicalement les attaches privilégiées de la re-ligion entre un Dieu universel et un peuple particulier. Jésus et son église universalisent la re-ligion en la mettant sous le signe du rapport père-fils, ce « Père qui a fait lever son soleil sur les mauvais et sur les bons », sur *tous* ses fils, de *toute* la terre sans exclusivité aucune.

Le nouveau contrat religieux chrétien ne se conclut plus sur une base locale, ethnique, raciale, biologique, mais spirituelle, universelle, générique : tout être humain de quelque race, de quelque nation qui se reconnaît en Jésus-Christ a droit de cité dans cette religion cosmo-politique.

On comprend mieux dans cette perspective les critiques sévères de Jésus à l'égard de la famille qui a pour critère d'appartenance, d'élection, la « voix du sang » biologique. Sont étrangers à la famille ceux et celles qui ne sont pas de *même souche,* du même arbre généalo-gique. La voix du sang, loin d'être une *voie* du sang, bloque au con-traire les communications avec l'Autre et encore plus avec l'Étranger. La famille biologique est une pierre d'achoppement à l'intégration de l'étranger, du *xenos* dans la nouvelle communauté christique. C'est pourquoi Jésus préfère la famille spirituelle avec un père céleste qui reconnaît tous les humains comme ses enfants, ces derniers étant comme frères et sœurs spirituels.

Nous avons déjà noté les rebuffades frisant la goujaterie et l'in-sulte que Jésus a fait subir à sa mère et à ses frères de sang. Marie et ses frères veulent parler à Jésus, alors qu'il se tient au milieu d'une foule qu'il harangue. Il ne prend pas la peine de les voir. Restant au milieu de la foule, il répond aux envoyés de ses parents : « Qui est ma mère, et mes frères ? » Et promenant ses regards sur ceux qui étaient assis en cercle autour de lui, il dit : « Voici ma mère et mes frères ! Quiconque fait la volonté de Dieu, celui-là est mon frère, et ma sœur, et ma mère » (Marc 3, 31-35). Par son comportement choquant, Jésus fait comprendre à ses contemporains que la famille spirituelle nou-velle qu'il entend fonder a nettement préséance sur l'ancienne famille biologique qui n'écoute que sa voix de *son* sang. Même, la nouvelle famille christique passe par une répudiation « haineuse » de la famille biologique. Le célèbre mot de Gide « familles, je vous hais » est d'ori-gine évangélique. Car Jésus dit : « Si quelqu'un vient vers moi et ne hait pas son père et sa mère et sa femme et ses enfants, et ses frères, et ses sœurs, et jusqu'à sa propre vie, il ne peut être mon disciple.

Quiconque ne porte pas sa croix et ne vient pas à ma suite ne peut être mon disciple » (Luc 14, 26-27).

Nous comprenons dès lors que ce que nous avons appelé à la suite de Freud le « roman familial », au même titre que la famille biologique, se sera complètement « révolutionné », une fois passé par le maelstrom christique. Le « roman familial », nous l'avons vu, constitue la première « critique » que l'enfant fait à l'endroit de ses parents, devenus imaginaires, « spirituels » pour dénier, frapper d'inexistence ses parents biologiques. Jésus prend le parti de l'enfant. Plus, il fait du « retour à l'enfance » la condition d'entrée au Ciel : « Si vous ne changez pas et ne devenez comme les enfants, vous n'entrerez pas dans le royaume des Cieux » (Matthieu 18, 3).

Bien sûr, il ne s'agit pas pour l'adulte d'une régression infantile, mais de garder vivant dans l'adulte l'esprit de l'enfance : sa naïveté, son innocence. En fait, Jésus radicalise, pousse jusqu'à l'excès, jusqu'à l'absurde le « roman familial » en frappant *réellement* non fantasmatiquement d'inexistence les parents biologiques (Marie et Joseph) et en instaurant comme *réels* les parents célestes, spirituels (Dieu). Marie, disait Jean-Luc Godard en termes modernes, une mère-porteuse du Saint-Esprit. De toute évidence, dans l'aventure christique le « roman familial » suit le destin de la famille biologique dont il n'est que le reflet fantasmatique : il s'agit de dégrader, de minimiser le rôle de la famille biologique, simple famille d'adoption, pour hypostasier la famille spirituelle, famille universelle, générique.

Jésus de Montréal devient ainsi l'expression locale, québécoise, montréalaise de cette aventure christique universelle. Comme le Christ, Daniel recrute ses « disciples » parmi des étrangers ni vus ni connus, Québécois certes, mais en dehors de la serre chaude, étroite, étouffante, de *sa* famille, de *son* clan, de *sa* paroisse. Dans ce film, la famille biologique subit une péjoration à l'image de celle inaugurée par Jésus. Daniel et Constance, un moment, s'indignent du mauvais sort fait aux enfants, non désirés, exposés par leurs parents « à l'époque de l'Empire romain », « le bébé mourait ou bien il était ramassé par des marchands d'esclave (p. 49) ». Sort de l'« enfant trouvé » du « roman familial ».

En fait, Jésus et Daniel et, à travers lui, le Canadien français ont été ces enfants « exposés ». Jésus de descendance céleste, le « divin enfant » naît dans une mangeoire. L'ange qui annonce la « bonne nouvelle » aux bergers, nomades parmi nomades, premiers témoins de la venue de Jésus, donne cette humble naissance, proche de l'animal, comme son signe distinctif, signe de reconnaissance même : « Et voici pour vous le signe : vous trouverez un nouveau-né emmailloté et couché dans une mangeoire » (Luc 2,12). Paradoxalement — mais c'est là la grandeur et la misère de sa mission humaine —, jusqu'à sa mort, surtout lors de sa mort, Jésus ne fait jamais jouer le « piston » céleste qu'il aurait facilement pu invoquer. Seuls les supplices inhumains de la crucifixion lui arrachent une imprécation si humaine contre son père qui l'abandonne à son agonie sans le « sauver ». Cri de désespoir d'autant plus pathétique qu'il est poussé dans sa langue maternelle, l'araméen (conservé tel quel dans la traduction) non dans un quelconque *esperanto* divin : « *Eli, Eli, lama sabachthani,* mon Dieu, mon Dieu, pourquoi m'as-tu abandonné ? » Écho christique qui se répercute jusqu'au *Jésus de Montréal*. Seulement, la question angoissante de Jésus nazaréen se module à Montréal en un constat de fait lapidaire : « Moi, mon père m'a abandonné » (p. 174). Daniel ne parle pas ici en son nom propre — son père ne s'étant jamais manifesté —, mais au nom de ses congénères, les Canadiens français, Québécois, « enfants abandonnés », « exposés », par excellence.

Malgré tout, pas de recours fantasmatique à une quelconque famille d'adoption mythique. Bien au contraire. En effet, René, en dialogue avec Daniel, est intrigué par la manière dont Jésus a démythifié « sa » famille, dont sa famille d'adoption s'est elle-même démythifiée en reniant Jésus, « votre propre famille vous a plus ou moins renié, à Nazareth vous êtes devenu indésirable » (p. 63).

Les personnages de *Jésus de Montréal* sont des adultes émancipés qui n'ont plus besoin de la famille ni comme refuge ni comme protection. Ils reflètent ainsi largement les tendances démographiques d'un Québec qui désaffecte de plus en plus la famille traditionnelle.

Ouverts sur l'universel — Jésus et sa Passion — ces personnages incarnent cet universel de la façon la plus locale, la plus particulière, dans *leur* ville, Montréal. *Jésus de Montréal* est sans aucun doute la première oeuvre québécoise où l'*universel* et le *local* — conçus ici traditionnellement en termes antagonistes d'exclusion — ont contracté un mariage, un métissage parfait, heureux. L'universel et le local se tiennent, s'appellent de façon complexe. Car si le Jésus de Montréal n'est pas pensable sans celui de Nazareth, la tragédie de Daniel n'est concevable que dans le décor urbain de Montréal, du mont Royal, de l'oratoire Saint-Joseph, du métro, des « urgences », etc. dans le paysage spirituel d'un Québec « postrévolutionnaire » qui revient aux « sources pures » d'un christianisme non « pollué » par ses accointances avec le Pouvoir, avec l'Institution.

Mais à la différence du Jésus nazaréen, celui de Montréal ne débouche pas, à sa fin, sur un « salut » quelconque, sur une « rédemption ». La mort de Daniel n'est pas le germe d'où naît une re-ligion, la fondation d'une institution religieuse. Le film, au contraire, dénonce vigoureusement cette institution devenue Église, « bâtie » sur, *autour* des paroles du Christ. Bien plus, c'est Cardinal, le Malin, qui suggère cette institutionnalisation *autour* de l'œuvre de Daniel : « L'idée, ça serait de former une compagnie théâtrale. En mémoire de lui » (p. 186). Tout d'un coup, les « disciples » indisciplinés se « souviennent » de leur « maître à penser » ! C'est le temps de la distribution des dividendes. D'autant plus qu'avec Maître Cardinal, complice de Mammon, ou Mammon en personne, la rentabilité de la « fondation » est garantie : « J'ai toujours été convaincu que la rentabilité excluait pas la recherche. Au contraire » (p. 186).

Une seule qui s'en va, triste, parce qu'elle a percé à jour Cardinal-Mammon, la « disciple » la plus fidèle à l'esprit de Jésus, celle qui ne l'a pas quitté pendant sa crucifixion, qui l'a vu apparaître dès sa résurrection : Mireille — Marie-Madeleine.

Pas de résurrection donc, ni d'institutions fondées sur l'œuvre de Daniel. Pas besoin de redoubler à Montréal jusqu'au bout la passion de Jésus. Il ne s'agit pas de la Passion de Oberammergau !

La radicale nouveauté, l'originalité de *Jésus de Montréal* se trouve dans la manière dont la mort de Daniel, ne s'ouvrant sur le Ciel, s'ouvre sur l'Autre. C'est là que réside son message profond pour le Québec, pour le monde, le local et l'universel y étant encore intimement liés. Le Québec, arrivé à une croisée cruciale des chemins non seulement est appelé à re-connaître l'Autre, l'immigrant *(xenos* et *paroikos)* au sein de sa société, mais devra surtout prendre conscience que la survie de sa société, de son peuple, à la longue, ne sera possible que dans la mesure où il saura intégrer cet Autre dans cette société, sans le dénier, sans *se* renier.

Or pour ce faire, le Québécois commencera par mettre en cause ce qu'il considérait comme l'unité de cohésion traditionnelle de sa société : une homogénéité qui se ressourçait mythiquement, imaginairement dans la famille biologique « tricotée serrée » d'une *même* souche, d'une *même* race, d'un Québec « pure laine ». Homogénéité, grignotée, grugée en amont et en aval de son Histoire. En amont, on sait que l'abbé Groulx, non seulement a été à l'écoute de cet *Appel de la race,* de la « voix du sang », mais qu'il a lui-même à l'origine lancé cet appel. Des sciences auxiliaires de l'historien moderne, l'hématologie et la microbiologie font éclater en mille morceaux ce Québec « pure laine » issu soi-disant d'une même souche, d'une même source.

En aval, le Québec qui avec un taux de fécondité de 1,35 (taux qui s'est légèrement redressé récemment à 1,41% avec 3,3% de naissances en 1988 de plus qu'en 1987 par femme) n'était plus en mesure de renouveler, de ressourcer son bassin de population par les ressortissants de souche québécoise, n'a d'autre recours que d'ouvrir les portes à l'immigration, d'accueillir l'étranger chez lui, pour compenser sa dénatalité afin que l'étranger devenu Québécois aide à bâtir le Québec de demain.

Jésus de Montréal est un phare pour ce Québec de demain qui doit composer avec cet Autre, cet immigrant qui le composera. Un Québec d'hospitalité, non d'hostilité à l'Autre comme l'a été *Le matou*. Un Québec qui entende la voix du Christ qui a été le premier à avoir ouvert ses bras à l'Autre, à l'étranger. Un Québec, un Montréal qui se souviennent de leur première *vocation*, du fondement de la colonie, lorsque Ville-Marie, le premier avatar de Montréal, a été un hôpital, lieu de l'hospitalité même, qui accueillait généreusement, chrétiennement ces « sauvages » pourtant la « majorité visible » de l'époque. C'est ce dont le Québec doit « se souvenir » aujourd'hui. Souvenir facilité par le message de *Jésus de Montréal*.

Justement, parce que ce film d'un Québécois, pour une fois, ne nous montre pas l'Autre, l'immigrant comme un pique-assiette parasite qui soit mange le pain des Québécois ou « vole leurs jobs », mais comme un modèle lui-même d'ouverture d'accueil pour les Québécois « pure laine ». Ainsi l'Italien de la pizzeria du scénario originel — tombé hélas aux ciseaux de Chronos —, offre généreusement son « pain », sa pizza à Daniel pour la Cène, ses « disciples » devenant par là leurs « copains ».

Ou cette Haïtienne, de la dite « minorité visible », de plus en plus visible puisque croissante, qui, plus que n'importe lequel des spectateurs québécois « pure laine », a compris le message profond de Daniel-Jésus. C'est la seule à se comporter comme une enfant, tellement qu'elle prend le jeu pour de la réalité. Elle y croit : Daniel *est* Jésus. « Je t'appartiens... Jésus, Jésus, j'ai besoin, je t'aime, tu es toute ma vie. » (p. 70-71.) À quoi Chalifoux, le garde d'insécurité, le chrétien crétinisé répond : « Madame, s'il vous plaît. Dérangez pas les acteurs ! » Cette Haïtienne qui fait penser à la femme syro-phénicienne des Évangiles (Matthieu 15, 21-28) est aussi la seule à se douter du drame qui se trame sous le jeu du comédien Daniel-Jésus. C'est pourquoi elle lui crie : « Jésus ! Sauve-toi, Jésus ! » (p. 73.)

Ce film, par la radicalité, l'excès de son message, à l'encontre de ce que le Québec a été, a « cru » les vingt dernières années, a agi sur le Québec et agit encore sur lui comme un électrochoc, à l'effet d'une *catharsis,* d'une *purgation,* d'une purification. Il voudrait purger le Québec de l'égoïsme, du narcissisme, de la suffisance ethnocentrique qui y ont tenu le haut du pavé depuis vingt ans, en poussant à l'autre extrême, le don de soi christique à l'Autre, jusqu'aux dons d'organes, la Charité.

Évidemment, on ne demande pas aux Québécois de devenir *tous* des Daniel. Ce serait la fin du Québec. Un égocentrisme sain, vital, individuel et collectif doit tenir en échec un altruisme autodestructeur. D'ailleurs, Jésus demande d'aimer « ton prochain comme toi-même », pas *plus* que toi-même.

Jésus, une fois pour toutes a donné un exemple d'un amour extrême qui se donne à l'Autre. Daniel, le Jésus de Montréal l'a suivi dans cette voie exigeante jusqu'au bout, en renonçant à s'échapper vers le Ciel. Il peut devenir ainsi aussi l'exemple d'un Québec futur, hospitalier comme il l'a été aux débuts de la colonie, accueillant, ouvert à l'Autre, pour que cet Autre, à son tour, s'ouvre au Québec, pour que les mains du Québécois de « souche » et de l'Autre se joignent dans un geste fraternel, *symbole* du Québec de demain.

CONCLUSION

Pour un Québec de l'an 2000

Nous avons assisté à l'émergence du Québec à travers son imaginaire, à travers son cinéma. Convergence, plus que coïncidence, les deux émergent presque en même temps. Chose remarquable, les deux œuvres cinématographiques qui marquent cette émergence du Québec — *La petite Aurore* et *Tit-Coq* —, sont d'abord des transpositions de pièces théâtrales à très grand succès populaire. Ce qui change de la pièce à la vision filmique, c'est le *point de vue*, la *perspective* : Contrairement au théâtre, le médium cinéma, grâce à son jeu de caméras, non seulement rapproche le spectateur physiquement et affectivement d'Aurore et de Tit-Coq, mais permet aussi une identification plus globale de tout un public qui voit le *même* film. En effet, le « Québec », simple fantasme encore, *se* voit en cinémascope, « projeté » devant son propre regard. Le Québécois est « homme imaginaire » avant d'être « homme politique ». Il s'imagine être, avant d'être. Justement, son cinéma est le lieu privilégié — relayé ensuite par d'autres arts — de la cristallisation de l'être imaginaire du Québécois.

Le premier Québécois imaginaire naît d'un mouvement de sympathie pour son premier héros inaugural : Tit-Coq. C'est dans l'état d'orphelin et de bâtard de ce dernier que le Québec se re-connaît, lui permettant de faire table rase de ce qui a identifié le Canada français à travers le « roman familial » : son attachement sentimental à diverses instances parentales, substituts des « parents » français qui ont abandonné l'« enfant » canadien depuis la Conquête. Après avoir, dans *La petite Aurore*, poussé à l'excès, jusqu'à l'absurde, la logique du « roman familial », le Québécois s'affirme dans *Tit-Coq* pour la première fois dans une rupture radicale. Plus qu'un simple « refus global », qu'une pure négation, *Tit-Coq* oriente le Québec futur grâce à sa volonté d'affirmation. *Tit-Coq* contient en germe, réduit à une personne, ce qu'un certain Québec devenu collectif, *nation* croit être son destin : l'indépendance, la souveraineté ne devant plus rien à aucune instance (parentale, politique, etc.) extérieure à lui.

Nous avons noté à travers *Mon oncle Antoine* jusqu'aux *Bons débarras* une démystification radicale et systématique de toutes les instances parentales qui s'érigent en position de force, fondement de tout pouvoir politique et religieux venu de l'« extérieur », d'en « haut ». Les bons débarras! On pourrait croire, en effet, que le Québec, à l'instar de Tit-Coq, allait se débarrasser de ces instances politico-parentales consacrées par le fantasme du « roman familial ». Or, ce n'était pas compter avec la force de résistance de ce fantasme « familial » dont même le parti dit « indépendantiste », le Parti québécois, inconsciemment, devient la victime. Jusqu'à la formulation même du référendum qui trahit les liens invisibles mais puissants qui lient le Québec au dernier avatar de sa généalogie parentale (après la France, l'Angleterre, l'Église) : « Ottawa », le « fédéral ».

Le référendum est ressenti au Québec comme un trauma qui met en cause, tout au moins provisoirement, l'acquis psychologique de la Révolution tranquille : l'entrée définitive dans l'« Âge de la parole ». En effet, l'« enfant » canadien-français, en se muant en Québécois, cesse justement d'être enfant-*infans,* objet sans volonté propre, politiquement aphasique, sans parole pour devenir sujet parlant. Or, depuis le référendum, le Québec, en redevenant un *Pays sans parole* (Yves Préfontaine), régresse de nouveau à l'âge infantile, puisque ses « élites », ses « intellectuels » sont retombés dans le silence. À leur place parlent les « comiques » qui prolifèrent comme un bouillon de culture dans le Québec de la déprime postréférendaire : le Québec veut rire, se divertir parce qu'il veut « oublier » (je me souviens!), parce qu'il ne veut plus « réfléchir », penser à sa situation politico-économique, linguistique, à son destin comme peuple francophone sur le continent américain. *Panem et circenses!* Pain et jeux : les Romains avaient déjà rodé la formule. De là cette « festivalite » aiguë qui frappe le Québec depuis quelques années, un festival chassant l'autre à une vitesse vertigineuse. Devenu « festivalier », spectateur pour la plupart des spectacles des Autres, le Québécois s'étourdit, anesthésie son « mal de vivre ».

Évidemment, ce que le Québécois aperçoit lorsqu'il consent à réfléchir sur son présent, sur sa situation existentielle : il entrevoit, comme dans *Mon oncle Antoine,* le spectre de sa propre disparition. Mais c'est précisément non en refoulant ce spectre, mais en faisant face lucidement à sa situation réelle, politique, linguistique que le Québec pourra combattre le danger de sa minorisation, de son assimilation possible.

Le Québec des années quatre-vingt-dix ne peut plus compter que sur ses « propres moyens ». Il dépend, sa survie dépend vitalement de l'Autre, de l'immigrant puisque ses taux de naissance ne dépassent plus de façon significative ses taux de mortalité. L'immigrant doit combler le déficit de natalité des femmes québécoises.

Dès lors, la survie démographique du Québécois en Amérique du Nord dépend du mode d'intégration de cet Autre dans la société québécoise. Mais avant de pouvoir parler d'*intégration* — mot à la bouche de tous les politiciens — il faut que soit d'abord redressée l'image de cet Autre. Non plus pique-assiette, parasite et « voleur de nos jobs », mais apport vital. La simple contrainte linguistique de la Loi 101 qui force l'immigrant à « choisir » le français comme langue véhiculaire, certes nécessaire, n'est pas suffisante. Il faut accueillir l'immigrant *dans* cette langue.

Jésus de Montréal, parmi ses multiples autres mérites, est la première œuvre québécoise d'envergure qui s'emploie à changer l'image de l'Autre, de l'Étranger en se basant sur le message révolutionnaire d'Amour, de don de Soi de Jésus. Le défi de Denys Arcand est de taille : après avoir évacué le religieux de sa conscience lors de la Révolution tranquille, le Québec peut-il réactualiser à Montréal, dans tout le pays, la parole du Christ, parole qui avait déjà animé sa première fondation hospitalière Ville-Marie ?

C'est précisément dans la mesure où le Québec est capable de changer la méfiance pusillanime face à l'immigrant, face à l'Autre en hospitalité, que l'horizon d'avenir de l'an deux mille cesse de projeter les spectres de son « Disparaître ». Car le Québec de demain sera, dans la mesure où il saura accueillir cet immigrant, cet Autre. Le Québec de demain se bâtira fraternellement main dans la main avec l'Autre. Le Québec de demain se fera avec cet Autre ou il ne se fera pas[1].

NOTES

PREMIÈRE PARTIE
Le cinéma québécois d'avant Jésus-Christ...

Cinéma et « roman familial » : de l'individu au collectif

1. Edgar Morin, *Le cinéma ou l'homme imaginaire, essai d'anthropologie*, Paris, Les Éditions de Minuit, 1956.

2. *Ibid.*, p. 108.

3. *Ibid.*, p. 107.

4. Voir pour la définition de ces termes : J. Laplanche et J.-B. Pontalis, *Vocabulaire de la psychanalyse*, article, in *Fantasme*, Paris, P.U.F., 1967.

5. Edgar Morin, *op. cit.*, p. 107.

6. « Pour une théorie de la nation » in *Sociologie*, Paris, Fayard, 1984.Voir aussi *Communications*, n° 45, « Éléments pour une théorie de la nation ».

7. *Ibid.*, p. 131.

8. *Du Canada au Québec, généalogie d'une histoire*, l'Hexagone, 1987. Nous ne pouvons développer ici le jeu interactif complexe entre les avatars successifs du Québec, pour montrer comment, en effet, le « Canada sauvage » se mue en Canada, synonyme de Nouvelle France, comment après la Conquête de 1759-60 par l'Angleterre, le Canada continental se transforme en Canada anglais laissant aux Canadiens français une « province » résiduelle ; comment enfin, aux années 50-60 de notre siècle, ce Canada français se métamorphose en Québec.

9. Marthe Robert, *Roman des origines et origines du roman,* Paris, Grasset, 1972.

10. *Ibid.,* p. 55.

La petite Aurore : la « pharmacie » mortelle d' un Québec naissant

1. Chiffre difficile à vérifier exactement, puisque la pièce a souvent été jouée par des troupes amateures dans des salles paroissiales et des sous-sols d'église. Après la sortie du film, la pièce est reprise une seule fois par le théâtre du *Quat' Sous,* en 1985. *Broue,* « farce de taverne » qui fête actuellement son 10ᵉ anniversaire de jeu et qui s'élève (mars 1989) à 1450 représentations, est évidemment de la « petite bière » à côté du record de *La petite Aurore, l'enfant martyre.*

2. 750 000 spectateurs l'ont vu lors de sa première sortie. La télévision qui apparaît, à ce moment, prend aussitôt la relève et le projette régulièrement, si bien que « tout » le Québec, s'il n'a pas vu le film, connaît son « sujet ».

3. Christiane Tremblay-Daviault, *Un cinéma orphelin, structures mentales et sociales du cinéma québécois — 1942-1953,* Montréal, Québec/Amérique, 1981, justement, a mis tout le cinéma de cette époque sous le signe de l'état d'orphelin. Voir naturellement aussi la magistrale *Histoire du cinéma au Québec* d'Yves Lever, Boréal, 1988, première histoire globale du cinéma québécois vu en « cinémascope ».

4. Voir là-dessus le texte capital de Jacques Derrida, « La pharmacie de Platon », réédité en appendice au *Phèdre* de Platon, traduction Luc Brisson, Paris, Garnier-Flammarion, 1989.

5. Freud justement appelle le « roman familial » *"Entfremdungsroman"*, « roman de l'estrangement », de l'« aliénation » (voir Otto Rank, *Le mythe de la naissance du héros,* Paris, Payot, réédition 1983).
Comme l'a bien montré Élise Marienstras, dans *Nous le peuple, les origines du nationalisme américain,* Paris, Gallimard, 1988, la psyché américaine passe par les mêmes fantasmes que la québécoise, en présentant la mère anglaise comme une marâtre aux pulsions assassines et l'enfant américain comme « enfant martyr ». Les récriminations de John Adams, père fondateur des États-Unis, ressemblent étrangement au scénario de *La petite Aurore* : « Les enfants n'ont-ils pas le droit de se plaindre lorsque leurs parents se disposent à leur briser les membres, à leur administrer du poison ou à les vendre comme esclaves à leurs ennemis ? [...] La mère sera-t-elle convaincue lorsque l'on démontrera qu'elle est sourde aux cris de ses enfants ? [...] Lorsqu'on

dira qu'elle ressemble à lady Macbeth de Shakespeare (Je ne puis y penser sans frémir) ». *Op. cit.*, p. 213.

Tit-Coq : le Québec de la table rase

1. Pierre Bourdieu, *Un art moyen. Essai sur les usages sociaux de la photographie*, Paris, Les Éditions de Minuit, 1965, p. 53.

Mon oncle Antoine : le crépuscule des idoles

1. Voir sur les fondements du matriarcat notre « Actualité de Bachofen », *Critique*, Juin-juillet 1981.

Les bons débarras : la revanche d'Aurore

1. Claude Morin, *Les lendemains piégés. Du référendum à la nuit des longs couteaux,* Montréal, Boréal, 1988.

2. Collectif, *Le syndrome postréférendaire,* Montréal, Stanké, 1989.

3. Pierre Bourgault, *Moi, je m'en souviens,* Montréal, Stanké, 1989, p. 112.

Un zoo la nuit : le Québec amnésique

1. *Moi, je m'en souviens, op. cit.,* p. 193.

2. *Du Canada au Québec, op. cit.,* p. 459-467.

3. Je dois cette idée à mon collègue, Pierre Baril, professeur de cinéma au Collège de Rosemont qui m'a donné aussi toute une documentation sur le cinéma québécois. Je l'en remercie ici vivement.

La culture québécoise dans et autour des Portes tournantes

1. Voir pour ce phénomène, E. Morin, *Les stars,* Paris, Seuil, coll. Points, 1972.

2. Jacques Savoie, *Les portes tournantes,* Montréal, Boréal, 1984, p. 114.

3. *Ibid.,* p. 117.

Le déclin de l'empire américain : fin du party

1. F. Nietzsche, *Also sprach Zarathustra,* Berlin, Éd. Colli-Montinari de Grutyer/DTV, 1980, p. 17.

2. Denys Arcand, *Le déclin de l'empire américain,* Montréal, Boréal, 1986. Dorénavant, nous faisons suivre les citations immédiatement, entre parenthèses, des numéros des pages du scénario.

3. Moyen Âge. La langue française est ici victime du « déclin américain » par un anglicisme presque accepté comme un canadianisme. "The second biggest catastrophe." Il faudrait dire : « la deuxième catastrophe en importance de l'histoire de l'humanité. »

4. Voir Monique Brunet-Weinmann, « Le sida, rupture des stratégies de représentation : la Faux, la Balance et la Palette », in *Aids: Crisis and Criticism,* Toronto, Toronto University Press et MIT, à paraître.

DEUXIÈME PARTIE
Jésus de Montréal (1989) : la Passion de Montréal selon Denys Arcand

I — La comédie vaut bien une messe

1. Denys Arcand, *Jésus de Montréal,* Montréal, Boréal, 1989. Dorénavant, comme pour *Le déclin,* nous faisons encore figurer le numéro de page entre parenthèses, après la citation. Nos citations bibliques renvoient à la traduction Émile Osty, Paris, Seuil, 1980.

2. *Du Canada au Québec,* « La Saint-Jean-Baptiste : naissance et mort d'un mythe national », p. 405-447.

3. Gérald Messadié, *L'homme qui devint Dieu,* Paris, Laffont, 1988. Voir également, chez le même éditeur, la documentation fouillée ayant servi comme base du roman de Messadié, *Les sources,* Paris, Robert Laffont, 1989. Parmi les publications plus récentes, *L'invention de Jésus,* tome II, de Bernard Dubourg, Gallimard, 1989, et Hugh Schonfield, *Le mystère Jésus,* Paris, Pygmalion, 1989.

4. Sigmund Freud, « Caractère et érotisme anal » (1908) reproduit dans Ernest Borneman, *Psychanalyse de l'argent,* Paris, PUF, 1978, p. 89, qui étudie d'un point de vue psychanalytique le rapport entre l'argent et l'analité, l'excrément, la matière fécale étant la première « richesse », le premier « or »

que l'enfant « offre » à ses parents... ou gardé pour lui, s'il est « constipé », « avaricieux ».

5. Denis Diderot, « Pardoxe sur le comédien », in *Œuvres esthétiques,* Paris, Garnier, 1959, p. 310.

II — Tragédie et crucifixion

1. Voir à ce sujet le livre captivant de Daniel Arasse, *La guillotine et l'imaginaire de la terreur,* Paris, Flammarion, 1987. Notre compte rendu de l'ouvrage, « Décapitations et têtes de Turc », *Le Devoir,* 18 juillet, 1987.

2. Voir notre analyse des « sacres » au Québec : « Des "hosties" et des "chriss" : pourquoi sacre-t-on au Québec ? », in *Du Canada au Québec, op. cit.,* p. 444-448.

3. *Ibid.,* p. 606.

4. *Ibid.,* p. 607.

5. *Ibid.,* p. 445-448.

6. En latin, les sens de *hostis* (« ennemi ») et *hospes* (« hôte ») se sont chevauchés, étant donné qu'*hostis,* à l'origine, signifie « hôte », sens pris ensuite par *hospes.* Pour se différencier, *hostis* a pris une signification de plus en plus « étrangère » voulant dire justement d'abord « étranger », puis « ennemi ».

7. Voir là-dessus Julia Kristeva, *Étrangers à nous-mêmes,* Paris, Fayard, 1988, p. 113-122.

8. Comme le note avec justesse Julia Kristeva le grec *paroikos* traduit l'hébreu *guer,* l'« étranger ».

9. Julia Kristeva, *op. cit.,* p. 120.

CONCLUSION
Pour un Québec de l'an 2000

1. Le livre de Pierre Legendre, *Le crime du caporal Lortie, traité sur le père,* Paris, Fayard, 1989, publié lorsque cet essai avait été terminé, confirme, tout en éclairant sous un autre jour, quelques-unes de nos analyses, notamment la difficulté pour le Québec à (se) représenter le père, l'idée de père,

l'institution du père. Voir notre entrevue avec Pierre Legendre, « Le parricide du caporal Lortie », *Le Devoir,* 27 octobre 1989.

Enfin, nous voudrions remercier le Conseil des Arts du Canada qui, grâce à une bourse, a rendu cet essai possible.

SOURCE DES ILLUSTRATIONS

La petite Aurore :	Collection Cinémathèque québécoise
Tit-Coq :	Collection Cinémathèque québécoise
Mon oncle Antoine :	Office National du Film
Les bons débarras :	Collection Cinémathèque québécoise
Un zoo la nuit :	Max Films
Les portes tournantes :	René Malo, Francyne Morin
	Photographe de plateau : Takashi Seida
Le déclin de l'empire américain :	René Malo
	Photographe de plateau : Bertrand Carrière
Jésus de Montréal :	Max Films

TABLE DES MATIÈRES

ESSAIS

Maurice Arguin, *Le roman québécois de 1944 à 1965. Symptômes du colonialisme et signes de libération*

Élaine Audet, *La passion des mots*

Louis M. Azzaria / André Barbeau / Jacques Elliot, *Dossier mercure*

Louis Balthazar, *Bilan du nationalisme au Québec*

Jean-Michel Barbe, *Les chômeurs du Québec*

Robert Barberis, *La fin du mépris*

Alain Beaulieu / André Carrier, *La coopération, ça se comprend*

Charles Bécard, sieur de Grandville, *Codex du Nord amériquain, Québec 1701*

Yvon Bellemare, *Jacques Godbout, romancier*

Gérard Bergeron, *Du duplessisme à Trudeau et Bourassa*

Jacques F. Bergeron, *Le déclin écologique des lacs et cours d'eau des Laurentides*

Léonard Bernier, *Au temps du « boxa »*

Berthio, *Les cent dessins du centenaire*

Pierre Bertrand, *L'artiste*

Gilles Bibeau, *Les bérets blancs*

Denise Boucher, *Lettres d'Italie*

Denise Boucher / Madeleine Gagnon, *Retailles*

André-G. Bourassa / Gilles Lapointe, *Refus global et ses environs*

Gilles Bourque, *Classes sociales et question nationale au Québec (1760-1840)*

Jean Bouthillette, *Le Canadien français et son double*

Jacques Brault, *Alain Grandbois*

Marie-Marthe T. Brault, *Monsieur Armand, guérisseur*

Marcelle Brisson, *Maman*

Baudoin Burger, *L'activité théâtrale au Québec (1765-1825)*

Micheline Cambron, *Une société, un récit*

Jacques Cartier, *Voyages de découverte au Canada*

Paul Chamberland, *Terre souveraine*

Paul Chamberland, *Un parti pris anthropologique*

Paul Chamberland, *Un livre de morale*

Reggie Chartrand, *La dernière bataille*

Denys Chevalier / Pierre Perrault / Robert Roussil, *L'art et l'État*

Guy Cloutier, *Entrée en matière(s)*

Collectif, *Apprenons à faire l'amour*

Collectif, *Documents secrets d'ITT au Chili*

Collectif, *Écrire l'amour*

Collectif, *Écrire l'amour 2*

Collectif, *L'écrivain et l'espace*

Collectif, *L'écrivain et la liberté*

Collectif, *Gaston Gouin*

Collectif, *La grande tricherie*

Collectif, *La lutte syndicale chez les enseignants*

Collectif, *Le Parti acadien*

Collectif, *Parti pris*

Collectif, *La poésie des Herbes rouges*

Collectif, *Prendre en main sa retraite*

Collectif, *Québec occupé*

Collectif, *La solitude*

Collectif, *La tentation autobiographique*

Collectif, *Une ville pour nous*

Susan M. Daum / Jeanne M. Stellman, *Perdre sa vie à la gagner*

Serge Desrosiers / Astrid Gagnon / Pierre Landreville, *Les prisons de par ici*

Louise de Grosbois / Raymonde Lamothe / Lise Nantel, *Les patenteux du Québec*

Gilles de La Fontaine, *Hubert Aquin et le Québec*

Gilles des Marchais, *Poésisoïdes*

Pierre Drouilly, *Le paradoxe canadien*

Christian Dufour, *Le défi québécois*

Mikel Dufrenne, *L'œil et l'oreille*

Fernand Dumont, *Le sort de la culture*

François Dumont, *L'éclat d'origine*

Dupras, *La bataille des chefs*

Claude Escande, *Les classes sociales au cégep*

Louis Favreau, *Les travailleurs face au pouvoir*

Henri Gagnon, *La Confédération y a rien là*

Dominique Garand, *La griffe du polémique*

Lise Gauvin, *Lettres d'une autre*

Michel Germain, *L'intelligence artificielle*

Charles Gill, *Correspondance*

Arthur Gladu, *Tel que j'étais...*

Pierre Godin, *L'information-opium*

Alain Grandbois, *Lettres à Lucienne*

Pierre Gravel, *D'un miroir et de quelques éclats*

Pierre Graveline, *Prenons la parole*

Ernesto « Che » Guevara, *Journal de Bolivie*

Soren Hansen / Jesper Jensen, *Le petit livre rouge de l'étudiant*

Robert Hébert, *L'Amérique française devant l'opinion étrangère, 1756-1960*

Robert Hollier, *Montréal, ma grand'ville*

Gabriel Hudon, *Ce n'était qu'un début*

Jean-Claude Hurni / Laurent Lamy, *Architecture contemporaine au Québec (1960-1970)*

Yvon Johannisse, *Vers une subjectivité constructive*

Yerri Kempf, *Les trois coups à Montréal*

Jean-Daniel Lafond, *Les traces du rêve*

Michèle Lalonde / Denis Monière, *Cause commune*

Suzanne Lamy, *D'elles*

Suzanne Lamy, *Quand je lis je m'invente*

Gilles Lane, *Si les marionnettes pouvaient choisir*

Jim Laxer, *Au service des U.S.A.*

Michel Leclerc, *La science politique au Québec*

Jules Léger, *Jules Léger parle*

Francine Lemay, *La maternité castrée*

Claire Lejeune, *Âge poétique, âge politique*

Jean-Claude Lenormand, *Québec-immigration : zéro*

Michel Létourneux / André Potvin / Robert Smith, *L'anti-Trudeau*

Robert Lévesque / Robert Migner, *Camillien et les années vingt suivi de Camillien au goulag*

Charles Lipton, *Histoire du syndicalisme au Canada et au Québec (1827-1959)*

Jacques Mackay, *Le courage de se choisir*

Pierre Maheu, *Un parti pris révolutionnaire*

Jean Marcel, *Jacques Ferron malgré lui*

Gilles Marcotte, *Littérature et circonstances*

Gilles Marcotte, *Le roman à l'imparfait*
Robert Marteau, *Ce qui vient*
Jean Mercier, *Les Québécois entre l'État et l'entreprise*
Madeleine Ouellette-Michalska, *L'échappée des discours de l'œil*
Pierre Milot, *La camera obscura du postmodernisme*
Claude Morin, *Le pouvoir québécois... en négociation*
Jean-Marie Nadeau, *Carnets politiques*
Trung Viet Nguyen, *Mon pays, le Vietnam*
Fernand Ouellette, *Journal dénoué*
Fernand Ouellette, *Ouvertures*
Pierre Ouellet, *Chutes*
Lucien Parizeau, *Périples autour d'un langage*
André Patry, *Visages d'André Malraux*
René Pellerin, *Théories et pratiques de la désaliénation*
Claude Péloquin, *Manifeste infra* suivi d'*Émissions parallèles*
Pierre-Yves Pépin, *L'homme éclaté*
Pierre-Yves Pépin, *L'homme essentiel*
Pierre-Yves Pépin, *L'homme gratuit*
Pierre Perrault, *Caméramages*
Pierre Perrault, *De la parole aux actes*
Pierre Perrault, *La grande allure, 1. De Saint-Malo à Bonavista*
Pierre Perrault, *La grande allure, 2. De Bonavista à Québec*
Joseph Pestieau, *Guerres et paix sans état*
Jean-Marc Piotte, *La pensée politique de Gramsci*
Jean-Marc Piotte, *Sur Lénine*
Henri Poupart, *Le scandale des clubs privés de chasse et de pêche*
Jérôme Proulx, *Le panier de crabes*
Revon Reed, *Lâche pas la patate*
Robert Richard, *Le corps logique de la fiction*
Marcel Rioux, *Anecdotes saugrenues*
Marcel Rioux, *Le besoin et le désir*
Marcel Rioux, *Pour prendre publiquement congé de quelques salauds*
Marcel Rioux, *La question du Québec*
Marcel Rioux, *Une saison à la Renardière*
Guy Robert, *La poétique du songe*
Raoul Roy, *Jésus, guerrier de l'indépendance*
Raoul Roy, *Les patriotes indomptables de La Durantaye*

Jean Royer, *Écrivains contemporains, entretiens 1 (1976-1979)*
Jean Royer, *Écrivains contemporains, entretiens 2 (1977-1980)*
Jean Royer, *Écrivains contemporains, entretiens 3 (1980-1983)*
Jean Royer, *Écrivains contemporains, entretiens 4 (1981-1986)*
Jean Royer, *Écrivains contemporains, entretiens 5 (1986-1989)*
Stanley-Bréhaut Ryerson, *Capitalisme et confédération*
Rémi Savard, *Destins d'Amérique*
Rémi Savard, *Le rire précolombien dans le Québec d'aujourd'hui*
Rémi Savard, *Le sol américain*
Rémi Savard, *La voix des autres*
Rémi Savard / Jean-Pierre Proulx, *Canada, derrière l'épopée, les autochtones*
Robert-Lionel Séguin, *L'esprit révolutionnaire dans l'art québécois*
Robert-Lionel Séguin, *La victoire de Saint-Denis*
Jocelyne Simard, *Sentir, se sentir, consentir*
Jean Simoneau, *Avant de se retrouver tout nu dans la rue*
Jeanne M. Stellman, *La santé des femmes au travail*
Jean-Marie Therrien, *Parole et pouvoir*
Pierre Trottier, *Ma Dame à la licorne*
Paul Unterberg, *100,000 promesses*
Pierre Vadeboncœur, *La dernière heure et la première*
Pierre Vadeboncœur, *Les deux royaumes*
Pierre Vadeboncœur, *Indépendances*
Pierre Vadeboncœur, *Lettres et colères*
Pierre Vadeboncœur, *To be or not to be, that is the question*
Pierre Vadeboncœur, *Trois essais sur l'insignifiance* suivis de *Lettre à la France*
Pierre Vadeboncœur, *Un génocide en douce*
Pierre Vallières, *Nègres blancs d'Amérique*
Pierre Vallières, *L'urgence de choisir*
Paul Warren, *Le secret du star system américain, une stratégie du regard*
Heinz Weinmann, *Du Canada au Québec*
Lao Zi, *Le tao et la vertu*

COLLECTION DE POCHE TYPO

1. Gilles Hénault, *Signaux pour les voyants,* poésie, préface de Jacques Brault (l'Hexagone)
2. Yolande Villemaire, *La vie en prose,* roman (Les Herbes rouges)
3. Paul Chamberland, *Terre Québec* suivi de *L'afficheur hurle,* de *L'inavouable* et d'*Autres poèmes,* poésie, préface d'André Brochu (l'Hexagone)
4. Jean-Guy Pilon, *Comme eau retenue,* poésie, préface de Roger Chamberland (l'Hexagone)
5. Marcel Godin, *La cruauté des faibles,* nouvelles (Les Herbes rouges)
6. Claude Jasmin, *Pleure pas, Germaine,* roman, préface de Gérald Godin (l'Hexagone)
7. Laurent Mailhot, Pierre Nepveu, *La poésie québécoise,* anthologie (l'Hexagone)
8. André-G. Bourassa, *Surréalisme et littérature québécoise,* essai (Les Herbes rouges)
9. Marcel Rioux, *La question du Québec,* essai (l'Hexagone)
10. Yolande Villemaire, *Meurtres à blanc,* roman (Les Herbes rouges)
11. Madeleine Ouellette-Michalska, *Le plat de lentilles,* roman, préface de Gérald Gaudet (l'Hexagone)
12. Roland Giguère, *La main au feu,* poésie, préface de Gilles Marcotte (l'Hexagone)
13. Andrée Maillet, *Les Montréalais,* nouvelles (l'Hexagone)
14. Roger Viau, *Au milieu, la montagne,* roman, préface de Jean-Yves Soucy (Les Herbes rouges)
15. Madeleine Ouellette-Michalska, *La femme de sable,* nouvelles (l'Hexagone)
16. Lise Gauvin, *Lettres d'une autre,* essai/fiction, préface de Paul Chamberland (l'Hexagone)
17. Fernand Ouellette, *Journal dénoué,* essai, préface de Gilles Marcotte (l'Hexagone)
18. Gilles Archambault, *Le voyageur distrait,* roman (l'Hexagone)
19. Fernand Ouellette, *Les heures,* poésie (l'Hexagone)
20. Gilles Archambault, *Les pins parasols,* roman (l'Hexagone)
21. Gilbert Choquette, *La mort au verger,* roman, préface de Pierre Vadeboncœur (l'Hexagone)
22. Nicole Brossard, *L'amèr ou Le chapitre effrité,* théorie/fiction, préface de Louise Dupré (l'Hexagone)
23. François Barcelo, *Agénor, Agénor, Agénor et Agénor,* roman (l'Hexagone)
24. Michel Garneau, *La plus belle île* suivi de *Moments,* poésie (l'Hexagone)
25. Jean Royer, *Poèmes d'amour,* poésie, préface de Noël Audet (l'Hexagone)
26. Jean Basile, *La jument des Mongols,* roman, préface de Carole Massé (l'Hexagone)
27. Denise Boucher, Madeleine Gagnon, *Retailles,* essais/fiction (l'Hexagone)
28. Pierre Perrault, *Au cœur de la rose,* théâtre, préface de Madeleine Greffard (l'Hexagone)
29. Roland Giguère, *Forêt vierge folle,* poésie, préface de Jean-Marcel Duciaume (l'Hexagone)
30. André Major, *Le cabochon,* roman (l'Hexagone)
31. Collectif, *Montréal des écrivains,* fiction, présentation de Louise Dupré, Bruno Roy, France Théoret (l'Hexagone)
32. Gilles Marcotte, *Le roman à l'imparfait,* essai (l'Hexagone)
33. Berthelot Brunet, *Les hypocrites,* roman, préface de Gilles Marcotte (Les Herbes rouges)
34. Jean Basile, *Le Grand Khân,* roman, préface de Carole Massé (l'Hexagone)
35. Raymond Lévesque, *Quand les hommes vivront d'amour...,* chansons et poèmes, préface de Bruno Roy (l'Hexagone)
36. Louise Bouchard, *Les images,* récit (Les Herbes rouges)
37. Jean Basile, *Les voyages d'Irkoutsk,* roman, préface de Carole Massé (l'Hexagone)
38. Denise Boucher, *Les fées ont soif,* théâtre, introduction de Lise Gauvin, préface de Claire Lejeune (l'Hexagone)
39. Nicole Brossard, *Picture Theory,* théorie/fiction, préface de Louise H. Forsyth (l'Hexagone)
40. Robert Baillie, *Des filles de Beauté,* roman, entretien avec Jean Royer (l'Hexagone)
41. Réjean Bonenfant, *Un amour de papier,* roman, préface de Gérald Gaudet (l'Hexagone)
42. Madeleine Ouellette-Michalska, essai, *L'échappée des discours de l'œil,* essai (l'Hexagone)
43. Réjean Bonenfant, Louis Jacob, *Les trains d'exils,* roman, postface de Louise Blouin (l'Hexagone)
44. Berthelot Brunet, *Le mariage blanc d'Armandine,* contes (Les Herbes rouges)
45. Jean Hamelin, *Les occasions profitables,* roman (Les Herbes rouges)
46. Fernand Ouellette, *Tu regardais intensément Geneviève,* roman, préface de Joseph Bonenfant (l'Hexagone)
47. Jacques Ferron, *Théâtre I,* introduction de Jean Marcel (l'Hexagone)

COLLECTION FICTIONS

Robert Baillie, *Soir de danse à Varennes*
Robert Baillie, *Les voyants*
François Barcelo, *Aaa, Aâh, Ha ou Les amours malaisées*
Charlotte Boisjoli, *Jacinthe*
France Boisvert, *Les samourailles*
France Boisvert, *Li Tsing-tao ou Le grand avoir*
Christine Bonenfant, *Pour l'amour d'Émilie*
Réjean Bonenfant, Louis Jacob, *Les trains d'exils*
Nicole Brossard, *Le désert mauve*
Gilbert Choquette, *L'étrangère ou Un printemps condamné*
Gilbert Choquette, *La Nuit yougoslave*
Guy Cloutier, *La cavée*
Diane-Jocelyne Côté, *Lobe d'oreille*
Richard Cyr, *Appelez-moi Isaac*
Norman Descheneaux, *Fou de Cornélia*
Renée-Berthe Drapeau, *N'entendre qu'un son*
Andrée Ferretti, *Renaissance en Paganie*
Lise Fontaine, *États du lieu*
Madeleine Gaudreault-Labrecque, *La dame de pique*
Gérald Godin, *L'ange exterminé*

Marcel Godin, *Après l'Éden*
Marcel Godin, *Maude et les fantômes*
Pierre Gravel, *La fin de l'Histoire*
Pauline Harvey, *Pitié pour les salauds !*
Louis Jacob, *Les temps qui courent*
Monique Juteau, *En moins de deux*
Luc Lecompte, *Le dentier d'Énée*
Raymond Lévesque, *Lettres à Éphrem*
Réjean Legault, *Lapocalypse*
Francine Lemay, *La falaise*
Jacques Marchand, *Le premier mouvement*
Joëlle Morosoli, *Le ressac des ombres*
Alphonse Piché, *Fables*
Simone Piuze, *Les noces de Sarah*
Pierre Savoie, *Autobiographie d'un bavard*
Julie Stanton, *Miljours*
Claude Vaillancourt, *Le Conservatoire*
Pierre Vallières, *Noces obscures*
Yolande Villemaire, *Vava*
Paul Zumthor, *Les contrebandiers*
Paul Zumthor, *La fête des fous*

Cet ouvrage composé en Times corps 10
a été achevé d'imprimer sur les presses
de l'Imprimerie Gagné à Louiseville
en mai 1990 pour le compte des
Éditions de l'Hexagone

Imprimé au Québec (Canada)